DS

DANIELLE STEEL

Betrayal

Даниэла
СТИЛ

Прости меня за любовь

ЭКСМО
МОСКВА
2013

УДК 82(1-87)
ББК 84 (7США)
С 80

Danielle Steel

BETRAYAL

Художественное оформление *В. Щербакова*
Перевод с английского *В. Гришечкина*

Стил Д.

С 80 Прости меня за любовь / Даниэла Стил ; [пер. с англ. В.А. Гришечкина]. — М. : Эксмо, 2013. — 448 с. — (Даниэла Стил. Мировой мега-бестселлер).

ISBN 978-5-699-62330-3

Знаменитый кинорежиссер Талли Джонс не сразу нашла свое счастье. Когда в ее жизни появился Хант, женщина втайне надеялась, что со временем он заменит ее дочери от первого брака отца, а ей станет мужем. Кроме чувств, их обьединяла работа – во всем они безоговорочно доверяли друг другу. Однако в результате ежегодной аудиторской проверки выяснилось, что со счета Талли вот уже не первый год регулярно пропадают крупные суммы денег...

УДК 82(1-87)
ББК 84 (7США)

ISBN 978-5-699-62330-3

Посвящается моим любимым детям Беатрикс, Тревору, Тодду, Нику, Сэму, Виктории, Ванессе, Макс и Заре.

Пусть те, кому вы верите, никогда вас не предадут.
Пусть те, кому вы вручили свое сердце, обращаются с ним бережно и с любовью.
И пусть любовь, которую вы дарите другим, возвращается к вам сторицею.

От всего сердца с любовью,
ваша мама, Д. С.

Когда что-то теряешь — что-то находишь, когда что-то находишь — что-то обязательно теряешь, но любой конец означает новое начало.

Буддийская пословица

Глава 1

Двое мужчин, распростертых на раскаленном песке пустыни, были столь неподвижны, что казались мертвыми. На горизонте только что отгремели взрывы, и в воздухе еще висела пироксилиновая хмарь. Один из мужчин был ранен — его одежду покрывали кровавые пятна, кровь струйками сбегала по лицу, впитываясь в песок. Еще недавно эти двое были врагами, но сейчас раненый держал своего противника за руку, чувствуя, как вместе с кровью жизнь покидает его тело. Вот мужчины в последний раз поглядели друг другу в глаза, потом раненый глубоко вздохнул и затих навсегда. Мгновение спустя поблизости прозвучало несколько выстрелов. Оставшийся в живых мужчина вздрогнул и обернулся, в ужасе уставившись на вооруженного автоматической винтовкой человека, который стоял позади него, грозный, словно ангел возмездия.

— Стоп! Снято! — раздался усиленный мегафоном голос, и через секунду в безлюдной пустыне появились люди с камерами и съемочным оборудованием.

«Убитый» как ни в чем не бывало поднялся и принялся отряхиваться от песка. К нему тут же подбежал помощник режиссера с бокалом минеральной воды, и недавний покойник осушил его одним залпом. Его партнер по снятой сцене тем временем покинул съемочную площадку и, убедившись, что на сегодня работа закончена, направился к трейлерам, чтобы перекусить.

Члены съемочной группы громко смеялись и хлопали друг друга по плечам. Высокая худая женщина в растянутой мужской футболке, коротко обрезанных джинсовых шортах и баскетбольных кроссовках без шнурков заговорила о чем-то с оператором и его ассистентами. Ее спутанные светлые волосы были стянуты на макушке небрежным узлом. В какой-то момент женщина быстрым движением распустила волосы и, не прерывая разговора, ощупью заплела их в косу, потом схватила пластиковую бутылку с холодной минеральной водой и сделала несколько жадных глотков прямо из горлышка. Воду разносили в больших корзинах помощники; время от времени они пополняли запас в огромном фургоне, припаркованном на краю съемочной площадки. Актеры, участники сегодняшней съемки, уже потянулись туда. Возле фургона их подстерегал студийный фотограф, с ног до головы увешанный профессиональными цифровыми камерами: в фильме были заняты сразу четыре известных голливудских актера, и он спешил запечатлеть их для истории.

— Это будет лучшая сцена во всем фильме, — сказала светловолосая женщина, обращаясь к ведущему оператору. — Вы отлично поработали, Карл. Спасибо, спасибо... — добавила она, обращаясь к другим членам съемочной группы, которые по очереди подходили к ней, чтобы убедиться в том, что все в порядке и переснимать эпизод не понадобится. Звукооператор тоже был доволен, а это случалось редко: как настоящий профессионал высокого класса, он был весьма требователен, но сегодня все прошло хорошо.

По всем признакам «Человек на песке» должен был стать одним из лучших фильмов года, и в этом не было ничего удивительного. Все фильмы, которые снимала Талли Джонс, практически мгновенно становились кассовыми шедеврами. Они приносили прокатчикам баснословные прибыли и дважды номинировались на «Оскар» и шесть раз — на «Глобус»[1]. Правда, «Оскаров» в активе Талли пока не было, но два «Золотых глобуса» она получила. Успех ее картин объяснялся мастерством, с которым Талли сочетала напряженное действие, что очень нравилось мужчинам (чтобы удовлетворить свойственную этой категории зрителей кровожадность, она допускала даже сцены жестокости, но никогда не пользовалась ими как единственным средством привлечения публики), и отточенный психологизм, а это привлекало к ее работам зрительниц-женщин. В результате снятые ею ленты отличались глубокой драматургией отношений, были зрелищными и в то же время — жизненно достоверными, да и просто интересными. В Голливуде говорили: Талли Джонс, подобно царю Мидасу, обладает даром превращать в золото все, к чему прикасается, однако истина заключалась в том, что свой выдающийся талант она дополняла напряженной работой, начинавшейся еще на этапе выбора подходящего сценария, к поискам которого Талли подходила весьма тщательно. Сейчас ей было тридцать девять лет, и семнадцать из них она занималась съемками фильмов, еще ни разу не выпустив ни одной проходной или неудачной ленты.

Сегодня над съемочной площадкой вновь витал ощутимый запах победы, и Талли довольно улыбалась, когда, превозмогая накопившуюся за долгий день усталость, шла к трейлеру, где находился ее походный кабинет. Под мышкой она держала растрепанный экземпляр рабочего сценария, из которого торчали многочисленные закладки. Закладками были отмечены места, в которые сценаристы внесли очередные изменения, и ей еще предстояло их

---

[1] «Оскар» — ежегодная награда Американской академии кинематографических искусств и наук, присуждаемая за лучший американский фильм и достижения в различных областях кино по более чем 20 номинациям. Премия «Золотой глобус» — ежегодная премия, присуждаемая в ряде номинаций за лучшие работы в кино и на телевидении. Церемония награждения, проводимая в феврале, служит своего рода прелюдией к вручению «Оскаров». (*Здесь и далее прим. переводчика.*)

просмотреть, что-то отбросить, а что-то подкорректировать. В работе Талли была перфекционисткой. Стремясь к совершенству, она постоянно что-то переделывала, пробуя новые, более выигрышные варианты, поэтому те, кому доводилось с ней работать, иногда жаловались, что она-де контролирует каждый их шаг и вмешивается в мельчайшие детали, однако результат почти всегда оправдывал затраченные усилия. Во всяком случае, фильмы у Талли неизменно получались превосходными.

Войдя в свой трейлер с кондиционером, Талли включила мобильник и сразу заметила два сообщения от дочери, которая была первокурсницей юридического колледжа Нью-Йоркского университета. Макси́на, или Макс, как звала ее Талли, никогда не хотела сниматься в кино, что было не слишком обычно для дочери голливудской знаменитости. Ее интересовала только юриспруденция. Чуть ли не с самого раннего детства Макс мечтала стать адвокатом, как ее дед, отец Талли. Для дочери и внучки Сэм Джонс был героем, образцом настоящего мужчины, а они, в свою очередь, были единственными женщинами в его жизни. Его жена Белинда умерла от лейкемии, когда Талли заканчивала школу, и с тех пор Сэм помогал дочери и поддерживал ее чем только мог. И Талли хорошо понимала, что обязана ему многим. На все церемонии вручения премий Киноакадемии она ездила только с ним, и старый юрист ужасно гордился своей знаменитой дочерью, хотя и был довольно далек от мира кино и от всего, что было с ним связано.

В кино Талли влюбилась благодаря матери, которая с раннего детства водила ее буквально на все новые фильмы. Вместе они пересмотрели и старую мировую классику, так что уже к десяти годам Талли знала по именам всех актеров и режиссеров, оставивших в истории кинематографа хоть сколь-нибудь заметный след. Сама Белинда была без ума от кино. Даже дочь она назвала в честь Таллулы Брокмен Бэнкхед[1], которую считала самой красивой женщиной, когда-либо появлявшейся на экране. Талли, правда, недолюбливала собственное имя, поэтому пользовалась его более коротким и удобным вариантом, однако на ее страсть к кино это нисколько не повлияло. Каждый раз, когда они с матерью отправлялись в кинотеатр, маленькая Талли с замиранием сердца смотрела на экран и мечтала, что, когда она вырастет, обязательно станет знаменитой актрисой. О том же мечтала и ее мать, но, к несчастью, ей не довелось дожить до тех времен, когда Талли начала работать в киноиндустрии. Ни одного фильма, снятого дочерью, Белинда не увидела, однако Талли надеялась, что они бы ей понравились и что мать могла бы ею гордиться.

За Сэма Джонса Белинда вышла в двадцать один год. К тому времени ему сравнялось сорок пять и он слыл довольно известным адвокатом. Сейчас Сэму было уже восемьдесят пять, и он давно отошел от дел. В последние годы его некогда крепкое здоровье заметно пошатнулось, и поэтому Талли звонила отцу каждый день, чтобы просто поболтать или рассказать, как прошел ее съемочный день. Сэм любил слушать эти рассказы — артрит не позволял ему выходить из дома, поэтому дочь оставалась чуть ли не единственной ниточкой, связывавшей его с окружающим миром.

Сама Талли к своим тридцати девяти годам побывала замужем уже дважды, и оба раза неудачно, что было только закономерно, учитывая, что она жила в совершенно особом мире, где непродолжительные связи считались нормой, а прочные отношения были не в почете. Талли даже утверждала, что в Голливуде не осталось порядочных мужчин, и при этом нисколько не шутила.

Впрочем, ее первый муж и отец Макс не имел к кино непосредственного отношения. Он был ковбоем — настоящим

[1] Таллула Брокмен Бэнкхед (1902–1968) — американская актриса, знаменитая своим остроумием, блестящей внешностью, хриплым голосом и превосходно сыгранными ролями во многих пьесах и кинофильмах, в основном довоенных.

ковбоем из Монтаны и повсюду ходил в широкополой шляпе и настоящих кожаных штанах. Талли познакомилась с ним на подготовительных курсах кинематографического колледжа при Южно-Калифорнийском университете, куда он поступил, чтобы стать каскадером. Вскоре она забеременела; беременность протекала довольно тяжело, и ей пришлось взять годичный академический отпуск. По настоянию ее отца они зарегистрировали брак официально, но это оказалось пустой и бесполезной формальностью, которая не спасла их семью от распада — главным образом потому, что Талли и ее муж сами были почти детьми (когда Макс появилась на свет, Талли едва минуло двадцать, он был немногим старше). Меньше чем через полгода после рождения дочери ее муж бросил учебу и уехал обратно в Монтану, а вскоре они развелись. Талли, правда, несколько раз ездила к нему в надежде, что хотя бы ради Макс они смогут поддерживать дружеские отношения, но быстро поняла, что из этого ничего не выйдет — слишком разными они были людьми, слишком разными были окружение и условия, к которым каждый из них привык. Бывший муж Талли начал выступать в родео, а потом женился на девушке из Вайоминга, которая родила ему одного за другим троих сыновей. Каждый год он присылал Макс открытку с поздравлениями ко дню рождения и какой-нибудь сувенир с родео на Рождество. За восемнадцать лет своей жизни Макс видела отца ровно четыре раза — не более двух часов в общей сложности. Нет, он вовсе не был плохим парнем, этот ковбой из Монтаны, просто он принадлежал к другому миру, и ни с дочерью, ни с Талли его ничто не связывало. Даже в самом начале ни о каком родстве душ речь не шла — тогда Талли просто привлекла его мужественная красота, часть которой унаследовала и Макс. Высокая — около шести футов — и стройная длинноногая блондинка с голубыми, как небо Монтаны, глазами, она была даже красивее матери. Сама Талли была зеленоглазой и не такой высокой, и все же сходство между матерью и дочерью было поразительным, и, когда они выходили куда-то вместе, их часто принимали за сестер.

Во второй раз Талли вышла замуж за актера, снимавшегося в одном из ее фильмов. Она старалась не связываться с теми, кто работал у нее на площадке, но для Саймона сделала исключение — уж больно он был хорош. Англичанин и к тому же — настоящая кинозвезда, он покорил ее своим европейским лоском и аристократическим произношением. Талли тогда было тридцать, а ему — двадцать семь, но это ее не остановило, а напрасно. Полгода спустя, снимаясь уже в другом фильме, Сайм изменил ей со своей партнершей, причем даже не пытался это скрывать: о том, что ее муж встречается с такой-то актрисой, писали все желтые газеты. Талли возмутилась и подала на развод. Их брак просуществовал всего одиннадцать с небольшим месяцев, из которых вместе они прожили три. Развод, однако, обошелся Талли в миллион долларов, поскольку она была его инициатором, а англичанин хорошо умел считать деньги. Что ж, если такова была цена ошибки, Талли рада была заплатить, и при этом не сомневалась, что легко отделалась.

После этого она пять лет жила одна, сосредоточившись исключительно на работе и воспитании дочери. Никакого желания снова вступать в брак у нее не было — так называемой «семейной жизнью» она была сыта по горло. Вскоре, однако, она познакомилась с известным продюсером Хантером Ллойдом, и не прошло и нескольких недель, как они начали встречаться. С самого начала Хант показался Талли порядочным человеком — не бабником, не лжецом, не пьяницей. В прошлом у него также было два неудачных брака, каждый из которых обошелся ему в небольшое состояние, поэтому Хант, по его собственным словам, старался проявлять «разумную осторожность» и не спешил вступать в новые отношения. Несмотря на это — а может, именно благодаря этой самой «осторожности», которую проявляли обе стороны, — их связь оказалась на удивление прочной. К настоящему моменту они встречались уже четыре года, три из которых жили вместе у Талли. Хант переехал к ней после года регулярных свиданий, оставив свой роскошный особняк в Бель-Эйр последней жене.

И пока — тьфу-тьфу-тьфу! — их совместная жизнь складывалась настолько удачно, насколько только можно было желать. Они любили друг друга, а поскольку Хант обладал покладистым, мягким характером (порой он вообще напоминал Талли большого плюшевого мишку), он сразу подружился с Макс. Хант был на редкость добр и внимателен к девочке, и Талли нравилось думать, что он в какой-то мере заменит той отца, которого у нее никогда не было.

Кроме чувств, которые они питали друг к другу, их объединяла работа. Талли и Хант снимали уже второй совместный фильм. Первая лента, во время съемок которой они и сошлись, оказалась настоящим блокбастером, и оба были не прочь повторить успех. Вместе они могли работать гораздо эффективнее, чем поодиночке; Талли поняла это сразу, но вовсе не это удерживало ее и Ханта вместе. Пожалуй, впервые за двадцать лет она чувствовала себя по-настоящему счастливой и не осмеливалась мечтать о большем. Хантер Ллойд и стабильные, ровные, прочные отношения ее вполне устраивали. Несмотря на громкие профессиональные успехи, Талли всегда была человеком скромным и предпочитала вести спокойную, тихую, незаметную жизнь. Впрочем, на светские мероприятия и буйные вечеринки в кругу прочих голливудских знаменитостей у нее все равно не было времени — она либо снимала очередную ленту, либо готовила ее к выходу на экран. По совести сказать, дни, когда она *не* работала, можно было пересчитать по пальцам одной руки.

Карьера Талли в кино складывалась гораздо удачнее, чем личная жизнь. В двадцать один, вскоре после рождения дочери, Талли «открыл» один голливудский агент, причем — словно в дешевых романах — произошло это не где-нибудь, а в супермаркете, где Талли стояла в очереди к кассе. После проб, которые агент счел в высшей степени удачными, Талли довольно скоро получила роль в фильме — не заглавную, естественно, но и не в массовке. Откровенно говоря, она согласилась сниматься только в память о матери, которая всегда мечтала, что ее дочь сделается звездой экрана. Будь Белинда жива, для нее это значило бы очень и очень много, и Талли это отлично понимала. И надо сказать, что со своей ролью она справилась великолепно. Фильм имел успех, однако сниматься Талли не понравилось. Нисколько не прельщали ее и прочие атрибуты актерского ремесла, как то популярность и слава. За время, пока шли съемки, она лишь окончательно убедилась, что это не для нее, что ее место не перед камерой, а *за* ней. И вот, несмотря на настояния агента, который чуть не на коленях умолял ее продолжать сниматься и даже предложил ей на выбор несколько крупных ролей, где Талли могла бы блеснуть (а он был человеком многоопытным и сразу понял, что перед ним почти готовая звезда, которой не хватает лишь опыта и некоторой профессиональной подготовки), она решила, что будет заниматься режиссурой. Эта работа нравилась ей куда больше, и, хотя ей не хватало специальных знаний, Талли готова была учиться.

Как только закончился ее академический отпуск, она поступила на режиссерское отделение кинематографического колледжа при том же Южно-Калифорнийском университете. Ее первой самостоятельной работой стал небольшой малобюджетный фильм, который она снимала фактически за свой счет — с деньгами ей помог отец, который сразу поверил в ее талант. Лента «Мужчины и женщины как они есть» практически сразу стала культовой, а имя Талли Джонс попало в серьезную профессиональную прессу, где ее называли «перспективным» и «многообещающим» молодым режиссером.

Дальнейшая карьера Талли развивалась исключительно по восходящей. Первые же ее большие работы получили в прессе восторженные отзывы и сделали очень неплохие сборы. За семнадцать лет режиссерской работы Талли стала настоящей знаменитостью и живой легендой Голливуда, но сама она об этом почти не задумывалась. Ей просто нравилось то, что́ она делает. Не по душе Талли было все, что *сопутствовало* работе, — известность, навязчивое любопытство журналистов и фанов, необходимость присутствовать на премьерах и других рекламных мероприятиях и тому подобное. Меньше всего на свете Талли любила оказываться в центре внимания. Это, считала она, больше подобает актерам, а ей... К чему? Какая ей от этого польза? Не станет же она лучше снимать от того, что о ней станут чаще писать в глянцевых журналах. Именно поэтому Талли в свое время отказалась от актерской карьеры, решив, что лучше она будет снимать фильмы, чем играть в них. К тому же быть режиссером нравилось ей гораздо больше. Актер, считала она, отвечает только за свой узкий участок, за роль, которую исполняет, тогда как режиссер работает со всеми актерами сразу, подсказывая им, как лучше сыграть тот или иной эпизод или сцену, чтобы максимально раскрыть заложенный в сценарии потенциал. Кроме того, постоянно вращаясь в мире кино, Талли видела, во что она могла превратиться, если бы не отказалась от карьеры актрисы. Возможно, она и стала бы звездой, но перестала быть творческой личностью и... порядочным человеком.

Нет, она поступила совершенно правильно, когда предпочла режиссуру. В этом амплуа Талли чувствовала себя на своем месте; она была творцом, художником, а главное — отлично понимала, что конечный успех во многом зависит от ее собственных усилий, и старалась отшлифовать, довести до совершенства каждую сцену фильма, без конца переделывая и внося новые и новые улучшения в то, что казалось безупречным постороннему глазу. Только такая работа давала ей желанное удовлетворение. Быть звездой Талли совсем не хотелось, и, хотя ее успеху завидовали многие, она прилагала порой значительные усилия, чтобы оставаться в тени.

С годами она выработала вполне определенный стиль, который ее устраивал, и бо́льшую часть времени была вполне довольна тем, как идет ее жизнь. Дошло до того, что, когда Талли впервые номинировали на «Золотой глобус», ей пришлось срочно приобретать подходящее платье, чтобы отправиться на церемонию: в ее гардеробе просто не нашлось ничего подходящего, что она могла бы надеть по столь торжественному случаю. Собственно говоря, у нее и не было никакого гардероба, если не считать одежды, в которой она работала на площадке и которая делала ее похожей на бездомную бродяжку. Талли, однако, нисколько не переживала по этому поводу. Одежда должна быть практичной, удобной, чистой и недорогой — такой, чтобы не жалко было выбросить, считала она, и Хант был с нею вполне согласен. Он принимал Талли такой, какая она есть, и ему было все равно, как она одевается и как себя ведет.

Сам он, впрочем, был человеком куда более светским и принимал активное участие в жизни Голливуда, где его имя значило довольно много. Успех, однако, нисколько не вскружил ему голову; вместо того чтобы проводить вечера в дорогих ресторанах в обществе звезд и их прихлебателей, Хант возвращался к Талли, причем делал это с явным удовольствием. Дело было, впрочем, не в так называемом «домашнем уюте», поскольку когда он приезжал в их общее жилище, то чаще всего заставал Талли лежащей на диване в окружении рассыпанных повсюду страниц очередного сценария. Нередко бывало и так, что она надолго отправлялась куда-нибудь на натурные съемки. В этих случаях — если, конечно, Талли не снимала на другом континенте — Хант старался приехать к ней хотя бы на несколько часов, несмотря на то что своих дел у него хватало. Кино было для него весьма прибыльным бизнесом; в особенности это касалось фильмов, снятых Талли, а как она при этом одевается и дает ли себе труд как следует расчесать волосы, его заботило мало.

Сейчас Талли находилась на натурных съемках в окрестностях Палм-Спрингс. Помимо трейлера, где разместился ее рабочий офис, в городе у нее был номер в гостинице, где она могла переночевать, однако Талли пользовалась любой возможностью приехать домой в Лос-Анджелес и побыть с Хантом. Если же сьемки затягивались допоздна, Хант приезжал к ней сам.

Прежде чем покинуть сьемочную площадку, Талли планировала просмотреть отснятые за день материалы — особенно последний дубль, который представлял собой ключевую сцену фильма. Воткнув в волосы три цветных карандаша и фломастер, чтобы делать необходимые записи и пометки, она ответила на поступившие по электронной почте сообщения и уже собиралась идти в операторский фургон смотреть «потоки»[1], когда на дороге, ведущей к площадке, появилось облако желтой пыли. Оно быстро приближалось, и вскоре Талли различила мчащийся чуть впереди облака серебристый «Астон Мартин». Спустя несколько секунд изящный кабриолет затормозил перед трейлером, но облако пыли почти сразу настигло машину, и Талли зажмурилась, прикрывая рот рукой, чтобы не закашляться.

Хлопнула дверца, и из машины выбралась чрезвычайно эффектная молодая женщина в ультракороткой юбке с невероятно длинными стройными ногами и потрясающей фигурой. Как и Талли, она была блондинкой, но ее растрепавшаяся на ветру грива еще хранила следы тщательной укладки. Запястье ее украшал массивный бирюзовый браслет, в ушах сверкали бриллиантовые «гвоздики». Она казалась еще выше и стройнее в босоножках на высокой платформе из прозрачного пластика, внутри которой плавали в специальном геле крошечные золотые искры.

— Черт, я, кажется, опоздала! Сьемки уже закончились? — Владелица «Астон Мартина» озабоченно нахмурилась. Талли, напротив, добродушно усмехнулась.

— Не волнуйся, Бриджит, все прошло отлично. Если хочешь, можешь посмотреть «потоки» вместе со мной, я как раз собиралась в операторскую.

---

[1] «Потоки» (*киножаргон.)* — текущий сьемочный материал фильма.

Бриджит вздохнула с нескрываемым облегчением.

— Ты не поверишь, на шоссе был настоящий кошмар, я едва пробилась! Две огромные пробки по полчаса каждая — можешь в это поверить?! И это на восьмиполосной трассе!.. — Бриджит раздраженно тряхнула волосами.

Выглядела она как самая настоящая кинозвезда. В своих босоножках-«небоскребах» она была на пару дюймов выше Талли; макияж, без которого Бриджит никогда не появлялась на людях, выглядел идеально, а одежда была подобрана с таким расчетом, чтобы подчеркнуть соблазнительную фигуру и стройные ноги. Словом, кроме некоторого поверхностного сходства, Бриджит была полной противоположностью Талли. Все в ней — от одежды и косметики до жестов и манеры держаться и говорить — было тщательно продумано и рассчитано на то, чтобы привлекать к себе внимание. Сама Талли предпочитала держаться как можно незаметнее; впрочем, ее профессия в том и заключалась, чтобы как можно выгоднее подать других, а не себя. А Бриджит Паркер внимание окружающих любила, поэтому старательно выставляла напоказ все, чем наделила ее природа. И она, и Талли были высокими, стройными и светловолосыми, однако посторонний человек сразу подумал бы, что Бриджит как раз и есть та самая голливудская знаменитость. Талли он, скорее всего, просто не заметил бы, поскольку ей в большинстве случаев было наплевать, как она выглядит. Точнее, она никогда не задумывалась об этом всерьез. Бриджит, напротив, тщательно заботилась о своей внешности и прилагала значительные усилия к тому, чтобы произвести на окружающих самое сильное впечатление. «Пусть они все попáдают!» — таков был ее негласный девиз.

Одним из результатов этих усилий стало то, что Бриджит выглядела лет на десять моложе своего истинного возраста. Они с Талли были ровесницами, но Бриджит нельзя было дать больше двадцати пяти — двадцати восьми. Талли, впрочем, тоже выглядела моложе своих лет, хотя и не делала для этого ровным счетом ничего. Все дело было в ее природной худобе и привычке одеваться в потрепанные джинсы и растянутые, мешковатые майки, которые делали Талли похожей на девочку-подростка. Бриджит гордилась своими грудными имплантатами и искусственно удлиненными ресницами, к тому же она регулярно делала инъекции ботокса и коллагена и каждый день проводила по полтора-два часа в самом дорогом голливудском фитнес-клубе. На поддержание своей внешности она тратила немало времени, но оно окупалось сторицей.

Кинозвездой, впрочем, она никогда не была. Они с Талли познакомились семнадцать лет назад в киноколледже Южно-Калифорнийского университета, куда Бриджит поступила учиться, собираясь стать актрисой. Все в колледже знали, что она дочь богатых родителей из Сан-Франциско и может позволить себе не работать, однако Бриджит мечтала о звездной карьере. Как и Талли, она рано лишилась матери, но ее отец почти сразу женился на женщине много моложе себя. Как утверждала Бриджит, именно перспектива каждый день «общаться с этой дурой — моей мачехой» и заставила ее перебраться в Лос-Анджелес.

Когда Талли снимала свою первую самостоятельную картину, она наняла подругу в качестве личной помощницы, и та показала себя столь аккуратной и столь эффективно справлялась с повседневной мелочовкой, что Талли попросила Бриджит ассистировать ей и на съемках следующей ленты. С тех пор обе женщины постоянно работали вместе. Бриджит, которая взяла на себя большинство организационных вопросов, существенно облегчала жизнь Талли, полностью избавив ее от всего, что не имело непосредственного отношения к режиссуре. И как ни странно, ей это даже нравилось.

В конце концов Бриджит отказалась от своей мечты сделать карьеру в кино — по правде сказать, помимо яркой внешности, у нее не обнаружилось никаких иных данных для актерской карьеры — и сделалась постоянной ассистенткой Талли. Она представляла свою патронессу на всех официальных мероприятиях, яростно защищала ее от пронырливых репортеров и заботливо опекала в повседневной жизни. Бриджит часто говорила, что ради подруги она готова подставить голову под пули, и это не было преувеличением: Талли еще никогда не встречала человека более преданного и готового поступиться ради нее своими интересами. Кроме того, она остро нуждалась в помощи подобного рода, поскольку свойственная ей неискушенность и даже некоторая наивность требовали присутствия рядом человека более опытного, который отстаивал бы ее интересы и оберегал от трудностей.

Бриджит же делала все это с удовольствием, она освободила Талли от всех хлопот, так что руки у нее оказались полностью развязаны. Только благодаря подруге Талли смогла всецело посвятить себя творчеству; понимая это, она была бесконечно благодарна Бриджит за все, что та делала для нее на протяжении всех семнадцати лет их знакомства и продолжала делать до сих пор. Главное, сложившееся положение устраивало обеих, и Бриджит вовсе не стремилась что-то в нем менять. Со временем они стали еще более близки, и Талли очень дорожила этой дружбой: работа отнимала почти все ее время, поэтому никаких других подруг у нее не было. Она, впрочем, не особенно в них нуждалась, во-первых, потому, что никогда не любила шумные компании, а во-вторых, потому, что Бриджит заменяла ей всех. Она заботилась о Талли, опекала ее, помогала и поддерживала, изрядно гордясь той легкостью, с какой ей удавалось справляться с многочисленными делами. Казалось, не было проблемы, которую Бриджит не могла бы решить, и никакие трудности ее не пугали.

Талли и Бриджит вместе отправились к операторскому трейлеру, чтобы просмотреть отснятый за день материал. По пути Талли оживленно рассказывала, как хорошо оператор выбрал угол съемки и как удачно падал свет. Подруга слушала ее и морщилась — дорожка, по которой они шагали, была засыпана крупной галькой, и каблуки ее босоножек то скользили, то застревали между камнями.

— Не хочешь завести себе нормальную обувь? — поддразнила подругу Талли.

Это была их дежурная шутка — Бриджит никогда не покупала туфли, каблук которых был бы ниже шести дюймов. Она считала, что обувь на высоком каблуке выгодно подчеркивает ее и без того длинные ноги, и они действительно выглядели очень сексуально, причем в большинстве случаев никаких затруднений при ходьбе Бриджит не испытывала. Стильные туфли на высоком каблуке или на платформе она носила с такой непринужденностью, словно это были удобные домашние тапочки.

— Ты имеешь в виду — как твои древние кеды? — усмехнулась в ответ Бриджит.

Высокие баскетбольные кроссовки «Конверс», которые носила Талли, были изрядно растоптаны и кое-где начинали рваться, а шнурков она принципиально не признавала. Дома у нее была еще одна *почти* новая пара, но в Палм-Спрингс Талли взяла свои любимые, неоднократно испытанные «конверсы», которые, как ей казалось, сидели на ноге просто идеально. Будь у нее такое желание, она могла бы выглядеть столь же соблазнительной и сексуальной, как Бриджит, однако Талли никогда не ставила перед собой подобной задачи, да и Хант не требовал от нее ничего в этом роде. Ему нравился ее характер и блестящий, творческий ум; что касалось небрежности в одежде, то она была частью индивидуального стиля Талли, который нисколько не уменьшал ее природного обаяния. Бриджит тоже считала свою работодательницу невероятно талантливой. И она, и Хант были уверены, что рано или поздно Талли призна́ют одним из величайших режиссеров континента, а может быть, и всего мира.

В трейлере обе женщины устроились в удобных креслах и некоторое время просматривали отснятые за день эпизоды. Талли казалась сосредоточенной, почти хмурой. Так всегда бывало, когда она погружалась в работу. На взгляд Бриджит, съемки были безупречны, но от Талли не ускользала ни одна мелочь: несколько раз она просила остановить воспроизведение и диктовала редакторам-монтажерам свои замечания, которые они должны были учесть при окончательной обработке материала. Взгляд у нее был наметанный — Талли с легкостью подмечала такие вещи, на которые человек менее опытный или менее талантливый не обратил бы внимания или счел пустяком, не сто́ящим затраченного на его устранение времени и труда. Талли, однако, знала, что именно мелкие недочеты и пустячные ошибки способны погубить самый лучший материал. Прежде чем покинуть трейлер, она подробно объяснила художественному редактору и монтажерам, чего именно она от них добивается.

Когда подруги вышли наконец на улицу, Талли выглядела усталой, но довольной.

— Что ты собираешься делать вечером? — поинтересовалась Бриджит.

В багажнике «Астон Мартина» лежала дорожная сумка со всем необходимым на случай, если Талли попросит ее задержаться в Палм-Спрингс до утра. Служебные обязанности всегда были для Бриджит на первом месте, поэтому свои собственные планы она строила с учетом планов Талли. Кому-то подобная зависимость могла не нравиться, но Бриджит она нисколько не беспокоила, и это делало ее весьма ценным работником. С какой стороны ни посмотри, для подруги она была идеальной помощницей.

— Даже не знаю, — ответила Талли, слегка пожимая плечами. — Ты не звонила Ханту, перед тем как отправиться сюда? — Больше всего Талли хотелось вернуться в Лос-Анджелес и побыть с ним, но она знала, что доберется до города не раньше девяти часов — и это в лучшем случае.

— Звонила, — кивнула Бриджит. — Он сказал, что если ты вернешься домой, то он приготовит ужин, но, если ты решишь остаться, он постарается сам приехать к тебе.

Талли задумалась. Пожалуй, решила она, сегодня ей лучше переночевать дома, даже если она сможет пробыть там всего несколько часов. Правда, подобная поездка означала, что этой ночью ей вряд ли удастся как следует отдохнуть, так как назавтра Талли снова нужно было быть на площадке, однако это ее не пугало: она давно привыкла спать по два-три часа и вставать чуть свет. Кроме того, Хант отлично готовил, и это было не последним обстоятельством, повлиявшим на ее выбор.

— Пожалуй, я все-таки поеду домой, — решила она.

— Тогда я тебя отвезу, — предложила Бриджит. — Заодно немного подремлешь по дороге, а то мне кажется, что ты устала.

— О'кей, спасибо, — кивнула Талли.

Она действительно устала — как и всегда, когда работала на съемочной площадке, но это была привычная и приятная усталость. Когда Талли *не* уставала, ей всегда начинало казаться, будто она где-то что-то недоделала или схалтурила.

Пока Бриджит набивала смс-сообщение Ханту, Талли зашла в свой трейлер за сумкой. Эту сумку из прочного брезента со множеством отделений и карманов она купила несколько лет назад на распродаже и с тех пор использовала вместо дамской сумочки. Собственно говоря, сумка предназначалась для автомобильных инструментов, однако Талли носила в ней сценарий, над которым принималась работать, как только у нее выдавалась свободная минутка. Она вообще работала постоянно, то и дело записывая новые идеи и замечания, которые относились как к текущим, так и к будущим проектам. Бриджит даже шутила, мол, ее голова работает слишком быстро и, пока тело снимает один фильм, мозг уже обдумывает следующий.

Пока Талли ходила за сумкой, Бриджит успела предупредить Ханта о ее приезде. За сегодняшний день Бриджит уже сделала с дюжину деловых звонков, выполнила несколько мелких поручений, оплатила текущие счета Талли, а также заказала в Нью-Йорке кое-какие вещи для Макс. При этом она ничего не забыла и ничего не перепутала, так что Талли была совершенно права, когда говорила, что другой такой внимательной и собранной женщины она в жизни не встречала. Хант был с нею совершенно согласен — он часто повторял, что Талли очень повезло встретить такого человека, как Бриджит. Дело даже не в ее способностях или в том, как тщательно и умело она исполняет свои обязанности, добавлял он, а в том, что ее устраивает положение ассистентки, помощницы, то есть фактически — прислуги. Для женщины из состоятельной семьи это редкость.

Впрочем, Хант признавал, что в работе персональной помощницы известного человека имелись и свои плюсы. Бриджит была как бы вторым «я» Талли, ее полномочным представителем в большом мире. Она достаточно часто выступала перед прессой вместо своей работодательницы, поэтому широкая публика хорошо знала ее в лицо. Многие даже принимали ее за Талли, благо внешность Бриджит полностью соответствовала сложившимся в общественном сознании представлениям о том, как должна выглядеть настоящая знаменитость. Каждый раз, когда Бриджит выражала свое восхищение новым дизайнерским платьем, костюмом, меховым жакетом или ювелирным украшением, владельцы магазинов и бутиков считали своим долгом продать их ей по себестоимости или вовсе преподнести в подарок. При этом они надеялись, что Бриджит убедит свою знаменитую работодательницу покупать вещи только у них, не зная, насколько мало интересуют Талли наряды и украшения. Бриджит же вовсю пользовалась своим исключительным положением, и надо сказать, что в обновках от самых известных и модных дизайнеров она выглядела совершенно сногсшибательно. На «Астон Мартин» она тоже получила значительную скидку. Помимо машины и дорогой одежды, Бриджит владела также роскошным особняком с бассейном на Голливудских холмах.

Иными словами, жилось ей очень неплохо, благо обязанности личной помощницы Талли хотя и были достаточно разнообразными, не слишком ее обременяли. С делами Бриджит справлялась, что называется, одной левой, причем за семнадцать лет умудрилась не совершить ни одного сколько-нибудь серьезного промаха или ошибки. Правда, будучи единственной дочерью состоятельных родителей, она могла бы вообще не работать, однако, как она сама не раз говорила, ей доставляло истинное удовольствие помогать Талли.

Кроме того, это был удобный предлог, чтобы как можно меньше общаться с отцом и мачехой. Бриджит было приятно думать, что всего, что у нее было, она добилась самостоятельно, а не благодаря семейному капиталу, хотя она и призналась Талли, что за свой роскошный особняк она заплатила из средств, доставшихся ей по наследству после смерти матери. Это, впрочем, было достойное вложение денег, так как теперь дом Бриджит стоил в два, а то и в три раза больше, чем когда она его покупала. Прочие же ее нужды с лихвой покрывались более чем щедрой зарплатой, которую платила ей Талли, так что Бриджит вела вполне обеспеченную жизнь. Со стороны могло даже показаться, будто она живет в куда большей роскоши, чем ее нанимательница, и это действительно было так или почти так.

На самом деле Талли зарабатывала достаточно, чтобы позволить себе и огромный дом со слугами, и несколько дорогих машин, и роскошные наряды от всемирно известных кутюрье и дизайнерских фирм. Ее, однако, не интересовали ни показной блеск, ни бурная светская жизнь. Все, что ей было нужно, она черпала в творчестве и в отношениях с Хантом — об остальном Талли просто не думала. Такой она была с детства; скромность была врожденной чертой ее характера, хотя Талли и выросла в обеспеченной семье. Впрочем, средства, которыми располагал ее отец, были пустяком по сравнению с состоянием родителей Бриджит, детство которой прошло в совершенно иных условиях. Если судить по ее собственным рассказам, она ни в чем не знала отказа и могла позволить себе многое. Это, впрочем, не мешало ей до сих пор пребывать с родными в натянутых отношениях. Изредка Бриджит ездила в Сан-Франциско, чтобы навестить отца и мачеху, а когда возвращалась — без перерыва брюзжала и жаловалась. Фриско она считала отстойным городом и по-прежнему не переваривала свою мачеху, да и с отцом Бриджит не ладила, не в силах простить ему скорую женитьбу на другой женщине.

Таким образом, единственным ее близким человеком была Талли, о которой она заботилась и за которую по-настоящему переживала на протяжении всех семнадцати лет их знакомства. Талли, со своей стороны, относилась к Бриджит точно так же. Она была для нее даже больше чем подруга: для Талли Бриджит стала почти как сестра, которой у нее никогда не было, для Макс же она была доброй и снисходительной тетушкой. Девочка в свою очередь обожала «тетю Брит» и делилась с нею самыми сокровенными тайнами, которые не доверяла даже родной матери. Дело, однако, было не в том, что Талли и Макс не могли найти общий язык, просто съемки, в том числе и натурные, отнимали у Талли слишком много времени, поэтому она не всегда оказывалась «под рукой», когда Макс хотелось посекретничать. На самом же деле они с дочерью отлично ладили, и чем старше становилась Макс, тем теснее и доверительнее были ее отношения с матерью.

Усевшись на пассажирское сиденье «Астон Мартина», Талли застегнула ремень безопасности и, откинувшись на спинку сиденья, уже потянулась за сумкой, чтобы достать оттуда свой экземпляр сценария, как вдруг почувствовала, что за сегодняшний день она действительно сильно устала. День выдался довольно длинный — на площадке Талли работала с пяти утра, а когда дневные съемки закончились, просматривала готовый материал и отдавала распоряжения монтажерам. Перед самым отъездом ей принесли новую порцию поправок к сценарию, и она собиралась просмотреть их по дороге, но сейчас ей казалось — она не в силах просто пошевелиться, не говоря уже о том, чтобы вникать в суть сделанных сценаристами изменений.

— Может, лучше поспишь? — предложила Бриджит, от которой не укрылись колебания Талли. — Прочтешь свой сценарий завтра, на свежую голову. Утром я заеду за тобой пораньше, и ты сможешь поработать на обратном пути. Сейчас от твоих усилий все равно особого толку не будет, как бы ты ни старалась.

Уговорить Талли дать себе хоть небольшую передышку можно было только таким способом: к работе она относилась ответственно и добросовестно, но порой перебарщивала, доводя себя до полного изнеможения.

— Ну хорошо, — со вздохом согласилась Талли. — Так и быть, сейчас отдохну, но завтра...

И она снова вздохнула. Талли не представляла себе, что бы она делала без Бриджит. На нее всегда можно было положиться, и Талли надеялась, что так будет продолжаться и дальше — до тех пор, пока они обе не состарятся. Ее страх остаться без помощницы был столь велик, что она несколько раз заговаривала об этом с Бриджит, но та только смеялась и говорила, что они не расстанутся до самой смерти и что их, быть может, даже положат в одну могилу. Она действительно не испытывала никакого желания ни сменить работу, ни даже перейти от Талли к другому работодателю, хотя предложения, которые делали ей другие кинематографисты и даже некоторые крупные бизнесмены, были весьма и весьма соблазнительными. В деньгах Бриджит не нуждалась — главным для нее были личные отношения с Талли, поэтому всем, кто пытался ее нанять, она четко и недвусмысленно давала понять, что не бросит свою лучшую подругу за все сокровища мира.

— Если кто-то увидит меня в твоей машине, то скорее всего решит, что ты подобрала на шоссе автостопщицу, — сказала Талли, разглядывая свое отражение в зеркале заднего вида. — Не боишься, что я тебя скомпрометирую?

— Нисколько, — ответила Бриджит и хихикнула: — Хотя ты больше похожа на бродягу из тех, что копаются в помойках и мусорных баках. Может, тебе стоило бы как-нибудь попробовать причесаться? Просто для разнообразия, а?..

Сама Бриджит, в отличие от подруги, тщательно следила за своей прической и даже пользовалась искусственным наращиванием волос. Это добавляло двум женщинам сходства; вся разница заключалась в том, что белокурая грива Талли редко бывала в порядке. Она, правда, не особенно о ней заботилась, да и условия ее труда были совсем не такими, как у Бриджит. Если помощнице приходилось больше работать с бумагами или с телефоном, то Талли то и дело карабкалась по лестницам и мосткам или поднималась вверх на операторском кране, стараясь подобрать самый выигрышный ракурс. Она могла часами просиживать на солнцепеке и только отмахивалась, когда Бриджит советовала ей нанести на кожу специальный крем, предотвращающий появление ранних морщин. Талли могла, не особо задумываясь, сесть на землю или даже лечь в грязь, чтобы как можно лучше сориентировать главную или вспомогательные съемочные камеры, но несмотря на это — даже обожженная солнцем, с растрепанными волосами и в испачканной одежде, — она каким-то чудом оставалась на редкость привлекательной женщиной. Это было природное свойство, которому многие завидовали. Талли как будто светилась изнутри, а когда ей говорили об этом, утверждала, что это работа дает ей бодрость и энтузиазм. Бриджит, в отличие от нее, приходилось прилагать немало усилий, чтобы выглядеть на все сто. Она тщательно продумывала каждую мелочь, каждую деталь прически и гардероба, а у Талли никогда не хватало на это времени, да она и не хотела тратить драгоценные часы на всякие пустяки. Каждую свободную минуту она посвящала работе и чувствовала себя вполне счастливой.

— Зачем причесываться, если я все равно собираюсь спать? — вопросом на вопрос ответила Талли и неожиданно зевнула.

Только сейчас она начала сознавать, насколько сильно устала. Хорошо, что Бриджит согласилась отвезти ее домой. Пара часов сна, пусть даже в движущейся машине, должна ее освежить. Быть может, потом ей даже удастся немного поработать над сценарием...

— Действительно, зачем?.. — фыркнула Бриджит. — Ну ладно, закрой глаза и спи. Когда приедем, я тебя разбужу.

— Спасибо... — пробормотала Талли, послушно опуская ресницы.

Когда пять минут спустя Бриджит выруливала на шоссе, ведущее к Лос-Анджелесу, она уже спала, и только по губам ее блуждала легкая улыбка.

Скоро она будет дома...

Глава 2

Остановившись перед особняком в Бель-Эйр, Бриджит легонько тронула подругу за плечо. Талли не любила выставлять богатство напоказ, однако дом у нее был очень красивый. Изящный и пропорциональный, но без архитектурных излишеств, с просторными комнатами открытой планировки, он производил очень приятное впечатление и как будто дышал спокойствием и уютом, хотя его обстановка могла показаться по-спартански скудной. Талли, впрочем, это устраивало — она не выносила беспорядочного нагромождения мебели и старалась обходиться самым необходимым. Кроме этого особняка, у нее был еще один дом в Малибу, которым она за недостатком времени пользовалась довольно редко, квартира в Нью-Йорке, где сейчас жила Макс, а также небольшая уютная квартирка в Париже, купленная Талли после первого большого успеха. Об этом она давно мечтала, и теперь ей было приятно сознавать себя обладательницей квартиры, из окон которой открывался живописный вид на монастырский парк и Эйфелеву башню. К сожалению, в последний раз Талли была во Франции три года назад, и квартира в основном пустовала. Время от времени она предоставляла ее знакомым, а в прошлом году, когда Талли была на съемках в Африке, там целую неделю жила Бриджит, которая решила устроить себе небольшие каникулы во Франции. Похоже, Хант был прав: что ни говори, а должность персонального помощника знаменитости имела свои — и весьма значительные — плюсы. Правда, служебные обязанности зачастую вынуждали ассистентку жить интересами патрона, отказываясь от собственной личной жизни, но это возмещалось возможностью пользоваться почти теми же привилегиями и преимуществами, что и наниматель. Бриджит, впрочем, практически никогда не приходилось жертвовать личным, чтобы исполнять свою работу, благо ее подруга была не слишком требовательна. Например, сегодня вечером у Бриджит было назначено свидание, но она готова была перенести его на более позднее время или даже отложить, если бы Талли вдруг понадобилась ее помощь. С другой стороны, Бриджит была уверена, что ничего экстраординарного не случится и она попадет на свое свидание вовремя.

— Ну вот ты и дома, — негромко сказала Бриджит, как только Талли открыла глаза.

Экземпляр сценария с последними исправлениями все еще лежал у нее на коленях, и она убрала его в сумку. Бриджит была права — она сможет посмотреть его и утром. Впрочем, после двухчасового сна в машине Талли чувствовала себя немного бодрее, хотя в первую минуту никак не могла сообразить, где находится.

— Я что, всю дорогу продрыхла? — пробормотала Талли. — Ну и ну!.. — И она рассмеялась.

Улыбка сделала ее еще моложе, и на несколько мгновений Талли сделалась похожа на подростка. Из ее хвоста по-прежнему торчали фломастер и несколько карандашей, и сейчас, машинально проведя рукой по волосам, она нащупала их и убрала в сумку.

Бриджит тоже улыбнулась, но ее улыбка была снисходительной, как у взрослой женщины, которая смотрит на чумазого, растрепанного ребенка.

— Хант прислал мне эсэмэску, сообщил, что ужин готов. Ты — счастливая женщина, Талли, — добавила она, пока подруга выбиралась из машины.

— Да, — легко согласилась Талли.

Она отнеслась не слишком серьезно к словам подруги, так как отлично знала: Бриджит не прельщают сколько-нибудь длительные отношения. Она весьма дорожила своей свободой и часто меняла мужчин, причем предпочитала в основном парней помоложе. Большинство ее мужчин были актерами, снимавшимися в фильмах Талли. Они были «слабостью» Бриджит, причем больше всего ей нравились «плохие парни», способные на какую-нибудь скандальную выходку. Ни один из них, впрочем, не продержался достаточно долго, чтобы в полной мере реализовать свою склонность к хулиганским поступкам. В большинстве случаев Бриджит спала с очередным любовником, пока шли съемки фильма, когда же работа заканчивалась, заканчивался и их роман, после чего каждый продолжал жить собственной жизнью. Бриджит это более чем устраивало, ее кратковременных партнеров, по-видимому, — тоже.

— Я заеду за тобой в половине пятого, — предупредила Бриджит, и Талли, уже успевшая подняться на крыльцо, обернулась и помахала ей рукой на прощание.

Завтра ей нужно было быть на съемочной площадке не позже шести утра. Это означало, что грядущая ночь снова будет до обидного короткой, но Талли уже привыкла спать по три-четыре часа в сутки. Пока идет работа над фильмом, отдыхать некогда, отоспаться она сможет, когда картина будет сдана в прокат.

Прежде чем Талли успела вставить ключ в замок, входная дверь распахнулась, и на крыльцо шагнул высокий мужчина с темными вьющимися волосами и короткой бородкой, обрамлявшей привлекательное лицо с правильными чертами. На нем были шорты и белая футболка, поверх которой он повязал фартук. Прижав Талли к себе, мужчина крепко поцеловал ее в губы, потом оба скрылись в доме, и дверь закрылась.

Проводив подругу взглядом, Бриджит посмотрела на наручные часики от Картье и, нажав на педаль, снова выехала на дорогу. Один из молодых актеров, снимавшихся в фильме Талли, уже давно дожидался Бриджит у нее дома. Они договаривались встретиться в десять, но Бриджит, предвидя, что может задержаться, дала ему запасной ключ. Томми было двадцать шесть, и он был чертовски горячей штучкой.

Когда минут через десять она добралась до своего особняка, Томми плавал в бассейне. Никакой одежды на нем не было.

— Какое восхитительное зрелище! — приветствовала его Бриджит, сбрасывая юбку.

Потом настал черед блузки и лифчика. Ее груди, в которые она вложила несколько тысяч долларов, были безупречной формы, и молодой актер таращился на них с нескрываемым вожделением. Тело у Бриджит тоже было на редкость соблазнительным, и она умело этим пользовалась.

— Иди сюда, красотка! — позвал Томми.

Он явно наслаждался и теплой водой бассейна, и перспективой провести еще одну жаркую ночь с Бриджит Паркер. Они встречались уже полтора месяца — чуть меньше того времени, что шли съемки фильма. Никаких обещаний и клятв они друг другу не давали и не собирались, единственной их целью было получить удовольствие. И у них это неплохо получалось; Бриджит, во всяком случае, была довольна.

Сбросив туфли, Бриджит коротко взмахнула руками и бросилась в бассейн. Спустя несколько секунд ее голова появилась над поверхностью воды между разведенными ногами Томми, и молодой актер одобрительно рассмеялся. Бриджит была роскошной женщиной, к тому же она умела сделать мужчине приятное. Кроме того, Томми надеялся, что она поможет ему получить роль в следующем фильме Талли Джонс. Бриджит, правда, ничего не обещала, но по некоторым намекам он понял, что это не исключено. Впрочем, даже если бы она ничего для него не сделала, Томми все равно не стал бы жалеть о том, что связался с Бриджит. Они прекрасно проводили время вдвоем, к тому же Бриджит слыла одной из самых влиятельных женщин Голливуда и могла замолвить за него словечко если не перед мисс Джонс, то перед каким-нибудь другим известным режиссером. Поладить с ней было легко; единственное, чего она не терпела, так это если кто-то начинал злословить в адрес Талли в ее присутствии. Такого человека она готова была разорвать на кусочки, но Томми и не собирался совершать подобной ошибки. Его, правда, несколько удивляло, как в наше время можно быть столь верной подругой, но об этом он задумывался редко. Секс с Бриджит был лучшим из всего, что Томми испытывал в жизни, и это было единственным, что имело значение.

* * *

Не успела Талли войти в кухню, как Хант подал ей бокал охлажденного белого вина. Положив на кухонный стол сумку и сценарий, Талли сделала небольшой глоток и огляделась, с улыбкой принюхиваясь к витавшим в воздухе аппетитным запахам. Высокие французские окна кухни выходили на небольшую открытую веранду в саду, и некоторое время спустя Хант и Талли вышли из дома и сели за небольшой плетеный столик.

Талли была рада видеть Ханта и нисколько не жалела, что не осталась в Палм-Спрингс, пожертвовав парой лишних часов сна. Он, казалось, тоже был доволен ее приездом. По складу характера Хант был человеком спокойным и бесконфликтным; за все четыре года, что они прожили вместе, между ними ни разу не возникло никаких недоразумений, связанных с ее частым отсутствием. Они подходили друг другу почти идеально, и Талли считала редкой удачей свое знакомство с таким мужчиной, как Хант. Он никогда ее не разочаровывал и не огорчал, а ей, в свою очередь, нравилось обсуждать с ним рабочие дела. В кинобизнесе Хант был профессионалом и понимал ее с полуслова.

— Как прошел день? — поинтересовался он, снимая фартук и вешая его на спинку легкого садового стула.

Хант был выше Талли и выглядел статным мужчиной, хотя в последнее время слегка пополнел, так как любил вкусно поесть. Недавно ему исполнилось сорок пять, но черная бородка, которую он отпустил, делала его несколько старше своих лет.

— Очень хорошо, — ответила Талли с улыбкой. — Мы уже заканчиваем. Кстати, когда ты собираешься в Палм-Спрингс?

— Завтра я не смогу, к сожалению, — у меня назначено несколько деловых встреч с партнерами. Может быть, послезавтра... — Он слегка пожал плечами. — А эта сцена смерти в пустыне, из-за которой ты так переживала?.. Все получилось, как ты хотела, или пришлось что-то переделывать?

Хант старался следить за всеми изменениями в сценарии, но их было слишком много, да и Талли достаточно часто что-то меняла, так сказать, в рабочем порядке. У нее был особый талант чувствовать малейшие шероховатости в сценах и диалогах. С другой стороны, она всегда поощряла актеров импровизировать, добавлять к сценарию что-то свое, благодаря чему ее фильмы и получались такими «живыми» и естественными. Это, правда, требовало дополнительной режиссерской работы, однако до сих пор Талли справлялась.

— Нет, переделывать ничего не пришлось. Оператор нашел очень удачный ракурс, поэтому мы сняли сцену практически с первого раза, — сказала Талли с довольным видом. — Ну, показывай, что там у тебя? Я умираю с голода, — добавила она и снова принюхалась к запаху каких-то экзотических специй.

Хант часто баловал ее блюдами японской, корейской, китайской и тайской кухни. Казалось, у него был к ним особый талант, хотя и с французскими блюдами он тоже был неплохо знаком. В последнее время он также осваивал мексиканскую кухню — и довольно успешно. Готовить Хант любил, и если к ним приходили гости, они всегда съедали все и просили добавки. Талли очень нравилось возвращаться домой, где ее обязательно ждал какой-нибудь кулинарный сюрприз, и сегодняшний вечер, похоже, не был исключением. Блюдо, которое Хант выставил на стол, оказалось настолько вкусным, что Талли остановилась, только когда почувствовала, что не сможет съесть больше ни крошки. Кроме того, Хант припас для нее бутылку ее любимого вина «Кортон Шарлемань», и они прекрасно провели вечер, сидя на веранде и болтая о том о сем. Талли это напоминало романтический ужин: вино, вкусная еда, приятный разговор. Как будто в ресторане, только лучше, поскольку они были одни, к тому же ей не нужно было ни наряжаться, ни даже приводить в порядок волосы.

За ужином Хант рассказал Талли, как идет работа над их следующим совместным проектом. Новый фильм должен был сниматься главным образом в Италии, и Хант планировал провести это время с ней. На время съемок он собирался арендовать для них небольшую виллу в Тоскане[1], и Талли сказала, что это будет чудесно. Воодушевившись, Хант сообщил, что начал подбирать исполнителей и в самое ближайшее время намерен встретиться со страховщиками и инвесторами, чтобы обеспечить ленте достойный бюджет. В том, что у него все получится, Талли ни секунды не сомневалась — Хант не зря слыл одним из самых успешных продюсеров Голливуда. Его проекты всегда были детально проработаны и выглядели очень убедительно, да и имя Талли должно было сыграть свою роль. Вот почему она почти не удивилась, когда Хант, сделав таинственное лицо, поведал, что привлек к проекту крупного японского инвестора, который согласился финансировать новую ленту. Конечно, добавил он, любой японец будет просто счастлив дать деньги на фильм, который делает она, но надо, чтобы все детали соглашения были в порядке, и Талли кивнула. Она знала, что Хант никогда не полагается на авось: в своей работе он был таким же перфекционистом, как она сама.

[1] Тоскана — историческая область в Италии.

— Я думаю, с японским инвестором дело решенное, — добавил Хант, когда после ужина они вместе убирали со стола. — Единственное условие, которое он выдвинул, это проведение аудиторской проверки нашей сметной документации, а также наших личных финансов. Наверное, этот тип хочет убедиться, что мы вполне платежеспособны и не сбежим с его деньгами. — Хант улыбнулся. — Ты ведь не против?

— Конечно, нет, — ответила Талли, целуя его. — Спасибо за ужин, дорогой, все было просто восхитительно. Что касается проверки, то я предупрежу Виктора Карсона, чтобы он предоставил аудиторам всю необходимую документацию. Мне скрывать нечего.

Талли, как и Ханту, не хотелось терять солидного инвестора, хотя она знала, что ей не составит труда найти средства на очередную картину. Просто на это могло потребоваться время, а Талли терпеть не могла даже небольших простоев в работе.

— Он хочет, чтобы нас проверяла очень известная независимая аудиторская компания, которую возглавляют два бывших фэбээровца. Я слышал — они очень дотошные ребята, зато инвестор будет доволен. Если они скажут «о'кей», значит, никаких сомнений быть не может. Японец будет уверен, что его не обманут, мы получим денежки и сразу начнем действовать. — Хант уже встретился со всеми крупными голливудскими агентами и договорился с ними насчет исполнителей главных ролей, чтобы к тому моменту, когда деньги начнут поступать на счета компании, контракты с актерами были уже готовы.

— Я скажу Бриджит, она позвонит Виктору уже завтра, — пообещала Талли, когда, погасив в кухне свет, они поднялись в спальню, главной отличительной чертой которой был огромный видеоэкран, занимавший почти всю стену.

Им обоим нравилось лежать в постели и смотреть старые фильмы. Талли всегда считала их образцами, на которых стоит учиться. Сегодня, впрочем, ей было не до кино. Время близилось к полуночи, и отступившая было усталость снова дала о себе знать, а ведь назавтра ей предстояло вставать в четыре, чтобы вовремя поспеть на площадку. Кроме того, Талли собиралась позвонить Макс, но, когда она спохватилась, в Нью-Йорке было уже слишком поздно, и она решила, что позвонит дочери утром. А тут еще Хант сказал, что незадолго до того, как она вернулась домой, звонил ее отец, а он забыл сказать ей об этом сразу.

— Завтра ему нужно сдавать какие-то анализы, — пояснил Хант, заметив, что Талли забеспокоилась. — Он сказал — ничего особенного, обычная проверка. Еще он хотел знать, работаешь ли ты завтра, и я ответил, что да.

— Я могу попросить Бриджит отвезти папу в клинику, — сказала Талли. — Или лучше пусть это сделает Амелия, его домработница. Надо только ее предупредить.

Бриджит Сэм Джонс называл за глаза «секс-бомбой». «Сам бы за ней приударил, да возраст не позволяет», — шутил он, и Талли каждый раз смеялась, когда это слышала. Впрочем, ее отец без всяких шуток считал Бриджит самой сексуальной женщиной из всех, кого он когда-либо встречал, и только удивлялся, почему ее до сих пор никто не окольцевал. В вопросах брака Сэм Джонс придерживался традиционных взглядов.

— Не надо никого предупреждать, — возразил Хант. — Я обещал твоему отцу отвезти его в клинику и обратно — с утра у меня как раз будет часа два свободных, так что дело не пострадает. Он сказал, что не против, но только если ты не будешь возражать.

— Я не буду возражать. Хант, ты просто святой! — воскликнула Талли, обнимая его за шею. Он, в свою очередь, крепко прижал ее к себе.

— Я вовсе не святой, просто я очень тебя люблю. Спасибо, что приехала сегодня домой.

— А тебе спасибо за превосходный ужин. Слушай, может быть, ты все-таки сможешь приехать в Палм-Спрингс завтра вечером? — снова спросила она, думая о том, что так ей не придется тратить время на дорогу до Лос-Анджелеса, а значит, они смогут провести вместе пару лишних часов.

Отель, в котором для нее был зарезервирован номер, был очень неплох, к тому же там был превосходный спа-салон. Талли нравилось, когда Хант приезжал в Палм-Спрингс, чтобы провести с ней ночь, к тому же когда съемочный день слишком затягивался, остаться в номере ей было проще, чем возвращаться домой.

— К сожалению, завтра никак не получится: днем у меня намечено несколько важных дел, а на вечер запланирована деловая встреча, — ответил Хант. — Пожалуй, я лучше приеду послезавтра. Как ты на это смотришь? Думаю, и тебе тоже не стоит мотаться в ЛА и обратно каждый день — от этого ты только сильнее устанешь. Правда, я подозреваю, что даже если ты будешь ночевать в Палм-Спрингс, то освободившиеся часы ты посвятишь работе, а не отдыху, и все же...

Талли рассмеялась.

— Ты хорошо меня изучил, Хант. Ладно, я согласна — буду ждать тебя завтра вечером. — С этими словами Талли отправилась в душ.

Несколько минут спустя она вернулась и забралась в постель. Хант лежал под одеялом нагишом, поэтому она тоже сняла футболку, которую надевала вместо ночной рубашки, и покрепче прижалась к его горячему телу. Хант привлек ее к себе и нежно поцеловал, и Талли почувствовала себя абсолютно счастливой.

— Я очень скучаю, когда ты уезжаешь на натуру, — прошептал он ей на ухо, и Талли поцеловала его в ответ.

Палм-Спрингс был местом сравнительно цивилизованным; в ее жизни бывали и худшие варианты. Однажды она прожила три месяца в палатке в самых настоящих джунглях, потом еще полгода — в хижине в африканской деревне. Приходилось ей бывать и в местах, где шла реальная война; по сравнению с ними Палм-Спрингс был почти курортом, к тому же он находился сравнительно недалеко от Лос-

Анджелеса, так что жаловаться им обоим, пожалуй, не стоило. Кроме того, натурные съемки были почти закончены, скоро она вернется домой, и они снова смогут быть вместе.

— Мне тебя тоже не хватает, — прошептала она, когда Хант начал не торопясь заниматься с ней любовью. Пару минут спустя Талли уже забыла обо всем, кроме его ласковых прикосновений.

Потом они еще несколько минут лежали рядом и разговаривали, хотя Талли приходилось буквально бороться со сном. Ей было так хорошо и спокойно, что глаза ее закрывались сами собой. В конце концов Талли обняла его обеими руками и, хотя Хант еще что-то говорил и гладил ее по волосам, погрузилась в глубокий сон.

Глава 3

На следующее утро, ровно в половине пятого, Бриджит подъехала к дому Талли. Она никогда не опаздывала. Какой бы бурной ни была проведенная ею ночь, Бриджит всегда появлялась на работе точно в срок, будь то раннее утро или любое другое время, когда она была нужна Талли.

Остановив машину на подъездной дорожке, Бриджит послала подруге смс-сообщение. Через пару минут дверь особняка отворилась и появилась Талли, держа кроссовки в руке. Осторожно прикрыв за собой дверь, она на цыпочках спустилась по ступенькам и забралась в салон «Астон Мартина». Перед отъездом она приняла душ, но высушить волосы до конца не успела и теперь выглядела еще более неряшливо, чем накануне вечером. Одежду она тоже переменила, но ее сегодняшний костюм не слишком отличался от вчерашнего: ветхие джинсы не с обрезанными, а с оторванными штанинами были похожи на индейскую набедренную повязку с бахромой, а майка, хотя и свежая, была вся в дырах.

Глядя на нее, Бриджит только головой покачала.

— Или я чего-то не понимаю, — проговорила она, — или это новая мода и ты заплатила за свою шикарную майку небольшое состояние. Как называется бутик, в котором ты одеваешься? «Гудвилл»?..[1]

Обе знали, что некоторые дизайнеры-модернисты специально проделывают дыры в своих новых моделях, располагая их в особом, только им известном порядке. Макс, например, недавно приобрела в «Максфилде» несколько таких «высокохудожественных» маек, причем стоили они действительно очень недешево. Талли модные обновки доставались совершенно бесплатно — у Ханта было полно старых футболок, которые он отдавал ей. Она вообще редко тратила деньги на дорогую одежду и тем более не видела смысла выбрасывать значительные суммы на дизайнерские изыски.

— Не угадала! — рассмеялась Талли. — Эту майку я вытащила из мусорного пакета. Хант хотел ее выбросить, но я не дала. Мне показалось — она еще послужит.

При этом вид у нее был такой довольный, словно ей удалось сэкономить крупную сумму, и Бриджит, которая отлично знала, что на самом деле подруга никогда не отличалась ни крохоборством, ни патологической жадностью, снова покачала головой.

— Пригодится? В качестве чего?.. Половой тряпки или ветоши для протирки стекол в машине? Ты единственная, кого я знаю, кто зарабатывает миллионы и одевается в тряпье, которое вытаскивает из мусорных пакетов.

Она тронула машину с места, и Талли рассмеялась:

— Если бы я призналась, что эта футболка из «Максфилда», ты сказала бы, что она — супер?

— Конечно, — отозвалась Бриджит без малейших колебаний.

— Ну, если тебе так будет спокойнее, давай сделаем вид, что это новейшая дизайнерская одежда от... от Рудольфа Валентино, о'кей? Мне некогда думать, во что я

---

[1] «Гудвилл индастриз» — американская методистская благотворительная организация, которая собирает в качестве пожертвований старую одежду и предметы обихода, а затем продает их через сеть собственных магазинов.

одеваюсь и как я выгляжу. Думаю, ты понимаешь почему, правда?

Талли действительно никогда особенно не следила за своим внешним видом: в ее списке важных дел это был пункт двадцать пятый... или даже сто двадцать пятый. Она только заботилась о том, чтобы одежда была чистой, а остальное ее не волновало. Главным для Талли было то, чтó творится у нее в голове, а вовсе не то, чтó она надевает. Это и отличало ее от абсолютного большинства женщин, с которыми ей приходилось сталкиваться, и в первую очередь — от Бриджит, которая меняла наряды чуть ли не каждый день. Талли давно подозревала, что почти всю свою далеко не маленькую зарплату ее помощница тратит на тряпки и украшения, однако каждый раз, когда она в шутку заговаривала об этом, Бриджит отвечала, что коль скоро она представляет перед широкой публикой саму Талли Джонс, то и выглядеть она должна соответственно, чтобы, не дай бог, не уронить авторитет и не подпортить репутацию самой талантливой голливудской женщины-режиссера. Слыша подобный ответ, Талли только пожимала плечами. Ей было глубоко наплевать на репутацию. Что касалось авторитета, она считала, что с ним ничего не случится, покуда она будет снимать хорошие фильмы.

По дороге в Палм-Спрингс Талли позвонила дочери в Нью-Йорк и застала ее, когда та уже собиралась уходить в колледж. Как выяснилось, у Макс все было в порядке. Что касалось сообщений, присланных матери на телефон, то она просто хотела узнать, как у нее дела: здорова ли она и как идут сьемки.

— У меня все отлично, — сказала Талли в трубку. — Сьемки идут почти точно по графику, так что в конце месяца мы все вернемся в Лос-Анджелес. Нам нужно отснять еще несколько эпизодов в городе — и все: фильм останется только смонтировать. А как ты?.. Что у тебя новенького? Как учеба?

Талли нравилось разговаривать с дочерью — пусть даже о пустяках, поэтому она звонила Макс при каждом удобном случае.

— Все в порядке, ма, не волнуйся. Учеба тоже хорошо. Да, на днях я познакомилась в библиотеке с новым парнем. Он та-акой клевый!.. Его зовут Рон, и он учится на подготовительных медицинских курсах, чтобы поступить в колледж.

— Вот как?..

Многочисленные увлечения Макс молодыми людьми тревожили Талли. Каждый раз, когда ее дочь знакомилась с очередным «клевым» парнем, Талли невольно вспоминала, что была всего лишь на пару лет старше, когда забеременела от своего ковбоя из Монтаны. Впрочем, Макс была не настолько глупа, чтобы наделать подобных ошибок, — сама Талли в ее возрасте была куда более наивной и доверчивой. Впрочем, ей казалось, что даже тогда все могло бы пойти по-другому, если бы была жива ее мать. После смерти Белинды Талли на некоторое время утратила жизненные ориентиры, к тому же она отчаянно нуждалась в ласке и тепле — вот и бросилась в обьятия первого попавшегося мужчины. Правда, у нее оставался отец, который всегда был готов помочь советом или делом, но он не мог заменить Белинду. Мать, полагала Талли, повела бы себя в той ситуации иначе; уж, во всяком случае, она отговорила бы ее регистрировать брак с ковбоем, на чем настоял отец.

К счастью, все закончилось более или менее благополучно, а главное — у нее была замечательная дочь, так что Талли ни о чем не жалела. Макс была чудесным ребенком и никогда не доставляла ей серьезных огорчений. Даже ее желание пойти по стопам деда и заняться юриспруденцией было Талли по душе; она, во всяком случае, нисколько не переживала из-за того, что Макс была, по большому счету, равнодушна и к производству фильмов, и даже к актерской карьере, о которой мечтало большинство девушек ее возраста. Правда, Макс долго скрывала от матери, что *не хочет* заниматься кино. Когда же она наконец в этом призналась, Талли только вздохнула с облегчением. Она лучше, чем кто бы то ни было, знала этот мир, который, казалось, целиком состоял из тяжелого труда, интриг, фальшивого блеска, ненадежных людей и безумных поступков. Именно по этой причине Талли никогда не настаивала, чтобы Макс дружила с другими «звездными» детьми, хотя с некоторыми из них она регулярно общалась в школе. Макс, к счастью, была довольно рассудительной девочкой, да и среди отпрысков знаменитостей оказалось на удивление много хорошо воспитанных и просто милых детей. Чересчур избалованных и неуправляемых она сама старалась избегать. К выпускным классам вокруг Макс сформировалась целая компания спокойных, уравновешенных и просто порядочных юношей и девушек, глядя на которых было довольно трудно представить, что их родители зарабатывают в год десятки и сотни миллионов долларов.

— Ну ладно, мам, я побежала. Удачного дня, — сказала Макс на прощание, и Талли тоже пожелала ей всего хорошего.

Дав отбой, она вспомнила, что хотела предупредить Бриджит насчет аудиторской проверки, которую потребовал провести японский инвестор. Бриджит должна была позвонить их бухгалтеру Виктору Карсону и сказать, чтобы он оказал полное содействие независимым аудиторам.

— Тебе, по крайней мере, не придется корпеть над бумажками, — сказала она, после того как дала Бриджит необходимые инструкции. — Это чисто бухгалтерская работа.

— Если Виктор захочет, я могла бы подготовить для него все необходимые данные, — ответила Бриджит.

Она очень ловко управлялась с цифрами и всегда оплачивала текущие счета Талли. До сих пор Бриджит вела свою маленькую бухгалтерию безупречно — Талли не помнила случая, чтобы оплаченный счет или квитанция куда-то пропали. Правда, первые несколько лет Бриджит приходилось буквально бегать за ней по пятам, уговаривая подписать чек. Это был весьма трудоемкий процесс, так что в конце концов они открыли специальный совместный банковский счет, чтобы Бриджит могла сама подписывать чеки, расплачиваясь за приобретенные для Талли вещи. Деньги на этот общий счет поступали, естественно, с личного счета Талли. Это было очень удобно и экономило уйму времени, благо Бриджит тщательно фиксировала все расходы, вплоть до покупки туалетной бумаги в ближайшем универмаге. С помощью своей платежной карточки Бриджит делала необходимые покупки и для Макс, а также оплачивала квартиру в Нью-Йорке. Естественно, что она тесно сотрудничала с Виктором Карсоном, стараясь держать финансовые дела подруги в полном порядке, и Талли полностью полагалась на обоих. Именно благодаря Бриджит у нее никогда не было никаких неприятностей ни с банком, ни с налоговым управлением, и Хант часто говорил, что хотел бы иметь такую помощницу. Она, впрочем, охотно помогала и ему — но не регулярно, а только когда он о чем-то просил. Главной заботой Бриджит оставалось благополучие Талли.

Весь обратный путь до Палм-Спрингс Талли работала со сценарием. Кое-какие изменения она успела просмотреть, но накануне поздно вечером сценаристы прислали Бриджит по факсу новые варианты, и теперь Талли предстояло ознакомиться и с ними. Вооружившись карандашом, она строчила в рабочем блокноте, делая какие-то заметки, и когда обе женщины добрались наконец до съемочной площадки, в руках у Талли был свой собственный вариант сценария, который включал и изменения, внесенные штатными сценаристами, и ее собственные идеи. Бриджит это нисколько не удивило — именно так Талли работала всегда. Уделяя особое внимание деталям, она добивалась совершенно поразительных эффектов, которые и делали ее фильмы столь популярными. Говорят: «В деталях — дьявол». Бриджит переделала эту известную поговорку, применительно к Талли она звучала: «В деталях — гений». И это действительно было так.

— Ну а ты чем занималась вчера вечером? — спросила Талли, когда «Астон Мартин», подняв тучу пыли, остановился перед ее трейлером-офисом.

— Да ничем, в общем-то... Я приняла ванну, немного почитала, потом ответила на пару электронных писем и легла. Мне нужно больше спать — во сне кожа отдыхает и становится более упругой и здоровой, — уклончиво ответила Бриджит.

О чем она никогда не рассказывала Талли, так это о тех молодых актерах, с которыми знакомилась на съемочной площадке. Правда, время от времени до Талли доходили кое-какие слухи, но она никогда не показывала, что что-то знает. Если Бриджит захочет, считала Талли, то сама все расскажет, а не захочет, так и не надо — в конце концов, это ее не касается. Главное, чтобы положение устраивало саму Бриджит, а оно ее устраивало... так чего же еще? Сейчас Талли тоже не собиралась ничего говорить, прекрасно зная, что романы помощницы никогда не длятся дольше, чем съемки фильма. Более того, она была уверена: Бриджит не сделает ничего, что могло бы скомпрометировать ее подругу и работодательницу, не станет давать обещания, которые не сможет выполнить. Нет, разумеется, если бы Бриджит попросила ее за кого-то из своих любовников, Талли сделала бы все, что в ее силах, чтобы выполнить эту просьбу, однако у нее были принципы, которые она не смогла бы преступить даже ради подруги. Так, например, она не стала бы давать роль в своем фильме неподходящему актеру только потому, что за него просила Бриджит. Впрочем, Бриджит, со своей стороны, никогда не обратилась бы к Талли с подобной просьбой — для этого она была слишком умна и прекрасно понимала, где заканчивается дружба и начинается работа.

Вот почему Талли не стала расспрашивать подругу, с кем та провела минувшую ночь. По большому счету, это было не ее дело, поэтому она только слегка улыбалась, глядя, как Бриджит пытается придать своему лицу самое невинное выражение. Ей, правда, было любопытно, кого именно выбрала Бриджит на этот раз, но та молчала, и Талли не стала задавать нескромных вопросов. Должно быть, подумала она, это был один из молодых, подающих надежды актеров второго плана или даже кто-то из массовки. Это было бы вполне в духе Бриджит.

Как и накануне, дел на съемочной площадке нашлось много, и Талли с головой ушла в работу, стоило ей только выбраться из машины. Бриджит держалась поблизости — она приносила ей охлажденную минералку, готовила кофе и следила, чтобы Талли обязательно что-нибудь съела. Во время работы Талли часто забывала о еде: она слишком увлекалась и в своем нетерпении не желала тратить время на такие мелочи, как горячий обед. По той же самой причине она редко давала себе труд одеться более или менее прилично и как следует расчесать волосы. Творчество захватывало ее целиком, поэтому ко всему, что отнимало время или могло отвлечь ее от процесса съемки, Талли относилась достаточно пренебрежительно.

Пока Талли работала, Бриджит отвечала от ее имени на электронные письма и телефонные звонки. Несколько звонков она сделала сама — готовиться к завтрашним съемкам следовало уже сегодня. Кроме того, она связалась с Виктором Карсоном и предупредила его насчет аудиторской проверки. Иными словами, Бриджит была занята не меньше Талли, когда же у нее выдавалась свободная минутка, она внимательно следила за тем, что происходило на съемочной площадке, и иногда даже давала Талли весьма ценные советы. В кино Бриджит отнюдь не была дилетанткой, да и глаз у нее был наметанный, так что порой она подмечала нюансы, которые выпадали из поля зрения Талли. Хорошо представляя себе, какого именно эффекта пыталась добиться подруга — а за семнадцать лет совместной работы она очень неплохо изучила ее стиль и ее творческую манеру, — Бриджит мгновенно реагировала, когда тот или иной снимаемый эпизод выбивался за рамки генеральной концепции. Талли, со своей стороны, всегда очень серьезно относилась к мнению подруги и высоко ценила ее подсказки. В конце концов, Бриджит тоже была профессионалкой, и ее суждения не стоило сбрасывать со счетов.

Этот съемочный день также оказался весьма удачным, и вечером Талли позвонила Ханту, чтобы похвастаться своими успехами. Она застала его в пути: Хант ехал на деловую встречу в ресторан «Поло Лонж». Услышав, что Талли довольна отснятым материалом и что переснимать ничего не придется, он очень обрадовался: помимо всего прочего, сегодняшний прогресс означал, что натурные съемки закончатся в срок или даже немного раньше и они смогут больше времени проводить вместе. В свою очередь Хант рассказал Талли о том, как у него сложился день, и добавил, что очень по ней скучает.

На этом разговор закончился. Отключив телефон, Талли подумала: как все-таки замечательно, что, несмотря на связывающие их чувства, им вовсе не обязательно быть постоянно вместе, как каким-нибудь сиамским близнецам. Они любили друг друга и жили вместе, и тем не менее у каждого из них была, помимо совместных проектов, и своя жизнь, свои дела, которые они могли обсуждать. Да, они расставались, быть может, чаще, чем им обоим хотелось, но это их не смущало. Хант, во всяком случае, не нервничал и не ревновал, когда Талли надолго уезжала на съемки, а она, в свою очередь, не беспокоилась из-за него. После четырех лет совместной жизни они хорошо изучили друг друга, и каждый полностью доверял своему избраннику.

Как ни странно, Хант был нисколько не похож на мужчин, с которыми Талли встречалась раньше и которые в конце концов ее бросали. Особенно глубокую рану нанес ей второй муж, который изменил ей публично, да и остальные ее мужчины вели себя немногим лучше. К сожалению, в мире кино большинство мужчин — да и женщин тоже — не отличались ни постоянством, ни высокими моральными качествами. Хант был исключением из общего правила — правда, он и не был актером. Талли очень нравились его надежность, честность, солидность. Правда, порой он бывал скучноват и даже нудноват, но Талли уже вышла из того возраста, когда женщины ищут приключений и волнующих переживаний. Куда больше ее привлекала стабильность, и в Ханте она ее обрела. Он был человеком, которого она могла любить и которому могла доверять. Ненадежные партнеры ей не нужны — к этому выводу Талли пришла уже довольно давно, причем урок дался ей нелегко. Несколько раз она обожглась и теперь выбирала сознательно, что называется — с открытыми глазами. И Хант ее устраивал. Помимо всего прочего, он был человеком отзывчивым и добрым — в этом она в очередной раз убедилась, когда во время телефонного разговора он упомянул, что возил ее отца к врачу. По его словам, анализы ничего опасного не показали, хотя ему и показалось, что Сэм Джонс изрядно похудел со времени их последней встречи.

— Я знаю, — ответила Талли. — Я разговаривала с его домработницей, она сказала — папа почти ничего не ест.

— Может быть, мне стоит приезжать к нему раза два в неделю и готовить мои фирменные блюда? — предложил Хант. — Раньше ему нравилось, как я готовлю, быть может, мне удастся разбудить его аппетит.

— Мне казалось, у тебя и своих дел хватает, — возразила Талли.

— Хватает-то хватает, но часа два в неделю я сумею выкроить без особых проблем. Кроме того, мне нравится твой отец. Он очень интересный человек — например, сегодня мы с ним отлично провели время. Пока мы не приехали в клинику, он, мне кажется, немного нервничал, и мне пришлось всю дорогу рассказывать ему анекдоты и всякие смешные случаи. Твой па так смеялся, что я боялся — ему станет плохо прямо в машине, но все закончилось отлично. Когда мы добрались до клиники, он уже совершенно успокоился и даже сам шутил с врачами и медсестрами.

— Спасибо тебе огромное, — сказала Талли, искренне тронутая проявленной им заботливостью.

Именно за это она и любила Ханта — за его внимание к мелочам, от которых большинство так называемых «настоящих» мужчин попросту отмахнулись бы. Хант был человеком очень внимательным и умел проявлять подлинное, а не показное сочувствие, к тому же его доброта распространялась не только на нее или на Сэма, но и на ее дочь. Когда Талли только начала с ним встречаться, Макс было всего четырнадцать, поэтому известие о том, что мама завела «друга», встретило у нее вполне естественное сопротивление, однако продолжалось это совсем недолго. Вскоре Макс успокоилась, и когда примерно через год Хант переехал к Талли, она восприняла это как вполне естественный шаг. Отец Талли тоже отнесся к этому на редкость благосклонно, хотя в этих вопросах он был человеком довольно старомодным. Ханта он теперь называл не иначе как «мой неофициальный зять».

Вечером после работы Талли отправилась в Палм-Спрингс в свой номер в отеле. Она была очень довольна тем, как идут съемки. Никаких сложностей или проблем, которые неизбежно сопровождают подобное предприятие, также не возникало. Обычная неразбериха со страховками, сопротивление инвесторов, регулярно отказывавшихся оплачивать перерасход средств сверх оговоренного бюджета, болезни ведущих актеров и актрис, а также их попытки в самый неподходящий момент разорвать контракт, потому что они, видите ли, не сработались друг с другом, покалечились во время съемки или получили более выгодное предложение — все это хотя и не касалось Талли непосредственно, все же отнимало немало нервной энергии и драгоценного времени. Правда, в группе Талли — в отличие от других режиссеров — подобные вещи были сравнительно редки, но когда происходило нечто в этом роде, все буквально летело кувырком, и вместо творческой работы ей приходилось уговаривать закапризничавшую звезду или решать вопросы административного плана.

Впрочем, Талли старалась предотвратить подобное, нанимая актеров, которые пользовались репутацией людей трудолюбивых и надежных, а для подстраховки требовала от юридического отдела, чтобы в их контрактах были предусмотрены любые мелочи вплоть до сломанного ногтя на мизинце левой руки. В этом ей очень помогал Хант. Он отлично умел работать с контрактами и другими юридическими документами, благодаря чему их совместные проекты и оказывались в итоге столь успешными с финансовой точки зрения. Сотрудничать с ним Талли очень нравилось — такого высокопрофессионального продюсера у нее еще никогда не было. Сама она очень хорошо понимала, как много зависит именно от его усилий, хотя со своей стороны Талли делала все, чтобы добиться максимальной отдачи от сценаристов, актеров и операторов. Именно благодаря этому она и заслужила свою репутацию одного из лучших режиссеров Голливуда.

Возможность немного отдохнуть в отеле вместо того, чтобы мчаться в Лос-Анджелес, пришлась как нельзя кстати. Они с Бриджит даже сходили в бассейн, а потом помощница заказала ей массаж прямо в номер. Талли сначала возражала, но потом призналась, что после сеанса чувствует себя просто «божественно». Она даже настояла, чтобы Бриджит тоже сделали массаж, на что та с готовностью согласилась: это была еще одна привилегия ее положения доверенного лица и подруги известного режиссера. Образ жизни, который Бриджит делила с Талли, и проистекающие отсюда многочисленные бонусы ей очень нравились. Благодаря подруге Бриджит жила как самая настоящая звезда.

* * *

Виктор Карсон хмуро разглядывал ворохи бумаг, папок и ведомостей, разложенных на его большом рабочем столе. На протяжении пятнадцати лет он был личным финансовым советником Талли Джонс. Кроме того, фирма Виктора вела для нее всю бухгалтерию, включая операции, которые от имени Талли осуществляла ее помощница. Когда несколько минут назад упомянутая Бриджит позвонила, чтобы предупредить об аудиторской проверке, затребованной новым инвестором, Виктор едва не застонал в голос. С какой стороны ни посмотри, это была изрядная головная боль, без которой он вполне мог бы обойтись.

В последнее время его жизнь и без того была достаточно сложной. Личные проблемы, неожиданно оказавшиеся на первом месте, очень мешали Виктору, не давая ему отнестись со всей полнотой ответственности даже к своим непосредственным обязанностям. Зачем кому-то могла понадобиться полная аудиторская проверка финансового положения Талли, он совершенно не представлял, но неизвестный инвестор включил это условие в договор, и теперь с полдюжины неприветливых специалистов будут в течение нескольких дней рыться в его записях и требовать дополнительных пояснений буквально к каждой статье доходов и расходов. Нет, разумеется, дела Талли, как и дела других своих клиентов, Виктор держал в полном порядке — комар носа не подточит, и все-таки аудиторская проверка была делом не слишком приятным и к тому же могла отнять довольно много времени — в особенности если ему придется давать подробные ответы на возникшие у проверяющих вопросы.

Виктор считал, что они с Бриджит прекрасно справляются с текущей бухгалтерией; у них все было налажено и учтено, поэтому никакой необходимости привлекать сторонних экспертов он не видел. А хуже всего было то, что именно сейчас он просто не мог позволить себе тратить время и силы на подобную проверку. Увы, ни при каких условиях Виктор Карсон не мог заявить об этом Талли или Ханту, ибо прекрасно понимал, что в данном случае личные проблемы вряд ли могут послужить достаточным основанием для отказа от аудита клиентских финансов (в последние годы он также занимался налогами Ханта и Бриджит). И тем не менее его проблемы были таковы, что хоть головой в петлю. Как выпутываться из сложившейся ситуации, Виктор понятия не имел.

В проблемах Виктора были виноваты женщины, и не только сейчас, но и всегда. Развод с первой женой, состоявшийся двадцать лет назад, обошелся ему в целое состояние, включая алименты и отступные. Жена оставила его после того, как узнала, что у Виктора имеется любовница — очаровательная модель-итальянка. Едва расставшись с первой женой, Карсон поспешил жениться на своей модели. Семейное счастье новоиспеченной четы Карсон длилось, однако, недолго. Красавица-итальянка, правда, успела родить ему двух близнецов (у него также были двое детей от первой жены), однако спустя пару лет она настолько освоилась в Америке, что оставила Виктора, найдя себе мужчину помоложе. Последовал новый развод, причем итальянка ободрала его как липку. В конце концов она снова вернулась в Европу — в Париж, а не в Рим, и вышла там замуж, так что своих дочерей-близнецов Виктор не видел уже лет пятнадцать, хотя на протяжении всего этого времени исправно выплачивал на них алименты. Как раз в этом году дочери, для которых он был абсолютно чужим человеком, достигли совершеннолетия, и выплатам пришел конец. Двое старших детей Виктора давно были взрослыми и работали, а их мать повторно вышла замуж, однако на протяжении нескольких довольно-таки непростых лет ему приходилось фактически содержать двух бывших жен и четверых детей.

Но на этом его беды отнюдь не закончились. Сравнительно недавно Виктор, послушавшись совета своего биржевого консультанта, неудачно вложил деньги, потеряв значительную сумму. Что поделать — о средствах клиентов он всегда заботился куда лучше, чем о своих собственных. В довершение всего три года назад Виктор безумно влюбился в очаровательную юную девушку, начинающую киноактрису. Во время страстного уик-энда в Вегасе они поженились, хотя Виктору уже исполнилось шестьдесят два, а его избранница была чуть не втрое моложе. Одной из причин, обьяснявших этот странный брак, стали обещания Виктора использовать свои связи среди голливудских воротил, чтобы помочь ей получить хорошую роль. Пообещать, однако, оказалось гораздо проще, чем выполнить обещание. Как вскоре выяснилось, честолюбия у Брианны хватало, а вот таланта не оказалось вовсе. Несколько кинопроб, которые Виктор устроил ей через знакомых, показали ее полную профессиональную непригодность к артистической карьере. Единственное, на что Брианна была способна, — это демонстрировать купальники во время рекламных шоу, однако она сразу дала Виктору понять, что такая работа ей не подходит.

Сейчас Виктору Карсону было шестьдесят пять, Брианне — двадцать девять, и их семейная жизнь с каждым днем становилась все больше похожа на самый настоящий ад. Уже не раз Брианна грозила, что подаст на развод, если Виктор не выполнит свое обещание и не добудет ей роль в кино или, на худой конец, на телевидении. Увы, она была безумно хороша в постели, но не на экране, поэтому все предпринятые им усилия так ни к чему и не привели. Впрочем, Брианна все равно не спала с ним уже более полугода. Работу модели она давно бросила и теперь тратила свое свободное время на косметические операции или на шопинг на Родео-драйв, который она прочесывала с тщательностью полицейской ищейки. И на то, и на другое требовались немалые деньги, которые Брианна требовала у Виктора, всякий раз пуская в ход угрозу уйти от него. Этого он допустить не мог и поэтому всякий раз уступал. Брианна была невозможной, порой — невыносимой, и все же она вносила в его скучную, бедную событиями жизнь толику блеска и гламура, к тому же Виктор по-прежнему был от нее без ума. Для него она была настоящей «статусной женой»[1]. Ему нравилось бывать с ней в обществе и знать, что другие мужчины глядят на его

[1] «Статусная жена», «жена в подарочном исполнении» — молодая и эффектная жена богатого человека как символ его состоятельности.

жену с завистью и вожделением — так, во всяком случае, ему казалось. На самом деле каждый, кому удавалось перекинуться с Брианной хоть несколькими словами, начинал жалеть Виктора, но ему это было невдомек. Он был буквально одурманен молодой женой и был готов на все, лишь бы не расставаться с ней.

На самом деле — с учетом недавних финансовых потерь — Виктор уже не мог позволить себе содержать Брианну, однако он продолжал скрывать этот факт от нее и гнал от самого себя. Между тем ее походы по магазинам всякий раз обходились ему в кругленькую сумму. Он платил и платил, но Брианна продолжала сердиться, требуя от него то одну, то другую дорогостоящую вещь, а то вдруг принималась улучшать свое тело, прибегая для этого к помощи самых модных пластических хирургов и косметологов. Хотя со времени последней косметической операции прошло меньше года, Брианне вдруг загорелось заменить силиконовые грудные имплантаты, сделать абдоминопластику, подтянуть ягодицы и убрать с бедер воображаемый целлюлит. Все вместе должно было обойтись в целое состояние, но Виктор снова готов был платить, лишь бы сохранить Брианну. В конце концов, утешал он себя, это будет дешевле, чем выплачивать алименты и отступные. Проблема, однако, заключалась в том, что он просто не знал, где взять деньги. Ведь он же не фокусник, который достает из цилиндра кроликов, цветные ленты и пачки новеньких, хрустящих долларов!

Одним словом, Виктор Карсон был слишком занят, затыкая дыры в собственном бюджете и жонглируя остатками своего состояния, чтобы отвлекаться на аудиторскую проверку. Буквально вчера он пообещал Брианне свозить ее в Европу, причем она ясно дала понять — если он вдруг не сдержит обещания, она от него уйдет. Кроме того, в ближайшем будущем маячило путешествие в Бразилию, где появился какой-то новый пластический хирург, который, как говорили, буквально творил чудеса. Брианна говорила об этой поездке как о деле уже решенном, но Виктор, слушая ее, только внутренне содрогался. Семейная жизнь рушилась на глазах, а недавние финансовые потери грозили окончательной катастрофой. Виктор не сомневался, что, как только он откажется оплачивать очередной дорогостоящий каприз Брианны, его брак прекратит свое существование. И точно так же ему придет конец, как только молодая жена узнает о плачевном состоянии его финансов. Она уйдет от него в тот же день. Его дети, наверное, этому только обрадуются, но сам Виктор просто не представлял, как он будет жить без Брианны.

В восемь часов вечера он закрыл офис и отправился домой. Брианна была уже там — ее дневной улов лежал еще не распакованный рядом с входной дверью. Увидев на пакетах и свертках знакомые логотипы, Виктор поморщился. «Дольче энд Габбана», «Роберто Кавалли», «Нойман Маркус», «Шанель»... Брианна ходила на Родео-драйв как на работу, не пропуская буквально ни одного дня. Возможность регулярно прочесывать модные бутики была, вероятно, единственной причиной, по которой она все еще оставалась замужем за человеком его возраста. Виктора Карсона и в молодости никто не назвал бы интересным мужчиной, сейчас же он и вовсе выглядел стариком. В последнее время он казался даже старше своих шестидесяти пяти — Виктор облысел уже к сорока годам, а сидячий образ жизни привел к тому, что он располнел и обрюзг. Виктор много раз собирался сесть на диету, но так и не сумел заставить себя правильно питаться, а в тренажерном зале он и вовсе не был никогда в жизни.

Неудивительно, что муж интересовал Брианну исключительно с прагматической точки зрения. «Что еще он может для меня сделать?» — так она, вероятно, говорила себе каждый раз, когда вспоминала о Викторе. Он же слепо обожал свою молодую красавицу-жену и готов был на все, чтобы удержать ее при себе. Другие мужчины покупали шикарные машины и дорогую недвижимость, мечтали об успехе и о славе, он же всегда стремился к тому, чтобы в его постели была молодая, красивая женщина. Именно поэтому закончились крахом два его предыдущих брака, именно поэтому сейчас он был на грани банкротства. Кое-какие средства у него еще оставались, но, учитывая дорогостоящие привычки Брианны и несколько старых долгов, с которыми Виктор никак не мог расплатиться, это были жалкие крохи, почти ничего. А главное, он не видел никакого выхода из сложившейся ситуации. Виктор не сомневался: если только не случится какого-нибудь чуда вроде выигрыша в лотерею (а в подобные вещи он никогда не верил), Брианна бросит его в самое ближайшее время.

— Ты сегодня поздно! — раздраженно заявила она, как только Виктор вошел в прихожую.

— У меня было много работы, детка, — ответил он примирительным тоном.

Как оплатить очередные счета Брианны — вот был вопрос вопросов, над которым он ломал голову чуть не ежедневно, но не находил ответа. Неожиданная проверка финансов Талли тоже добавила ему хлопот — к появлению аудиторов нужно было подготовить все документы и хотя бы бегло просмотреть их на случай, если он или Бриджит случайно упустили какую-нибудь мелочь.

— Я хочу поужинать где-нибудь в городе! — заявила Брианна, капризно надувая губы. Губы она сделала себе а-ля Анджелина Джоли, поэтому зрелище было очень внушительное.

Виктор побоялся сказать, что он очень устал и предпочел бы провести сегодняшний вечер дома.

— Ты уже решила где? — спросил он. Виктор никогда не отказывал Брианне в ее просьбах, не собирался он делать этого и сейчас.

— Поедем к «Мистеру Чоу»! — предложила Брианна, и глаза ее сверкнули.

Она любила бывать в ресторанах, где часто появлялись кинозвезды и прочие знаменитости, а у входа постоянно дежурили папарацци, фанаты и любители автографов.

«Мистер Чоу» — самый модный, всегда многолюдный и невероятно дорогой — как раз и был одним из таких мест, где можно и на других посмотреть, и себя показать. Правда, кормили там отменно, и это отчасти примирило Виктора с необходимостью куда-то ехать после работы.

— Хорошо, детка, сейчас я позвоню и узнаю, можно ли заказать столик, — сказал он.

— Я уже заказала, — ответила Брианна с широкой улыбкой. — Нам нужно быть там через пятнадцать минут. Кстати, с нами будут Карла и Джон — я их тоже пригласила.

Виктор вздохнул. Карла и Джон были *ее* друзьями. В ресторанах они всегда заказывали самые дорогие блюда и лучшие вина, но ни разу не предложили оплатить хотя бы часть расходов. Кроме того, они были ровесниками Брианны. Собственно говоря, *все* ее друзья и знакомые рассматривали Виктора как состоятельного «папика», которого не грешно «подоить». Когда-то у Виктора были и свои друзья, но все они куда-то исчезли, растворились. По его глубокому убеждению, это случилось главным образом потому, что молодые женщины, с которыми он встречался, не нравились их женам. В действительности же друзья считали Виктора старым дураком, а его женщины, и в особенности Брианна, не вызывали у них ничего, кроме скуки и желания как можно скорее оказаться где-нибудь в другом месте.

Брианна и в самом деле могла разговаривать только о пластической хирургии да пересказывать сплетни, которые вычитывала в глянцевых журналах. Сам Виктор тоже отнюдь не стремился провести вечер, слушая ее рассказы о том, кто на ком женился, кто кому и с кем изменил и чья новая грудь выглядит наиболее эффектно, однако он понимал, что сам выбрал такую жизнь. Не понимал он только, что женат на беспринципной «золотоискательнице» много моложе себя, которая готова бросить его при первой возможности, точнее — когда он окончательно разорится, однако ненасытная страсть Брианны к деньгам начинала его пугать. И не его одного.

Однажды в ночном клубе они случайно столкнулись с Бриджит, которая впоследствии, делясь своими впечатлениями с Талли, назвала Брианну «жуткой бабой». До этого ей и в голову не приходило, что спокойный, рассудительный, сдержанный Виктор Карсон может быть женат на подобной хищнице. А хуже всего было то, что свою жену он представил Бриджит с нескрываемой *гордостью*, тогда как любой здравомыслящий мужчина на его месте сделал бы все, чтобы никто из знакомых не увидел его в подобном обществе. Да, Брианна была разодета в пух и прах, но это ничего не меняло: несмотря на дорогую дизайнерскую одежду, бриллиантовое колье и такой же перстень, выглядела она не как спутница жизни, а как дорогая шлюха, снятая на ночь-другую. Похоже, решила Бриджит, Виктор совершил ошибку, которая дорого ему обойдется. Так она и сказала Талли.

Когда Виктор и Брианна приехали к «Мистеру Чоу», Карла и Джон уже ждали их там. И они были не одни — с собой они привели еще одну пару, которую Виктор видел впервые в жизни. Новички, впрочем, вели себя в точности как все друзья Брианны: они нисколько не стеснялись, заказывая самые дорогие блюда из меню, потребовали две бутылки старого вина, коктейли и шампанское «Дом Периньон» на десерт. Оплачивая счет, Виктор опасался, что денег на карточке не хватит, зато когда они уже возвращались домой, Брианна выглядела почти счастливой. Погрузившись в джакузи, она даже поблагодарила его за прекрасный вечер, но не успел Виктор вздохнуть с облегчением, как Брианна спросила, когда же они поедут в Европу.

— Я пока этим не занимался, — честно ответил он, стоя на пороге ванной.

Когда Брианна переехала к нему, она перестроила его квартиру, что тоже обошлось весьма и весьма недешево. В результате его ванная комната стала в два раза больше и была сплошь отделана розовым мрамором.

— Мне только что сообщили о большой аудиторской проверке счетов одного из моих клиентов, — добавил он. —

Мне придется помогать проверяющим, так что боюсь — я не смогу никуда уехать, пока эта канитель не закончится.

Виктор прекрасно понимал, что, если он сейчас бросит все и уедет, Талли придется отложить работу над своим новым фильмом, и это в лучшем случае. В худшем — инвестор вовсе откажется от сотрудничества, и кто знает, что тогда будет?.. Все это означало, что сам Виктор почти наверняка потеряет крупного клиента, а он был не в том положении, чтобы рисковать своей репутацией. Кроме того, поступить подобным образом Виктору не давала обычная порядочность — он не мог и не хотел подводить Талли в ответственный момент.

— То есть мы никуда не едем. Ты это имеешь в виду? — Брианна подозрительно нахмурилась.

— Нет, мы обязательно поедем! — заторопился Виктор. — Я просто не знаю когда. Может быть, через пару недель...

Брианна кивнула, смягчаясь, а Виктор почувствовал себя как осужденный на казнь преступник, которому вдруг отложили исполнение приговора. Брианне каким-то образом удавалось держать его в постоянном напряжении, но сейчас оно немного ослабло. Виктор уже повернулся, чтобы уйти, но Брианна вдруг заявила, что планирует в самое ближайшее время перестроить их общую спальню. Это была совершенно новая идея, которая застигла его врасплох. Где взять деньги? — вот было первое, о чем в панике подумал Виктор.

— Я уже все решила, — продолжала тем временем Брианна. — Мы наймем этого... как его... архитектора. Того, который переоборудовал спальню Дженнифер Лопес. Говорят, он очень талантливый и модный.

Виктор не ответил. Вернувшись в обреченную спальню, он зашел в гардеробную, чтобы переодеться в пижаму. Там он сел на стул и глубоко задумался. Что его ждет, если он все же сумеет удержать Брианну при себе? И главное — где раздобыть деньги? При мысли об этом ему захотелось плакать.

У него почти ничего не осталось, а чтобы удовлетворить аппетиты Брианны, ему нужна была не просто крупная — огромная сумма. Выиграть в лотерею или ограбить банк — никакого другого выхода он не видел. Впрочем, даже если бы он сумел вынести все золото из Форт-Нокса[1], его вряд ли хватило бы надолго — требования Брианны росли с каждым днем. Кто знает, что она придумает завтра?

Виктор затравленно покачал головой. Еще немного — и он банкрот.

Глава 4

Через день, как и обещал, Хант приехал в Палм-Спрингс, чтобы побыть с Талли. Как назло, в этот день съемки закончились позже обычного, однако Хант не стал расстраиваться. В конце концов, они были вместе, а это означало, что их ожидает приятный вечер. И они действительно прекрасно провели время, сидя возле гостиничного бассейна и обмениваясь последними новостями, шутками или просто болтая о милых пустяках. Хант, впрочем, начал с того, что напомнил Талли о предстоящей проверке ее финансовых счетов и предупредил, что независимая аудиторская фирма начнет свою работу уже на будущей неделе. Потом он спросил, предупредила ли она Виктора Карсона о необходимости приготовить все документы для проверяющих.

— Я с ним давно не разговаривала, — ответила Талли. — Обычно с ним общается Бриджит. Впрочем, я просила ее предупредить Виктора обо всем. А что?

— Да ничего, в общем-то... — ответил Хант. — Просто, когда я ему звонил, мне показалось, что он чем-то сильно расстроен. Как ты думаешь, может, он обиделся, что его проверяют? Но ведь это совершенно обычная и весьма распространенная практика. И очень разумная, — доба-

[1] В Форт-Ноксе (Кентукки) находится федеральное хранилище золотого запаса США.

вил он. Хант всегда был человеком осторожным и благоразумным, особенно в вопросах бизнеса. Правда, порой он тратил значительные суммы, однако его доходы были достаточно высоки, чтобы он мог себе это позволить.

— Мой отец говорит то же самое, — согласилась Талли. — Он уже давно уговаривает меня провести подобную проверку. Что поделать, папа — старый юрист, а юристы никому не доверяют... — Тут она вспомнила, как Бриджит рассказывала, что встретила в ночном клубе Карсона и его жену. — Насколько мне известно, — задумчиво добавила Талли, — Виктор женат на довольно легкомысленной красотке вдвое моложе его. Быть может, у него с ней какие-то проблемы?

— Никогда бы не подумал, что Виктор Карсон способен прийти в расстройство из-за женщины, какой бы красивой и молодой она ни была! Он всегда такой уравновешенный, такой правильный... Мне и в голову не могло прийти, что он... То есть мне казалось, что Виктор женат на такой милой, старомодной женщине в очках одних с ним лет.

— При чем тут очки?! — удивилась Талли.

— Ни при чем. Это просто символ. Символ солидности, уравновешенности, сдержанности... Ну, ты понимаешь, о чем я.

Талли кивнула. Она понимала. Понимала она и другое: и Хант, и она сама считали Виктора Карсона стариком только на том основании, что он выглядел почти на десять лет старше своего возраста. На самом деле до старости ему было еще далеко.

— Ему всего шестьдесят пять, — сказала она. — Как раз в этом возрасте некоторые мужчины начинают сходить с ума и совершать необдуманные поступки просто потому, что понимают: это их последний шанс. Кстати, у меня к тебе просьба — предупреди меня заранее, когда тебе вздумается бросить меня и увлечься какой-нибудь смазливой восемнадцатилетней малышкой.

— Я еще не в том возрасте, чтобы волочиться за вчерашними школьницами, — улыбнулся Хант, поудобнее устраиваясь в шезлонге. — Кроме того, ты нравишься мне гораздо больше.

— Кто знает, — пошутила Талли, — может быть, через пяток лет тебе тоже захочется найти себе кого-нибудь помоложе.

— Надеюсь, этого не произойдет, — серьезно ответил Хант. — Ну а если все-таки случится, тогда... тогда просто гони меня пинками. Впрочем, содержать молодую любовницу — удовольствие не из дешевых. Я просто не могу себе это позволить с финансовой точки зрения.

На самом деле денег у него хватало. Все дело было в том, что Хант не хотел менять Талли на кого-то другого.

— Может быть, Виктор тоже не может, — задумчиво сказала Талли. — И именно поэтому он был расстроен, когда ты с ним разговаривал. — Она пожала плечами. — Никогда не понимала, почему некоторые мужчины поступают подобным образом. Если бы рядом со мной был человек вдвое моложе меня, это только заставило бы меня чувствовать себя старше, чем я есть.

— Мужчинам кажется, что в обществе молодой женщины они сами начинают выглядеть моложе и... мужественнее. Мол, есть еще порох в пороховницах и все такое, — пояснил Хант. — Правда, на самом деле они выглядят старыми, напыщенными павлинами, но... да ты и сама знаешь.

Талли кивнула. В Голливуде подобную картину ей приходилось наблюдать достаточно часто, причем молодыми партнерами обзаводились не только стареющие мужчины, но и женщины в годах. Хант был одним из немногих, кто никогда не увивался за молоденькими актрисами. Все его чувства, вся его любовь и преданность были отданы ей одной, и за это Талли была ему бесконечно благодарна. Возможно, свою роль сыграло и то обстоятельство, что они не стали регистрировать брак, предпочтя ему свободное сожительство. Отсутствие официальной регистрации придавало их отношениям некую живость и свежесть. «Хорошее дело браком не назовут», — шутил по этому поводу Хант, и Талли была с ним полностью согласна. В свое время они оба обожглись и отнюдь не стремились повторять опыт, который закончился достаточно печально для обоих. Главное, они любят друг друга, а остальное не так уж и важно.

Потом Хант рассказал Талли об агентах, с которыми он успел встретиться, о том, какие актеры, возможно, будут исполнять заглавные роли в их следующем фильме. Две знаменитости первой величины уже согласились подписать контракт, еще двое пока «думали», но Хант считал, что и они никуда не денутся. Последним препятствием, таким образом, оставалась аудиторская проверка; как только она завершится и деньги инвестора начнут поступать на счета студии, они сразу смогут приступить к производству следующей картины. В том, что никаких неприятных неожиданностей проверка им не сулит, оба нисколько не сомневались: их финансы были в полном порядке, к тому же последний фильм принес и Ханту, и Талли по небольшому состоянию. Аудит, таким образом, был всего лишь формальностью, необходимой для того, чтобы у японских инвесторов отпали последние сомнения в их кредитоспособности.

На следующий день после съемок Талли распустила группу на уик-энд, а сама вместе с Хантом отправилась в Санта-Барбару, в Монтесито, где он снял для них на выходные очаровательный домик. Бриджит укатила в Лос-Анджелес, но в понедельник утром Талли должна была вернуться вместе с ней в Палм-Спрингс. Провести выходные не за работой и как следует отдохнуть — это было и приятно, и полезно. Каждый раз, когда Талли удавалось отвлечься от повседневных практических вопросов, связанных со съемками, у нее появлялись новые, оригинальные идеи, а также время, чтобы обдумать их хотя бы вчерне. Бывало, она неожиданно просыпалась посреди ночи и, схватив с тумбочки блокнот и карандаш, принималась делать какие-то заметки. Эти выходные не стали исключением — Талли не только придумала кое-что новенькое, но даже решила, как это можно использовать в ее новом фильме.

Но больше всего они с Хантом наслаждались вовсе не отдыхом, а обществом друг друга. Они поздно вставали, гуляли по океанскому побережью, ужинали в уютных маленьких ресторанчиках, поэтому, когда в воскресенье вечером они вернулись в Лос-Анджелес, Талли чувствовала себя свежей и бодрой, как после полноценного отпуска, а не двух коротких выходных.

Бриджит заехала за ней в четыре утра в понедельник, и они отправились в Палм-Спрингс. По дороге Талли оживленно рассказывала подруге о том, как они с Хантом провели уик-энд, потом спросила, как прошли ее выходные. Бриджит ответила, что у нее была пара свиданий, но с кем — не уточнила, и Талли подумала, что вряд ли эти свидания что-то для нее значили. В противном случае Бриджит говорила бы о них другим тоном или рассказала больше подробностей.

— Позвони еще раз Виктору, узнай, началась ли проверка, — попросила Талли. Она не ожидала никаких осложнений, но считала необходимым, чтобы ее помощница была в курсе событий. Бриджит заверила, что обязательно сделает это в самое ближайшее время.

Удовлетворенная этими словами, Талли откинулась на мягком кожаном сиденье «Астон Мартина». Предстоящая рабочая неделя обещала быть очень напряженной, и не только для нее. Хант предупредил, что вряд ли сумеет вырваться в Палм-Спрингс до следующих выходных. Талли сказала, что постарается сама приехать в Лос-Анджелес, когда сможет, однако она понимала, что выполнить это обещание ей будет нелегко. У нее впереди было еще очень много дел: съемки в пустыне шли очень хорошо, и ей не хотелось выбиться из графика. А вот если ей удастся сделать все, как запланировано, скоро она вернется в Лос-Анджелес насовсем.

* * *

Независимая аудиторская проверка началась, представители независимой бухгалтерской фирмы из Сан-Франциско действовали спокойно и по-деловому. Явившись в офис Виктора в понедельник утром, они предьявили договор и попросили предоставить им финансовые документы, имеющие отношение к Талли Джонс. Все полученные счета, отчеты и приходно-расходные книги они разложили на большом столе в конференц-зале и, подключив собственные компьютеры, принялись за работу. Всего их было четверо — двое бухгалтеров и двое помощников. Несмотря на то что в офисе фирмы Виктора они находились полный рабочий день, держалась эта четверка отстраненно, не вступая в контакт ни с кем из его постоянных или временных сотрудников. Если проверяющим требовались какие-то разьяснения, старший аудитор обращался к Виктору и просил прокомментировать ту или иную статью общего гроссбуха. Сами аудиторы от любых комментариев воздерживались, и, хотя это свидетельствовало только об их высоком профессионализме, Виктор все равно нервничал. Ему казалось, что эти аудиторы проверяют не столько Талли Джонс, сколько его собственную работу и его компетентность. Фирма была очень солидная, с именем, и он не сомневался, что ее услуги обойдутся японскому инвестору в кругленькую сумму, однако японец, по-видимому, считал, что дело того сто́ит.

Проверка шла уже третий день, когда Виктор, вернувшись вечером домой — от усталости он буквально валился с ног, — узнал, что Брианна приготовила ему очередной сюрприз. Как выяснилось, сегодня вместо набега на бутики Родео-драйв она побывала у адвоката, который порекомендовал ей заключить с мужем семейный контракт. Идея Брианне, как видно, очень понравилась, и она потребовала, чтобы Виктор как можно скорее занялся этим вопросом.

— Семейный контракт? — тупо переспросил Виктор. — Что ты имеешь в виду?

— Ну, ты должен знать. Это такой контракт... В общем, бывает добрачное соглашение, а бывает семейный договор, который заключается между супругами после вступления в брак. — Брианна явно пользовалась словами, которые услышала от адвоката.

— Но мы же уже заключили добрачный контракт, детка. Никакой семейный договор нам не нужен, — ответил Виктор.

Все это ему очень не нравилось. Кажется, в воздухе запахло шантажом или чем-то весьма похожим. Как он и говорил, они действительно заключили добрачный контракт, согласно которому (на этом настояла, естественно, сама Брианна) он должен был еще до регистрации брака положить на ее счет солидную сумму. А Виктору настолько не терпелось обзавестись молодой, красивой женой, что он и не подумал возражать.

— Я уже потратила бóльшую часть денег, которые ты передал мне по добрачному договору, — нахмурилась Брианна. — Мне нужно еще. Мой адвокат говорит, что ты можешь перевести мне некоторую сумму сейчас, а потом доплачивать за каждый год, который мы проведем в браке.

Она как будто *играла* в брак — такое у Виктора сложилось впечатление, но что-то подсказывало ему, что затребованные Брианной суммы будут вовсе не игрушечными.

— Зачем ты вообще пошла к адвокату? — рассудительно спросил он.

Возможно, подумалось Виктору, Брианна искала способ развестись с ним, но сказать ему об этом прямо пока не решалась. Когда она выходила за него замуж, он положил ей на счет семьсот тысяч в качестве свадебного подарка, но за три года от этой суммы, похоже, мало что осталось. Семьсот тысяч, и это не считая денег, которые он тратил на нее каждый месяц! На что могли уйти без малого три четверти миллиона, Виктор не представлял. Впрочем, о том, с какой скоростью Брианна тратит заработанные им деньги, он уже имел достаточно четкое представление. Казалось, доллары просачиваются у нее меж пальцев будто вода.

— Я просто подумала... В общем, мне хотелось бы иметь собственные деньги, — ответила Брианна, скорчив жалостливую гримаску. — В конце концов, не могу же я постоянно зависеть от тебя и просить денег на каждую мелочь. Вот если ты переведешь мне некоторую сумму сейчас, а потом будешь платить за каждый год, что мы проживем вместе, я... я буду чувствовать себя намного увереннее, — прибавила она доверительным тоном.

— Откровенно говоря, в данный момент я вряд ли могу позволить себе нечто подобное, — грустно признался Виктор. — Я не слишком удачно вложил средства и довольно много потерял. В общем, я предпочел бы просто оплачивать твои счета и обеспечивать тебя всем необходимым, чем каждый год переводить на твой счет фиксированную сумму.

Несмотря на то что губы у Брианны были пухлыми, как у Анджелины Джоли, сейчас они сложились в тонкую прямую линию.

— Если ты не сделаешь это для меня, я... мне будет очень трудно оставаться твоей женой, — заявила она с угрозой. — Если ты меня любишь, то переведешь деньги, а если нет... В конце концов, ты нарушил свое обещание помочь мне с карьерой. Семейный контракт — это меньшее, что ты можешь для меня сделать. Имея собственные деньги, я смогу чувствовать себя в безопасности от... от любых неприятностей.

— Но что, если я не сделаю, как ты просишь? Просто не смогу? Тогда как?.. — спросил Виктор.

Он был растерян и напуган новыми требованиями Брианны. Похоже, выиграть в этой гонке ему было не суждено. Он потратил на нее почти все, что у него было, но Брианна продолжала требовать денег. Удовлетворить ее желания было просто невозможно, и Виктор впервые за три года начал что-то понимать. Похоже, она с самого начала вышла за него только потому, что охотилась за богатым мужем, которого можно обобрать как липку, а потом выбросить за ненадобностью. Требование заключить семейный контракт еще больше утвердило Виктора в этом подозрении. Подобный документ мог бы стать последним ударом и одновременно средством, которое позволило бы Брианне наложить лапу на все оставшиеся у него деньги, когда они разведутся.

— О том, что будет тогда, тебе расскажет мой адвокат, — сказала Брианна, в глазах которой появился какой-то неприятный жесткий блеск. — Подумай как следует, Виктор. У тебя нет выбора.

Этими словами она окончательно обозначила свою позицию, и Виктор почувствовал, как его горло сжимает болезненный спазм. Ему уже исполнилось шестьдесят пять, и он не хотел терять Брианну, зная, что другой такой женщины у него уже никогда не будет. Правда, теперь Виктор лучше понимал, какие мотивы движут его женой, однако от этого чувства, которые он к ней питал, не стали слабее. Привязанность, вожделение, привычка, наконец... Да и какая другая женщина с ее внешностью и в ее возрасте согласится выйти за него замуж, если они с Брианной все-таки разведутся?..

Виктор Карсон понурился, признавая свое поражение. В эти минуты он чувствовал себя старым, усталым и бесконечно одиноким.

Этим вечером он допоздна засиделся в своем кабинете, размышляя над тем, что́ сказала ему Брианна. Перед ним на столе стояла бутылка «Джонни Уокера» и стакан. Обычно Виктор пил мало, но сейчас бутылка была пуста уже больше чем наполовину. Брианна куда-то уехала с одной из приятельниц и вернулась домой только в два часа пополуночи. Как она вошла, Виктор не слышал — он отключился на кушетке в кабинете. Некоторое время Брианна с порога смотрела на его скорченную фигуру, потом отправилась в спальню одна. Ни будить Виктора, ни пытаться каким-то образом перетащить его на кровать она не стала. Брианна была уверена, что в конце концов муж выполнит ее требование. Выбора у него действительно не было: если он не хочет ее потерять, он подчинится. Она держала его за горло, если не сказать грубее.

На следующее утро, когда Брианна уходила в тренажерный зал, она услышала, что Виктор проснулся и принимает душ. Когда она вернулась, он уже ушел в офис. Аудиторы по-прежнему работали в конференц-зале фирмы, и Виктор решил воспользоваться случаем, чтобы самому просмотреть финансы Талли. Дополнительная проверка, считал он, еще никому не вредила. Кроме того, знакомая работа помогала отвлечься от тревожных мыслей о собственном незавидном положении. И вот, после нескольких часов кропотливого труда, Виктор наткнулся на несколько записей, которые его озадачили. Бриджит всегда оплачивала все счета своей работодательницы — она была очень внимательна и аккуратна и никогда ничего не пропускала: сделав запись в общем гроссбухе, Бриджит пересылала квитанции ему. Чеки тоже подписывала она — это продолжалось уже несколько лет, и до сих пор Виктору не в чем было ее упрекнуть. Сейчас, однако, его удивило, что Талли, оказывается, регулярно останавливалась в одних и тех же дорогих отелях. Конечно, Виктора совершенно не касалось, на что именно Талли тратит свои деньги, однако фокус заключался в том, что отели-то были лос-анджелесские! А поскольку в Лос-Анджелесе у нее был собственный дом, Виктор решил, что эти посещения отелей как-то связаны с ее бизнесом, следовательно, у него были все основания снизить сумму уплачиваемых ею налогов, добившись так называемого налогового изъятия[1].

Он снова просмотрел квитанции. Один раз Талли останавливалась в «Бель-Эйр», еще несколько раз — в «Шато Мормон» и «Сансет Маркис». Насколько он помнил, те же самые отели упоминались и в финансовых отчетах Ханта.

---

[1] Налоговое изъятие — сумма, которую налогоплательщик имеет право вычесть из общей налогооблагаемой суммы в качестве своего расхода, который потребовался для получения части дохода.

Его счета, впрочем, оплачивала не Бриджит, а собственный бухгалтер, который работал на Ханта уже много лет. Быть может, подумалось Виктору, Хант и Талли время от времени отправлялись в отель, чтобы провести вдвоем романтический уик-энд или отметить какой-то общий праздник или годовщину, однако не исключено было, что все это были чисто деловые мероприятия. В любом случае ему следовало уточнить это у самой Талли, хотя по зрелом размышлении он и решил, что вопрос с отелями вряд ли имеет существенное значение. Гораздо более серьезным ему показалось то обстоятельство, что Талли регулярно тратила довольно значительные суммы наличных денег, что ему совершенно не понравилось. Как всякий уважающий себя бухгалтер-профессионал, Виктор терпеть не мог расчетов наличными, поскольку их практически невозможно было учесть и задокументировать, что, в свою очередь, неизменно привлекало внимание налоговых органов и могло обернуться крупными неприятностями. Кроме того, наличные суммы, пусть даже потраченные в интересах бизнеса, было почти невозможно провести по статьям, позволяющим добиться разрешенных законом налоговых вычетов, и Виктор считал своим долгом предупредить об этом Талли. И зачем ей вообще понадобилось расплачиваться наличными, недоумевал он. Почему она не пользуется своей кредитной карточкой?

Задумавшись о деньгах, Виктор снова вспомнил о Бриане и о ее внезапно возникшем желании заключить семейное соглашение. Все это ему очень не нравилось — он знал, что ни сейчас, ни в ближайшем будущем не сможет выплатить молодой жене сколько-нибудь значительную сумму, а жалкие крохи, которые он в состоянии наскрести, вряд ли произведут на нее впечатление. Что же, неужели его семейной жизни конец? Виктору не хотелось в это верить. Он просто обязан что-то предпринять, и как можно скорее, но что именно? И, как назло, как раз сейчас у него совершенно не было времени — прежде чем заниматься своими делами, он должен был позаботиться, чтобы аудиторская проверка финансовой состоятельности Талли и Ханта завершилась как можно скорее и без каких-либо осложнений и проблем. Меньше всего на свете Виктору хотелось, чтобы излишне щепетильный японский инвестор отказался от участия в проекте из-за него. Талли, разумеется, найдет нового инвестора — в конце концов, для этого у нее были и имя, и безупречная репутация, но ей в любом случае потребуется время, а значит, сьемки нового фильма придется отложить на неопределенный срок. Талли, конечно, ничего не скажет, но он все равно будет чувствовать себя так, словно он ее подвел. А Виктор терпеть не мог подводить клиентов, которые на него рассчитывали. Нет, подумал он, нужно хотя бы на время выбросить Брианну из головы и заняться делом.

И он придвинул к себе стопку счетов, поступивших за последние полмесяца. Просматривая их, Виктор составил небольшой список вопросов, которые ему нужно было задать Талли. За этот период она покупала кое-какие вещи дочери; налоговое управление могло посчитать их подарками, следовательно, Талли предстояло уплатить с потраченных сумм соответствующие налоги. Кроме того, налоговики могли счесть парижскую квартиру Талли недвижимостью, находящейся в личном владении, поскольку она уже давно не снимала фильмов во Франции. До этого момента ему удавалось получать с налогов на квартиру профессиональные вычеты, но, поскольку Талли не ездила в Париж уже несколько лет, налоговое управление в любой момент могло пересмотреть этот вопрос. Кроме квартиры, существовало еще несколько расходных статей, по поводу которых Виктору хотелось получить комментарии Талли. Все это, правда, не имело прямого отношения к аудиторской проверке, целью которой было подтверждение ее кредитоспособности и установление обьемов реального капитала, которым она владела, но Виктор решил воспользоваться случаем, чтобы привести дела Талли в порядок и заново рассчитать размер полагающихся ей профессиональных налоговых изьятий.

В своей работе Виктор Карсон придерживался консервативного подхода: он никогда не стремился добиться максимальных налоговых льгот, если их обоснования выглядели хоть немного сомнительными. Зато все сделанные им налоговые изъятия были на сто процентов обеспечены соответствующими документами и постановлениями, так что, если бы налоговое управление усомнилось в каком-то из них, он мог аргументированно защищать свое решение. Меньше всего ему хотелось, чтобы из-за его небрежности или поспешности у кого-то из клиентов начались неприятности. В частности, Виктор старался сделать все, чтобы лишний раз не привлечь к их финансам внимание налоговых органов. Правда, не все были довольны такой позицией; кое-кто даже требовал, чтобы он действовал более агрессивно, добиваясь максимальных скидок при налогообложении, но с такими клиентами Виктор предпочитал поскорее расстаться под каким-нибудь благовидным предлогом. Талли, впрочем, никогда не требовала для себя каких-то дополнительных льгот, и Виктор уважал ее за это. Что ж, подумал он, тем больше у него оснований повнимательнее ознакомиться с ее финансовым положением, чтобы к ней не смог придраться ни один самый въедливый налоговый инспектор. То же самое он был намерен проделать и для Ханта.

Как выяснилось довольно скоро, учет прихода и расхода, который вел бухгалтер Ханта, был не таким подробным, как записи Бриджит. На его счета регулярно поступали крупные суммы, и так же регулярно они с них списывались. К счастью, все свои траты Хант осуществлял при помощи кредитной карты, поэтому получить более детальный отчет не составляло труда. У Виктора все же возникло несколько вопросов, но, когда он позвонил Ханту по телефону, все его недоумения разъяснились. Спросил Виктор и о непонятных счетах из лос-анджелесских отелей, на что Хант ответил, что время от времени останавливался там вместе с Талли и несколько раз снимал номера для деловых встреч с инвесторами, которые приезжали в Лос-Анджелес из других городов.

Получив разъяснения, Виктор сразу захотел включить расходы на отели в бизнес-издержки, что позволяло получить налоговые скидки. Он даже спросил, не помнит ли Хант, сколько он платил в каждом конкретном случае. Хант вспомнил почти все, благо суммы были практически одинаковые, и Виктор вздохнул с облегчением. Вопрос полностью разрешился, и он мог без колебаний включить оплату отелей в список необходимых деловых расходов.

Теперь Виктор был уверен, что и со стороны аудиторов Ханту не грозят никакие неприятности. Его ответы были прямыми и понятными, они полностью удовлетворили Виктора, и он не сомневался, что бухгалтеры японского инвестора тоже не станут сомневаться в их правдивости. Насколько он мог судить, до сих пор аудиторы не нашли в документах Талли и Ханта ничего подозрительного или вызывающего сомнения. Совсем скоро проверка закончится, и все они смогут вернуться к своим обычным делам. Самому Виктору оставалось только задать Талли несколько вопросов наподобие тех, что он задавал Ханту; это было необходимо ему не столько для собственного спокойствия, сколько для того, чтобы внести полную и окончательную ясность в соответствующие статьи ее общего гроссбуха. Быть может, рассуждал Виктор, ему даже удастся добиться для Талли дополнительных налоговых послаблений, если она, как и Хант, снимала номера в отелях не только для себя, но и для своих деловых партнеров.

Оставался также вопрос с калифорнийским «налогом на использование», который относился к вещам, приобретенным Талли в других штатах или за границей. Виктор уже убедился, что Бриджит вела соответствующие записи скрупулезно и точно, не упуская ни одной мелочи, поэтому ему оставалось только уточнить, не сделала ли Талли каких-то приобретений подобного рода в самое последнее время — в том числе для дочери. И наконец, ему по-прежнему хотелось узнать, почему Талли предпочитает тратить столь значительные суммы наличными, вместо того чтобы пользоваться кредитной карточкой, что было бы гораздо удобнее не только для него, но и для нее самой.

Виктор позвонил Талли на мобильный в пятницу вечером, когда ему показалось, что она уже должна освободиться после дневной съемки. Но, судя по голосу, Талли была все еще занята, поэтому Виктор извинился за беспокойство и только потом добавил, что хотел бы прояснить с ней некоторые статьи ее расходов, чтобы навести в отчетности полный и окончательный порядок.

— Разве вы не можете поговорить об этом с Бриджит? — досадливо спросила Талли. За прошедшую неделю они немного отстали от графика съемок из-за неподходящей погоды и множества изменений в сценарии, и теперь Талли беспокоилась, как бы ей не превысить бюджет. — Мне сейчас очень некогда, и...

— Могу, конечно, — осторожно сказал Виктор. — Но... видите ли, вопрос может оказаться довольно деликатным, и...

Услышав эти слова, Талли только крепче стиснула зубы и закатила глаза. Порой старый бухгалтер буквально сводил ее с ума своим педантизмом и вниманием к мелочам. Талли, разумеется, понимала, что за это она ему и платит, и все же ей не всегда было понятно, почему Виктор предпочитает решать часть проблем с ней, а не с ее помощницей. Подчас у нее просто не хватало времени, чтобы отвечать на его вопросы, а иногда она и вовсе не могла этого сделать, поскольку всю оперативную бухгалтерию вела для нее Бриджит.

— В общем, я хотел бы побеседовать с вами, — добавил Виктор несколько более уверенным тоном. — В конце концов, ответственность за ваши налоги несете только вы сами, и если я или Бриджит ошибемся, последствия могут быть, гм-м... крайне нежелательными. Вот почему в данном случае я предпочел бы черпать сведения из первоисточника. Когда вы возвращаетесь в Лос-Анджелес?

— В эти выходные я буду дома, но в понедельник мне снова придется вернуться в Палм-Спрингс.

— В таком случае давайте встретимся в воскресенье, — предложил Виктор, и Талли не сдержала вздоха.

Свое свободное время она предпочитала проводить с Хантом, а не со своим бухгалтером, однако ей было ясно — Виктор сведет ее с ума, но своего добьется. Тут она подумала, что вопросы Виктора, возможно, имеют какое-то отношение к аудиторской проверке, и... снова вздохнула. Ей хотелось как можно скорее покончить с формальностями, а ради этого не жаль было пожертвовать воскресеньем. Да и с Виктором она могла бы встретиться утром, пока Хант будет играть в теннис. Талли никогда бы не подумала, что идеальное воскресенье может начинаться со встречи с бухгалтером, однако деваться было некуда, и она пообещала, что приедет к Виктору в офис в половине одиннадцатого и ответит на все вопросы. Тот в свою очередь пообещал не слишком ее задерживать. У него были для этого свои резоны: Брианна любила ездить на поздний завтрак в «Поло Лонж» в Беверли-Хиллз, и ей вряд ли могло понравиться, что он в это время будет на работе.

Поздно вечером, когда Талли наконец добралась до своего дома в Лос-Анджелесе, Хант уже приготовил для нее замечательный ужин. Кроме этого, у него была припасена для нее хорошая новость.

— Аудиторская проверка почти закончена, — сказал он с улыбкой. — И насколько я знаю, проверяющие не нашли ни у тебя, ни у меня ни одной ошибки в записях, ни одной сомнительной статьи прихода или расхода. Остались кое-какие мелкие формальности, но это уже совершеннейший пустяк. Мистер Накамура очень доволен. Он сообщил, что договор будет готов уже на следующей неделе, и он его с удовольствием подпишет. — Хант снова улыбнулся. — Позвольте поздравить вас, мисс Джонс, с благополучным завершением проверки. Отныне все будут знать, что вы не мошенница и не налоговая преступница, а наоборот — вполне платежеспособный гражданин Соединенных Штатов. То же самое, кстати, относится и ко мне... — С этими словами Хант наклонился и поцеловал Талли. Она тоже улыбнулась и рассказала ему о запланированной на воскресенье встрече с Виктором Карсоном.

— Просто не представляю, что он накопал в моих бумагах! — пожаловалась она.

— Ты же знаешь, Виктор — человек въедливый и аккуратный, к тому же он очень любит, чтобы все было в идеальном порядке, — небрежно отозвался Хант. — Он и мне звонил, задавал всякие вопросы. Такое ощущение, что для составления финансового отчета ему необходимо знать, в каких ресторанах я побывал, что я там ел, а главное — разговаривал ли я при этом о бизнесе или о футболе.

Талли снова засмеялась, но заметила, что именно благодаря скрупулезности и даже мелочности Виктора у налогового управления США никогда не возникало к ним никаких претензий. Да и Бриджит, добавила она, ведет соответствующие записи очень аккуратно и подробно. Налоговая проверка могла бы стать для Талли серьезной помехой в ее работе, поэтому она старалась, чтобы статьи ее доходов и расходов были максимально прозрачными и не привлекали внимания налоговиков. Именно поэтому, сказала она, ей сто́ит встретиться с Виктором и развеять его сомнения, хотя тщательность и обстоятельность, с которой он подходил к делам, порой не на шутку ее раздражали.

— Я повидаюсь с ним утром, пока ты будешь играть в теннис, — сказала она Ханту. — Он обещал, что не задержит меня надолго, хотя я и не знаю, сумеет ли он выполнить свое обещание. Меньше всего мне хотелось бы провести свое свободное воскресенье с Виктором!

Талли и Хант провели очень приятные, а главное — спокойные выходные. Свободное время оба часто использовали не только для того, чтобы побыть вместе, но и чтобы доделать накопившиеся дела, которые не имели отношения к их основной работе. Например, в субботу Талли с утра прошлась по магазинам, а вечером поехала навестить отца, с которым провела несколько часов. Сэм

Джонс очень интересовался тем, как идут съемки фильма, и пока они сидели на скамейке в саду, Талли подробно рассказала ему о своей работе, описала смешные и забавные случаи, произошедшие с актерами на съемочной площадке, и даже поделилась с отцом кое-какими своими идеями, которые были столь необычными и новаторскими, что она не решалась обсуждать их даже с коллегами-профессионалами. В воскресенье утром Хант, по своему обыкновению, отправился играть в теннис с друзьями, а Талли поехала в офис Виктора Карсона.

Он уже ждал ее. Несмотря на воскресный день, на нем был строгий костюм консервативного покроя и безупречный, хотя и несколько старомодный галстук. Талли же, как и всегда, была одета в застиранные подранные джинсы, стоптанные высокие кроссовки и вылинявшую толстовку с капюшоном, единственное достоинство которой заключалось в том, что она была безупречно чистой.

— Спасибо, что согласились встретиться со мной в воскресенье, — вежливо приветствовала бухгалтера Талли. — Откровенно говоря, у меня сейчас очень плотный график, так что я вам действительно благодарна. Я слышала, аудиторская проверка почти закончена. Наш инвестор уже сообщил, что он удовлетворен ее результатами и готов подписать договор. По-видимому, у нас все в порядке, и в этом есть и ваша заслуга, так что еще раз спасибо за все, что вы для нас делаете.

— Это моя работа, мисс Джонс, — сухо сказал Виктор, поправляя очки.

Перед ним на столе лежал список вопросов, которые он собирался задать Талли, и Виктор поднес его поближе к глазам. Первые несколько вопросов касались калифорнийского налога за пользование; Виктор напомнил Талли, что он касается не только ее, но и Макс и что все вещи, которые она или ее дочь приобрели в Нью-Йорке и привезли в Лос-Анджелес, подвергаются дополнительному налогообложению в размере, определенном законом штата.

В переводе на нормальный человеческий язык это означало, что за каждую вещь, купленную не в Калифорнии, Талли приходилось платить фактически двойную цену, но таков был закон. Она, однако, об этом помнила и поэтому велела Бриджит вести тщательный учет покупок, подлежащих дополнительному налогообложению, и передавать все записи ему. Услышав это, Виктор вздохнул с явным облегчением — он-то знал, что многие люди забывают о необходимости уплачивать дополнительный налог и попадают из-за этого в неприятное положение.

Еще Виктор хотел прояснить несколько моментов, касающихся нанятых Талли работников и независимых подрядчиков, которые обеспечивали процесс съемок. На эти вопросы Талли отвечала почти механически — в них не было ничего особенного, и она недоумевала, почему бухгалтер не обратился со своим списком к Бриджит. Единственной новостью стало для нее, пожалуй, только то, что ее парижская квартира находилась отныне в категории личной собственности, тогда как раньше она считалась имуществом, необходимым для осуществления бизнеса, но Виктор объяснил ей, почему так произошло. Кроме того, бухгалтер счел необходимым напомнить Талли, что Макс будет считаться иждивенкой только до тех пор, пока остается студенткой очного отделения, но она и так об этом знала: Виктор говорил ей об этом раньше, и не один раз.

Лишь под конец Виктор мягко упрекнул Талли за то, что она тратит весьма значительные суммы наличными.

— Поймите, я не смогу добиться для вас профессиональных налоговых вычетов, если не буду знать, на что потрачены эти деньги, — сказал он. — В крайнем случае мне нужны кассовые чеки, однако я предпочел бы, чтобы впредь вы расплачивались кредитной карточкой.

Талли пожала плечами.

— Вряд ли это имеет большое значение, — ответила она. — Наличными я расплачиваюсь, когда паркую машину на городской стоянке; кроме того, я иногда покупаю мороженое или кофе... Не думаю, что все это даст мне какие-то существенные налоговые льготы.

— В таком случае вы, вероятно, очень любите кофе, — покачал головой Виктор. — По моим подсчетам, вы тратите на него не меньше двадцати пяти тысяч долларов в месяц. — Он очень старался, чтобы в его голосе не прозвучали саркастические нотки. Виктор нисколько не осуждал и ни в чем не упрекал Талли — он просто пекся о благополучии своей клиентки.

— Двадцать пять *тысяч*?! — изумленно воскликнула Талли. — Но это невозможно! Наличными я трачу в месяц не больше двухсот долларов, а может, и меньше. Все покупки я обычно оплачиваю кредитной карточкой, если, разумеется, это не какая-нибудь мелочь вроде крема или шампуня.

Впрочем, даже эти мелочи ей обычно покупала Бриджит. Благодаря помощнице Талли не нужно было тратить время и силы на разные бытовые нужды. Бриджит была очень внимательна и предусмотрительна и часто приобретала необходимые вещи еще до того, как Талли успевала об этом задуматься.

— Это невозможно, — повторила Талли. — Должно быть, вы ошиблись в расчетах или заглянули не в ту колонку, не в тот столбец. Я просто не могу тратить по двадцать пять тысяч долларов в месяц, да еще наличными!

— Смотрите сами, мисс Джонс. Вот кассовые чеки на получение наличных. Вот отметки банка о выдаче. Может быть, вы храните наличные дома?

— Разумеется, нет. Даже когда я покупаю кофе или мороженое, мне приходится брать деньги у Бриджит, потому что обычно у меня с собой только мелочь. Да еще когда Макс приезжает на каникулы, я кое-что даю ей, так сказать, на карманные расходы, но это, конечно, не двадцать пять тысяч. Похоже, вы все-таки где-то ошиблись, — закончила она уверенно.

— Боюсь, никакой ошибки нет. — Виктор упрямо покачал головой. — Именно поэтому я позволил себе настаивать на личной встрече. Сначала я просто хотел уточнить, на что потрачены эти деньги, чтобы получить налоговые льготы, но если вы действительно не знаете, куда деваются эти тысячи... Поймите, это не может меня не беспокоить.

Он говорил таким тоном, что Талли показалось — Виктор считает ее беспечной и безответственной транжирой.

— Бриджит наверняка передала вам расходную ведомость по моей кредитной карте, — возразила она. — За все, что стоит дороже пяти долларов, я расплачиваюсь кредиткой.

— Тогда как вы объясните, что каждый месяц с вашего счета обналичивается по двадцать пять тысяч долларов? — парировал Виктор. — Может быть, это Бриджит делает для вас какие-то покупки?

— Бриджит тоже пользуется кредитной карточкой. У нас открыт специальный совместный счет, средства которого она использует при покупке для меня каких-то вещей или оплате услуг. — Тут Талли вспомнила, что именно Виктор и посоветовал ей открыть такой счет. — Да вы и сами хорошо это знаете, — добавила она. — Я уверена, что Бриджит тоже не станет расплачиваться наличными. Ей это просто не нужно, к тому же это неудобно.

Виктор Карсон покачал головой.

— И все-таки кто-то тратит ваши деньги, мисс Джонс. Если это не вы, то... Словом, вы должны как можно скорее выяснить, кто это может быть.

Он явно был обеспокоен, и Талли тоже почувствовала растущую тревогу. Но как узнать, куда деваются деньги?

— Я не знаю, смогу ли я... — проговорила она неуверенно.

— За три года вы потеряли таким образом около миллиона долларов, — ответил бухгалтер. — Такая сумма не может исчезнуть бесследно.

— Ну хорошо, — согласилась Талли. — Я спрошу Бриджит. Быть может, ей и приходится платить за что-то наличными, просто я об этом не знаю. Пока она вовремя оплачивает все мои счета, мне глубоко безразлично, как она это делает — кредиткой, наличными или, может быть, чеком. Хорошо, я у нее спрошу, — повторила она, несколько успокаиваясь.

Талли не сомневалась, что случившемуся должно быть какое-то разумное объяснение. До сих пор Бриджит вела учет всех ее расходов совершенно безупречно — Виктор, во всяком случае, был ею доволен. Похоже, только внезапная аудиторская проверка заставила его разобраться в ее финансовых делах более тщательно — вот он и обнаружил то, чего не замечал прежде.

А Виктор терялся в догадках. Обычно он не расспрашивал клиентов о том, сколько и на что они тратят свои деньги, если, конечно, им не грозили финансовые проблемы. Талли, разумеется, было до этого очень далеко, однако за три года сумма набежала достаточно внушительная даже для нее, да и Виктор считал себя обязанным знать о средствах клиента все, что только возможно. Странное исчезновение столь значительных сумм было для него оскорбительным как для профессионала. «От наличных одни только неприятности!» — подумал он. Некоторые его клиенты тратили наличные доллары направо и налево, а потом никак не могли вспомнить — на что. Талли, к сожалению, тоже не стала исключением. Виктор ни минуты не сомневался, что деньги были потрачены ею в рамках закона, но ему необходимо было знать, когда и на что. И Талли еще раз пообещала это выяснить. Она в свою очередь была совершенно уверена, что у Бриджит найдутся разумные ответы на все вопросы.

После этого Виктор задал еще несколько вопросов относительно счетов и накладных, назначение которых ему хотелось уточнить. Одежда для Макс, несколько картин, которые Талли купила в Нью-Йорке, подарки для Ханта, в том числе золотые швейцарские часы — очень дорогие, но и он тоже не жалел денег, когда хотел сделать Талли приятное. В самый конец списка попали авиационные билеты и счета из отелей, о которых Виктор уже спрашивал Ханта.

— Мистер Хант обьяснил мне, что вы время от времени проводите там уик-энды, — сказал он извиняющимся тоном.

Счета из отелей его больше не беспокоили, просто Виктор привык тщательно все проверять. По записям в генеральном гроссбухе он видел, что в течение трех лет Талли и Хант часто останавливались в дорогих лос-анджелесских гостиницах. Год назад это прекратилось — во всяком случае, в сводной ведомости расходов Талли по кредитной карте счета из отелей больше не фигурировали. Хант, однако, продолжал снимать номера то в «Сансет Маркис», то в «Шато Мормон», из чего Виктор заключил, что оплату гостиниц он взял на себя.

— Где-где мы проводили уик-энды? — переспросила Талли. Она ничего не понимала.

— В лос-анджелесских отелях, — пояснил Виктор, готовясь закончить разговор. Главные вопросы он уже задал, к тому же ему нужно было вести Брианну в ресторан. Лишний раз сердить жену Виктору очень не хотелось.

— Я никогда не ездила с Хантом ни в какие местные отели, — сказала Талли, пожимая плечами. — Я живу в гостиницах, только когда выезжаю на натурные сьемки. Например, сейчас я сняла номер в отеле в Палм-Спрингс, но не на два дня, а на весь месяц. — Она улыбнулась. — Это, как я понимаю, производственные издержки, поэтому налог с потраченной суммы должен быть меньше. Правильно?

— Разумеется, мисс Джонс... — растерянно пробормотал Виктор. Настал его черед удивляться. — Но... как же?.. Судя по документам, которые я видел своими собственными глазами, вы в течение трех лет регулярно оплачивали пребывание в «Бель-Эйр», «Шато Мормон» и «Сансет Маркис». И вы, и мистер Хант тоже... Когда я задал ему этот вопрос, он ответил, что ездит туда с вами или снимает номера для своих иностранных деловых партнеров.

— Должно быть, он просто неправильно вас понял. Мы никогда не бывали в этих отелях и не проводили там уик-эндов за исключением одного раза, когда у меня дома был ремонт. Тогда мы действительно прожили в «Бель-Эйр» несколько дней, но это было довольно давно. Вероятно, это какая-то ошибка.

Талли снова пожала плечами и вдруг подумала: а вдруг это Бриджит использовала ее счет для оплаты своих амурных похождений? Она знала, что помощница ведет довольно беспорядочную любовную жизнь; не исключено было, что в какой-то момент у нее не оказалось при себе ее собственной кредитной карточки, и ей пришлось воспользоваться картой, которую Талли оформила на нее для оплаты текущих расходов. Но в таком случае Бриджит наверняка восполнила бы недостачу средств на счете. Что, если она сделала это каким-то особым способом, о котором Виктор ничего не знает?

— Это, наверное, Бриджит, — сказала Талли. — Я у нее спрошу, но почти уверена, что это она.

Она была рада, что вопрос разъяснился, хотя мысль о том, что Бриджит может пользоваться ее деньгами для каких-то своих нужд, не слишком ей понравилась. Помощница не должна была так поступать, пусть даже потом она вернула все потраченные деньги. Один раз куда ни шло, но если верить Виктору, Бриджит делала это неоднократно. С другой стороны, такое было совершенно на нее не похоже. До сих пор Бриджит четко вела ее дела — Талли не помнила случая, чтобы помощница допустила ошибку или хотя бы легкую небрежность в финансовых вопросах. Ни у нее самой, ни у Виктора не было к ней никаких претензий. Понадобилась полная аудиторская проверка, чтобы некоторые несообразности в документах выплыли на свет, в противном случае они, скорее всего, никогда бы об этом не узнали.

— Я расспрошу Бриджит насчет этих отелей и пропавших наличных, — пообещала Талли, и Виктор кивнул в знак согласия.

Ему не хотелось настаивать: в конце концов, Хант со всей определенностью заявил, что останавливался в отелях вместе с Талли, она же это отрицала, а Виктор был достаточно искушен, чтобы понять — он вступает на довольно зыбкую почву, к которой финансовые вопросы имеют лишь косвенное отношение. Уже не в первый раз на его памяти обычная проверка счетов приводила к подобным результатам. Виктор знал, что за сухими строками финансовых документов скрываются порой самые настоящие африканские страсти, и не спешил копать вглубь, чтобы не оказаться в неловком положении самому и не поставить в подобное положение клиента. Ему, впрочем, не нужно было напоминать себе, что его компетенция — только счета, приходно-расходные ордера и бухгалтерские книги, а все остальное его не касается. Разбираться в подробностях отношений между Талли и Хантом Виктор не собирался, его интересовало только одно: куда могли уходить наличные деньги? Счета за отели были выписаны на куда меньшую сумму, поэтому он справедливо решил, что это вопрос второстепенный и Талли, Хант и Бриджит как-нибудь разберутся с ним сами. Именно поэтому, прежде чем Талли уехала, бухгалтер еще раз напомнил ей о потерянном миллионе и о том, как важно выяснить все подробности этого странного дела.

Талли, впрочем, не разделяла его тревоги и собиралась задать Бриджит несколько вопросов только для того, чтобы успокоить Виктора. Она не сомневалась, что помощница отлично знает ответ. Неужели, думала Талли, Бриджит и в самом деле останавливалась с любовниками в дорогих отелях, а потом расплачивалась средствами с их общего счета? Ей это казалось маловероятным — в конце концов, Бриджит уже семнадцать лет служила ей верой и правдой. В этом случае оставалось только одно: кража пароля. В прошлом с ней это уже случалось: мошенник каким-то образом узнал номер ее кредитной карты и пароль и принялся скупать в магазинах дорогие вещи, расплачиваться за которые пришлось, естественно, ей. За свою жизнь Талли несколько раз меняла номер кредитки и пароль, чтобы обезопасить себя от электронных воришек. Несколько обнадеживало ее то обстоятельство, что за последний год ни один из лос-анджелесских отелей не предъявил ей счет за то, что она якобы там ночевала. По-видимому, помогла последняя смена номера кредитки, которую Талли как раз в прошлом году обменяла на новую. Непонятно было только, почему Хант вдруг заявил Виктору, будто они останавливались в отелях вместе, хотя на самом деле они никогда этого не делали? Наверное, решила она, Виктор все же что-то напутал. В остальном же ее счета были в полном порядке, и она могла вздохнуть свободно — вздохнуть и забыть о деньгах, а думать о новом фильме, который мог стать весьма заметным событием мирового кинематографа.

Хант вернулся домой через пять минут после Талли. Он был все еще разгорячен после партии в теннис и сразу прошел в душ. Пока он мылся, Талли успела приготовить салат. Готовить она не любила и не особенно умела, но салат был ей вполне по силам.

Из душа Хант появился в приподнятом настроении, и Талли сразу поняла, что он выиграл. Хант терпеть не мог проигрывать ни в игре, ни в жизни: чем бы он ни занимался, ему обязательно нужно было быть первым, обязательно добиться успеха. Поражения, конечно, случались, и он воспринимал их довольно болезненно, но сегодня, судя по довольной улыбке, все складывалось более чем удачно.

— Ну, что сказал тебе Виктор? — поинтересовался Хант, ныряя в холодильник и доставая оттуда бутылочку «Гейторейда».

— Много всего. — Талли улыбнулась. — Бедняга очень обеспокоен, он задал мне, наверное, миллион вопросов. И кое-что мне тоже показалось странным. Виктор утверждает, что я расходую слишком много наличных денег, хотя на самом деле я их почти не трачу — пользоваться кредитной карточкой гораздо удобнее, если только речь не идет о покупке зубочисток или другой мелочи. Надо будет узнать у Бриджит, может, это она использует наличные, когда делает какие-то покупки или оплачивает счета. Это не слишком хорошо, потому что из-за этого я теряю налоговые льготы. Именно это, кстати, и расстраивает Виктора больше всего. Впрочем, я уверена, что Бриджит сумеет все объяснить. Сама я ничего об этом не знаю...

Талли собиралась упомянуть и счета из отелей, но не знала, как сделать это так, чтобы Хант не подумал, будто она его в чем-то обвиняет. Пожалуй, рассудила она, сначала нужно как следует расспросить Бриджит, вдруг она и в самом деле бывала в отелях со своими любовниками, а расплачивалась ее деньгами. Несомненно, она давно все возместила, внеся необходимую сумму наличными или чеком на один из счетов Талли. В этом случае Виктор, наверное, мог и не разобраться, что это за деньги и откуда они взялись. В общем, подумала она, какое-то *разумное* объяснение недоразумению с гостиничными счетами, несомненно, существует. В конце концов Талли решила ничего пока не говорить Ханту, поскольку была уверена, что путаница произошла по ее вине или по вине Бриджит. Она все выяснит, а потом объяснит Виктору, в чем дело. Ханту вовсе незачем знать, что проверка выявила несколько мелких проблем в ее финансах.

Остаток воскресенья они провели очень приятно. После обеда Талли и Хант отправились в сад, чтобы посидеть в тени деревьев, вдыхая аромат цветов и молодой травы. Талли нравилось бывать дома — особенно после того, как она подолгу работала на натуре. К счастью, нынешняя съемочная площадка в Палм-Спрингс была куда приятнее многих мест, где ей приходилось бывать. Она, во всяком случае, не шла ни в какое сравнение ни с Индией в сезон дождей, ни с африканскими джунглями, охваченными пламенем гражданской войны. Кроме того, Палм-Спрингс находился сравнительно недалеко от Лос-Анджелеса, что также было весьма существенным плюсом.

Пока Талли и Хант отдыхали в саду, Виктор Карсон сидел с Брианной в ресторане «Поло Лонж» в «Беверли-Хиллз-отеле». После встречи с Талли он вернулся домой на полчаса позже, чем рассчитывал, и теперь жена дулась на него за то, что он заставил ее ждать. Его объяснения нисколько не улучшили ее настроения — Брианна считала, что выходные Виктор должен посвящать ей, а не работе. Свое раздражение она выразила в нескольких колких замечаниях; например, она сказала, что в своем старомодном костюме и галстуке Виктор похож на гробовщика. Брианна давно добивалась, чтобы ее муж одевался в более демократичной манере — например, носил джинсы и ковбойку, но Виктор считал, что даже в воскресенье не может позволить себе ничего подобного из уважения к клиентам.

Словом, день складывался на редкость неудачно, и Виктор заметно приуныл. На это воскресенье он возлагал определенные надежды, рассчитывая помириться с женой. В последние несколько недель они с Брианной виделись урывками: она постоянно куда-то ездила, а он был занят на работе, поэтому нормального разговора как-то не получалось. Да и сейчас ее замечание насчет «гробовщика» больно его задело, и все же Виктор предпринял еще одну попытку поговорить с Брианной.

— Извини, в последнее время у меня было много работы, но сейчас проверка закончилась, и я буду свободнее, — сказал он, с обожанием глядя на жену.

Брианна выглядела очень эффектно в узком белом платье с глубоким вырезом, которое она купила только на этой неделе. Платье было от Роберто Кавалли и стоило, наверное, бешеных денег, зато оно выгодно подчеркивало ее тонкую талию и безупречной формы грудь.

— Ничего страшного, — небрежно отозвалась Брианна. Она специально дождалась десерта, чтобы застать мужа врасплох. — Мне нужно пять миллионов долларов, — выпалила Брианна без всякого перехода.

— Мне тоже, — улыбнулся Виктор. Он ничего не понял. — Кстати, зачем тебе столько денег?

— Затем, чтобы оставаться твоей женой, — холодно парировала Брианна. — Кроме того, ты должен будешь каждый год выплачивать мне некоторую сумму... я еще не решила какую. Мы обсудим это позже, но сначала ты должен положить мне на счет пять миллионов.

— Но послушай... — растерялся Виктор. — В конце концов, брак — это не деловое предприятие или торговая сделка. Я... У меня просто нет таких денег, — тихо закончил он, стараясь поймать ее взгляд.

— Раньше у тебя были деньги, — возразила она.

— Раньше — да, но не теперь.

Виктор подумал, что даже если бы у него нашлись эти миллионы, он бы все равно не стал платить Брианне, чтобы она оставалась его женой. Виктор терпеть не мог шантажа, а именно этим Брианна сейчас и занималась. «Дай мне денег, иначе я от тебя уйду» — вот в чем заключался смысл всех ее незамысловатых маневров.

— Как насчет трех миллионов? — Брианна готова была торговаться. — Но имей в виду — если ты опять пожадничаешь, мне *придется* тебя бросить. Я не желаю чувствовать себя нищей. Мне нужны мои собственные деньги. Только мои, понимаешь?.. Так я буду чувствовать себя уверенней.

«Ты будешь чувствовать себя уверенней, зато я останусь без гроша, — подумал Виктор. — И тогда ты точно меня бросишь».

И все же он предпринял еще одну попытку.

— Пойми, Брианна, у меня просто нет таких денег! — сказал он, хотя и понимал, что все бесполезно.

Виктор не знал, зачем адвокату Брианны потребовалось рассказывать ей про семейное соглашение, но эта идея накрепко засела у нее в голове, и теперь вместо «соглашения» их браку пришел конец.

— Если ты не заплатишь три миллиона, — холодно сказала Брианна, пока Виктор расплачивался по счету, — я буду вынуждена от тебя уйти. Я не хочу быть женой человека, который не может сделать меня счастливой.

Виктор прикусил губу. «Счастье» Брианны стоило слишком дорого, но он по-прежнему боялся ее потерять.

Что же ему делать? Брианна раскрыла свои карты, теперь ход был за ним.

Пока они ждали, чтобы служитель подогнал их машину ко входу в ресторан, Виктор не произнес ни слова. По пути домой они тоже молчали. Старый бухгалтер был бледен — он отчетливо понимал, к чему идет дело. Либо он заключает с Брианной семейный договор и платит ей три миллиона, либо она уходит, и ему придется выплачивать ей алименты и содержание.

Виктор так глубоко задумался, что проскочил на красный свет и едва не столкнулся с другой машиной. Жена наградила его злобным взглядом.

Глава 5

В понедельник утром Бриджит заехала за Талли, и они вместе отправились в Палм-Спрингс. По дороге Талли заговорила о своей встрече с Карсоном и о том, что ее личный бухгалтер озабочен исчезновением крупных сумм наличных денег.

— Может быть, ты что-то покупала? — спросила она, потягивая сладкий кофе-латте, который купила на выезде из Лос-Анджелеса. — Или оплачивала наличными какие-то счета?

— Конечно, нет, — отозвалась Бриджит. — Зачем мне это? Все счета и все покупки я оплачиваю кредитной карточкой или выписываю чек, и Виктор прекрасно об этом знает.

— Я так ему и сказала, — кивнула Талли. — Просто не представляю, как он мог подумать, будто мы тратим такие значительные суммы наличными. Это просто абсурд! Должно быть, Виктор перепутал счета.

Она по-прежнему не исключала такой возможности — главным образом потому, что не видела никаких других вариантов. Была ли это ошибка Виктора или кого-то из его сотрудников, не имело значения: Талли была абсолютно уверена, что ни Бриджит, ни она сама не могли бы расходовать по двадцать пять тысяч долларов в месяц. В ее представлениях, правда несколько наивных, ибо она никогда не сталкивалась с изнанкой жизни, такую большую сумму наличными мог потратить только человек, который употребляет наркотики, играет на тотализаторе или пользуется услугами дорогих проституток.

— В последнее время Виктор действительно выглядит несколько, гм-м... рассеянным, — заметила Бриджит. — Так мне, во всяком случае, показалось. Может, он болен... или просто слишком стар, чтобы заниматься бухгалтерской работой.

— Даже не знаю, в чем тут дело!.. — Талли покачала головой. — Я тоже удивилась. Ладно, я ему позвоню и скажу, что здесь какая-то ошибка. — Тут она вспомнила о счетах из отелей. Наверняка это тоже недоразумение, подумала Талли, однако не спросить об этом Бриджит она не могла — с ее стороны это было бы просто непорядочно по отношению к Виктору. В конце концов, он же просил ее разузнать все как можно подробнее.

— Еще Виктор показывал мне счета из «Шато Мормон» и «Сансет Маркис»... — добавила она.

Последовала короткая, едва уловимая пауза, причем Талли показалось, что Бриджит как-то слишком внимательно смотрит на шоссе впереди, хотя дорога в этот час была совершенно пустой.

— Я... я хотела узнать, — продолжила Талли извиняющимся тоном, — может быть, это ты? Ну, вдруг тебе некуда было пойти с одним из своих приятелей, вот ты и сняла номер в отеле, а потом расплатилась нашей общей кредиткой?

— Я никогда не снимала номеров ни в одном из этих отелей, — ответила Бриджит тоном, пожалуй, несколько более резким, чем диктовала ситуация. — Я что, бездомная? Когда мне нужно с кем-то переспать, я еду к себе домой, а не снимаю номер в гостинице. И вообще, трахаться с мужиками по отелям — это дурной тон, — добавила она с усмешкой, но тут же нахмурилась. — Ты говоришь, Виктор показывал тебе счета? Не понимаю, как это может быть. Похоже, у тебя опять украли пароль к кредитке.

— Я тоже об этом подумала, — согласилась Талли. — Ничего другого просто не остается. Сначала, правда, я подумала, может быть, это ты... Например, у тебя не оказалось твоей собственной кредитки, вот ты и расплатилась нашей общей карточкой. А когда ты восполнила деньги на счете, они прошли по другой графе, — или как там это называется в бухгалтерии?.. В общем, Виктор решил, будто это мои расходы, и захотел узнать, имеют ли они отношение к бизнесу, чтобы добиться налоговых льгот.

— Я никогда не забываю свою кредитку, — ответила Бриджит. — Я не какая-нибудь финтифлюшка, у которой в голове гуляет ветер. К тому же, даже если бы я была в одном из этих отелей с мужчиной, я бы не стала платить за номер. Расплачиваться должны мужчины, разве не так?

— Конечно, ты права. — Талли виновато улыбнулась. — Платить должны мужчины, и ты *не* финтифлюшка, уж я-то знаю. Значит, Виктор что-то перепутал.

Больше она ни о чем не спрашивала. Убедившись, что Бриджит ни при чем, Талли просто выбросила проблему из головы. Пусть Виктор сам ищет объяснение тому, что случилось. Она сделала все, что было в ее силах.

И, достав из сумки сценарий, Талли с головой ушла в работу. До Палм-Спрингс оставался всего час езды, а она еще не закончила просматривать изменения, которые сценаристы успели сделать за выходные.

* * *

Виктору она позвонила из своего трейлера, когда Бриджит ушла за кофе — в походном буфете, разместившемся в фургоне, эспрессо и капучино готовили не хуже, чем в «Старбаксе». Поздоровавшись, Талли сообщила, что Бриджит тоже не может объяснить, куда могли подеваться наличные, и что к счетам из отелей она не имеет никакого отношения. При этом голос ее звучал настолько безмятежно, что Виктор был неприятно удивлен. По его глубокому убеждению, человек, который обнаружил в своем бюджете дыру размером в один миллион долларов, не мог не испытывать тревоги. Он даже не удержался от легкого упрека:

— Прошу меня простить, мисс Джонс, но я не понимаю, как вы можете так спокойно говорить о... о таких серьезных вещах. Согласен, с этими деньгами много непонятного, но... Хорошо, давайте пока оставим вопрос с наличными в покое и поговорим о счетах из отелей. Вы утверждаете, что ни вы, ни ваша помощница там никогда не останавливались, но мистер Хант в разговоре со мной со всей определенностью заявил, что бывал там вместе с вами.

При этих словах у Талли вдруг сжалось сердце, но она постаралась отогнать нехорошее предчувствие. Хант... Нет, этого не может быть, твердила она себе. Виктор что-то напутал!

— Мне кажется, вы ошиблись, Виктор, — проговорила она тихо. Хант просто не мог сказать ничего такого, Бриджит тоже отрицала, что ездила в эти отели с мужчинами. Кто же в таком случае жил в них за ее счет? — Я думаю, кто-то снова узнал мой пароль и номер кредитки. Так уже было несколько раз, — добавила она и с облегчением вздохнула, почувствовав, как ее сердце снова забилось в обычном ритме.

— Вы считаете? — В голосе бухгалтера прозвучало сомнение. — Хорошо, я все проверю и перезвоню вам. В агентстве по работе с кредитными картами[1] должны сохраниться данные о человеке, который останавливался в отеле вместо вас.

— Я уверена, это кто-то незнакомый, — сказала Талли.

---

[1] Агентство по работе с кредитными картами занимается обработкой продаж по кредитным картам: выписывает и рассылает счета на оплату покупок в кредит, высылает уведомления об оплате, отслеживает должников, пресекает мошенничества в сфере использования кредитных карт и т. п.

— Я перезвоню, — ответил Виктор и дал отбой, а через несколько секунд в трейлер вошла Бриджит.

— Что-нибудь случилось? — спросила она, протягивая Талли пластиковый стаканчик с горячим латте, от которого поднимался ароматный паро́к. — У тебя расстроенный вид. Можно подумать, твоя любимая бейсбольная команда только что продула финальный матч.

Талли рассмеялась и сразу почувствовала себя лучше.

— Нет, ничего не случилось. Просто Виктор иногда бывает таким упрямым, что... Он как собака со старой костью — на ней и мяса-то давно не осталось, но он упорно не хочет разжать зубы. Эта история с наличными и со счетами из отелей... Я готова спорить на что угодно: напортачил кто-то из его помощников. Вот увидишь — скоро выяснится, что путаница произошла только из-за того, что какой-то клерк что-то не туда вписал.

— Я уже давно не делаю ошибок, когда работаю с финансовыми документами, — с гордостью сказала Бриджит.

— Я знаю. И ни в чем тебя не упрекаю, просто Виктор... он пристал ко мне как банный лист. Нет, я понимаю, что он желает мне только добра, но почему он не хочет признать, что ошибка его, а не наша? Сначала эти пропавшие наличные, потом счета из отелей, где я якобы жила... Ну не желаю я переживать из-за этого, будь это чья-то ошибка или очередная кража пароля. Кстати, ты в курсе, что когда в последний раз кто-то украл пароль к моей карте, он отправился в секс-шоп, а потом побывал в десятке баров? На большее его фантазии не хватило, так что я почти ничего не потеряла. Отели, конечно, обошлись мне несколько дороже, чем надувная женщина и несколько порций виски, но если разобраться, то и это пустяк, однако Виктор никак не хочет успокоиться! Знаешь, что он мне заявил? Хант якобы говорил ему, будто он останавливался в этих отелях со мной, хотя я твердо знаю — он не мог сказать ничего подобного. — Талли вздохнула и отпила глоток кофе. — У Виктора наверняка какие-то неприятности: он так нервничает, что путает все на свете. Когда он передал мне слова Ханта, я сама едва не заволновалась, но потом поняла — это Виктор заразил меня своим безумием. Вот увидишь, скоро все выяснится, то есть я хочу сказать — он сам во всем разберется и поймет, что произошла ошибка. Я, во всяком случае, не собираюсь обвинять Ханта в том, что он от меня что-то скрывает, только потому, что одному старому бухгалтеру шлея под хвост попала. Бр-р, терпеть не могу всю эту бухгалтерию! — Она поежилась. — Как хорошо, что у меня есть ты, Бриджит, ты делаешь за меня всю самую неприятную работу.

Талли потянулась к сценарию, а Бриджит рассмеялась.

— Я тоже не люблю цифры, приход-расход и прочее,— сказала она. — Что касается Виктора, то он такой же зануда, как все бухгалтеры, — ужасно боится ошибиться и от этого нервничает еще больше. — И она протянула Талли ее «Блекберри».

— Да, наверное, — согласилась Талли, приканчивая кофе и засовывая сценарий под мышку. «Блекберри» она перевела в режим вибрации и засунула в задний карман шортов. — Ну, пора за работу.

Через минуту она уже сидела вместе с оператором на площадке съемочного крана, выбирая наиболее выигрышный угол съемки. Все недоразумения и проблемы были забыты — сейчас для нее существовала только ее любимая работа.

Съемочный день выдался напряженным — нужно было наверстывать упущенное из-за плохой погоды время. Талли даже не пошла обедать, удовольствовавшись парой бутербродов и несколькими чашками кофе, которые принесла ей Бриджит. Был уже ранний вечер, когда она вспомнила про свой «Блекберри» и, достав его из кармана, стала просматривать поступившие сообщения. Сообщений было четыре — все от Виктора, и Талли досадливо поморщилась. Прежде чем перезвонить бухгалтеру, она нашла спокойный уголок и, сев на складной стульчик, откупорила бутылку минеральной воды. Краем глаза она наблюдала за Бриджит, которая о чем-то болтала с одним из актеров. Наверное, этот молодой, мускулистый парень станет ее партнером на сегодняшнюю ночь, подумала Талли, по памяти набирая номер Виктора.

Виктор ответил на втором звонке.

— Я хотел сообщить вам новости насчет отелей «Шато Мормон» и «Сансет Маркис», мисс Джонс! — выпалил он, даже не поздоровавшись, и Талли невольно вспомнила свои слова насчет пса, который никак не может расстаться со старой костью.

— Я уверена, что это все украденный пароль, Виктор, — перебила она. — В прошлый раз вы тоже не могли понять, откуда взялись счета из детройтских баров, и... Почему бы вам не бросить это дело, раз деньги все равно не вернуть?

— Я не люблю загадки, мисс Джонс, — сухо ответил Виктор. — В особенности когда речь идет о моих клиентах.

— Я очень ценю вашу, э-э... добросовестность, но, как я уже сказала, вернуть деньги, скорее всего, все равно нельзя, к тому же украденная сумма не так велика. — Талли старалась говорить небрежно, но в груди у нее снова проснулось беспокойство.

— Тем не менее я обязан найти объяснение происшедшему. *Достоверное* объяснение, мисс Джонс. Сегодня я звонил в агентство по работе с кредитными карточками. Они хранят все подписанные квитанции на микрофишах[1]. Я попросил переслать мне по факсу копии, чтобы посмотреть, чья на них стоит подпись.

— Только не говорите, что моя!.. — Талли едва не рассмеялась — до того невероятным показалось ей ее собственное предположение.

— Не ваша, — согласился Виктор. — Квитанции-слипы подписывала мисс Паркер. Ее подпись стоит на квитанциях из «Шато Мормон» и «Сансет Маркис». На слипе из «Бель-Эйр» расписывались вы, но вы уже объяснили,

[1] Микрофиша — карточка с несколькими кадрами микрофильма.

что жили там во время ремонта. Ну а если вы продолжаете думать, будто я ошибся, то могу вас заверить: подпись мисс Паркер я знаю очень хорошо.

— Но Бриджит сказала, что никогда не останавливалась ни в одном из этих отелей, — решительно возразила Талли. Своей помощнице она верила гораздо больше, чем старому бухгалтеру, и по-прежнему была убеждена, что Виктор ошибся. Мысль о том, что Бриджит может быть причастна к этому недоразумению, не укладывалась у нее в голове.

— Возможно, она позабыла. Ведь это было сравнительно давно, — спокойно сказал Виктор.

— Я так не думаю.

— Мне кажется, ей не особенно приятно признаваться вам в том, что она использовала вашу карточку и ваши деньги в личных целях. В этом случае она постаралась бы возместить израсходованные средства так, чтобы не привлекать к этому внимания. Вот почему ни вы, ни даже я ничего об этом не знаем. — Виктору тоже хотелось верить в честность Бриджит, однако никаких доказательств того, что она вернула растраченные деньги, он пока не обнаружил. С другой стороны, теперь он твердо знал, что Бриджит побывала в обоих отелях. Это подтверждали ее подписи на квитанциях-слипах, которые бухгалтер узнал и без всякой экспертизы. Так он и сказал Талли, но она по-прежнему не желала верить в очевидное.

— Может быть, ее подпись кто-то подделал? — предположила она.

— Все может быть, мисс Джонс, но я что-то в этом сомневаюсь. Я хорошо знаю руку мисс Паркер.

— Напрасно вы так, Виктор... — тихо проговорила Талли. — Бриджит оплачивает все поступающие счета, у меня на это просто нет времени. Для этого она мне и нужна. А вы вносите эти счета в основную бухгалтерскую книгу, ведете общий учет расходов и поступлений и составляете итоговый баланс. Вот почему я думаю, что, даже если бы Бриджит захотела смошенничать, она бы сделала это иначе — так, чтобы никто этого не заметил, даже вы. С ее стороны было бы глупо расплачиваться за номер в отеле моей картой, ведь Бриджит не могла не понимать, что ее счета рано или поздно попадут в ваши руки.

— Не так уж и глупо. Если бы не эта независимая проверка, я продолжал бы считать, будто в этих отелях останавливались вы с Хантом. И не забудьте про миллион долларов, который испарился неизвестно куда! Судя по документам, вы каждый месяц тратите двадцать пять тысяч наличными, но ведь вы говорите, что не имеете об этом ни малейшего представления. Откровенно говоря, эта проблема беспокоит меня гораздо больше, чем непонятная история со счетами из отелей.

— Меня она тоже беспокоит, — быстро сказала Талли, хотя до этого она почти не вспоминала про исчезнувший миллион. То, что Виктор ставил под сомнение порядочность Бриджит, тревожило ее куда сильнее. Тут к ней в голову пришла новая мысль, и Талли с радостью за нее ухватилась. — Знаете что?.. — сказала она. — Если вы не против, я хотела бы показать счета и сводные ведомости отцу. Он разбирается в этих вещах гораздо лучше меня, может быть, он что-нибудь посоветует.

Сэм Джонс не был бухгалтером, однако за долгую адвокатскую карьеру он изрядно поднаторел в работе с самыми сложными финансовыми документами. Кроме того, его советы всегда были взвешенными и по-житейски мудрыми.

— Конечно, покажите, — согласился Виктор.

— Тогда так и сделаем, — ответила Талли. — Спасибо за звонок, Виктор. Я перезвоню вам позже.

Она еще некоторое время сидела неподвижно, размышляя о странных счетах из отелей, но так ничего и не придумала. Вздохнув, Талли снова взялась за телефон и набрала отцовский номер.

— Привет, па! — сказала она, как только тот снял трубку. Талли очень старалась, чтобы ее голос звучал как можно беззаботнее, но старый юрист слишком хорошо знал свою дочь. За всю жизнь Талли ни разу не удавалось его провести.

— Что стряслось? — Сэм Джонс по обыкновению старался сразу взять быка за рога.

Талли принужденно рассмеялась.

— Слушай, па, тут во время аудиторской проверки всплыли кое-какие не совсем понятные обстоятельства, и мне нужен твой совет. Мне кажется, мой бухгалтер ошибся, но я не совсем уверена... Ты не взглянешь на документы?

На мгновение ей стало неловко — в конце концов, ее отец был уже стар, и силы нередко ему изменяли. С другой стороны, его ум оставался быстрым и ясным, а интуиция порой просто поражала.

— Конечно. Пришли мне документы, когда сможешь. А в чем, собственно, проблема?

— Мой бухгалтер, Карсон, утверждает, что я ежемесячно расходую около двадцати пяти тысяч долларов наличными, тогда как на самом деле я трачу от силы две сотни. Бриджит тоже говорит, что оплачивает все счета кредитной картой или чеком. В общем, мы никак не можем разобраться, в чем тут дело.

— У тебя есть объединенный счет с Хантом? — тотчас спросил Сэм.

Как и всегда в подобных случаях, он предпочитал говорить без обиняков, хотя Хант ему очень нравился. Кроме того, Сэм прекрасно знал, что у Ханта достаточно своих денег и он никогда не скупится, когда речь идет о подарках Талли или Макс.

— Нет, — сказала Талли. — У нас нет общего имущества. Виктор, кажется, тоже меня об этом спрашивал. Бедняга до сих пор ломает голову, но у него, похоже, нет никаких предположений насчет того, куда могли деваться эти деньги. Двадцать пять тысяч в месяц... Виктор утверждает, что за три года я потеряла без малого миллион. Это, конечно, немало, но я велела себе не расстраиваться, пока все не выяснится. Быть может, это просто какая-то ошибка.

— Пусть твой бухгалтер пришлет мне все записи и сводные ведомости. Я постараюсь помочь.

— Спасибо, па.

Талли почувствовала, как у нее потеплело на сердце. Сколько она себя помнила, отец всегда готов был прийти к ней на помощь, поддержать советом или просто шуткой. Тем не менее о счетах из отелей она говорить не стала — главным образом потому, что не видела в этом большого смысла. Вряд ли Сэм мог каким-то образом узнать, было ли появление этих счетов следствием кражи пароля к кредитке, или просто Бриджит утаила от Талли правду. Другое дело — наличные. Если Виктор где-то ошибся, отец непременно выяснит, где, и тогда странная ситуация наконец разрешится. Разрешится ко всеобщему удовлетворению, как надеялась Талли.

И она позвонила Виктору и попросила переслать отцу копии всех документов, какие могли ему понадобиться. Виктор обещал, что отправит их с курьером в самое ближайшее время, и Талли с легким сердцем вернулась к работе. Она не сомневалась, что история с пропавшим миллионом очень скоро разъяснится.

Вечером Бриджит отвезла Талли в Лос-Анджелес. По дороге подруги, как всегда, болтали о всякой всячине, но Талли, хотя и старалась поддерживать разговор, была рассеянна и не особо внимательна. Она думала о том, что́ сообщил ей Виктор, и никак не могла сосредоточиться на беседе. Бриджит, впрочем, не заметила легкой холодности подруги. В Лос-Анджелесе она высадила Талли перед ее особняком и укатила.

По дороге домой Талли все же решилась спросить Ханта об отелях, но, когда отворила дверь, сразу поняла, что он еще не вернулся. На кухне Талли нашла записку, в которой Хант сообщал, что ужинает с инвесторами и будет поздно. Заканчивалась записка обычным «Люблю, целую», но сейчас эти слова показались Талли не совсем искренними. Опустившись на диван, она снова задумалась о том, какое отношение Хант может иметь к дорогим лос-анджелесским отелям и почему он сказал Виктору, что останавливался там вместе с ней.

Так ничего и не придумав, Талли позвонила дочери в надежде немного отвлечься. Они очень мило поболтали, но потом Макс сказала, что ей нужно еще кое-что почитать к завтрашнему семинару, и Талли нехотя повесила трубку. Не успела она отложить телефон, как он снова зазвонил. Это был ее отец.

— Виктор был прав, — сказал Сэм Джонс обеспокоенно. — Ты действительно теряешь каждый месяц по двадцать пять тысяч или около того. Ты не пробовала поговорить с Бриджит? Как она это объясняет? Насколько я помню, твоя помощница всегда была очень аккуратна, но и двадцать пять тысяч наличными совсем не та сумма, которую можно просто «потерять».

— Я знаю, па, — ответила Талли. — Бриджит ничего не понимает, да и я тоже. Во всяком случае, я не швыряю доллары направо и налево. Я даже не играю на тотализаторе!..

— Я знаю, дочка. — По его голосу Талли поняла, что отец улыбается, однако его тревога не улеглась.

— Бриджит уже семнадцать лет оплачивает все мои счета и подписывает чеки, — добавила она. — И за все это время она не совершила ни одной ошибки, не говоря уже о... Так я, во всяком случае, считала, но Виктор утверждает, что я теряю деньги уже несколько лет...

Три года, если точнее. Ровно три года назад Хант переехал к ней, однако, насколько она знала, у него никогда не было доступа к ее деньгам, так что разгадка лежала, скорее всего, где-то в другой области. Тут Талли невольно вздрогнула. Теперь она знала достаточно много, чтобы испытывать тревогу, но все же этого было слишком мало, чтобы найти ответ на мучившие ее вопросы.

— Я уверена, что это *не* Бриджит, па, — добавила она. — У нее хватает своих денег, которые достались ей по наследству от матери, к тому же у меня она получает хорошую зарплату. Нет, Бриджит нет никакой необходимости...

красть. — Произнести последнее слово ей было нелегко, но Талли чувствовала, что должна озвучить все возможные варианты. — И она человек просто кристальной честности, другого такого я в жизни не встречала. За семнадцать лет у нее не прилипло к рукам буквально ни цента! — добавила Талли. Она доверяла Бриджит безоговорочно, но доверяла не просто так, от широты души или по глупости. Бриджит заслужила ее доверие, доказав свою честность и надежность.

— Что ж, раз это не ты тратишь наличные, значит, кто-то делает это вместо тебя, — философски заметил Сэм. — Хотел бы я знать — кто... — Он немного помолчал. — Что ты намерена предпринять?

— Пока не знаю, — ответила Талли упавшим голосом — ее настроение снова ухудшилось.

Она-то надеялась, что отец найдет у Виктора ошибку, но оказалось, что бухгалтер был прав: кто-то ее регулярно обворовывал. И это мог быть кто-то из близких ей людей, что еще больше осложняло ситуацию.

Самое неприятное заключалось в том, что Талли не знала, к кому можно обратиться за помощью. Потерянный миллион, странные счета из отелей... Бриджит утверждала, что никогда там не бывала, но Виктор обнаружил на квитанциях ее подпись. Да еще Хант вдруг заявил, что останавливался там с Талли... при условии, естественно, что Виктор его правильно понял. Получалось, что и Бриджит, и Хант лгали, но зачем? Этого Талли не знала и терялась в догадках. Конечно, оставался еще слабенький шанс, что имело место электронное мошенничество, но Талли с каждой минутой верила в это все меньше. Почему-то ей казалось, что существует другое объяснение — и что это объяснение ей очень не понравится.

Этим вечером она долго лежала в постели без сна, а в голове ворочались тревожные мысли. Талли мучительно пыталась найти ответ, который бы ее устроил, но раз за разом возвращалась к одному и тому же. Бриджит и Хант... Помимо отца и дочери, это были два самых близких ей человека, которым она привыкла доверять, и вот теперь в ней росла странная уверенность, что оба ей лгут — точнее, не говорят всей правды (даже в мыслях Талли не осмеливалась пока употребить слово «ложь»). И это было ужасно. До сих пор у нее не было никаких оснований им не верить.

Когда вернулся Хант, было уже очень поздно, но Талли еще не спала. Разговаривать с ним сейчас она не хотела, поэтому, заслышав в коридоре его шаги, притворилась спящей. Впрочем, Талли сомневалась, что утром что-то изменится и ей достанет храбрости задать ему неудобные вопросы. Вдруг он скажет, что никогда не ездил в эти отели? Уличать Ханта в обмане она не хотела, к тому же Талли одинаково боялась услышать и ложь, и правду.

Осторожно войдя в темную спальню, Хант разделся и лег рядом. Скоро он заснул, но Талли еще долго лежала, глядя в темноту. Задремала она только перед самым рассветом, причем ей показалось, что будильник зазвонил в тот самый момент, когда она наконец закрыла глаза.

Бриджит, как обычно, заехала за ней очень рано. Ночью Талли спала не больше часа, поэтому выглядела ужасно, а чувствовала себя еще хуже. По дороге в Палм-Спрингс они почти не разговаривали, что было довольно необычно. Талли говорить не хотелось, да она и не знала, что́ сказать; Бриджит тоже молчала, но почему — об этом Талли даже не догадывалась.

Они уже подъезжали к Палм-Спрингс, когда Бриджит вдруг притормозила и свернула на обочину шоссе. Талли удивленно вскинула глаза и увидела на лице подруги мучительную гримасу. Что-то не так, в панике подумала Талли. Что-то произошло или вот-вот произойдет...

— Я... Нам нужно поговорить, — проговорила Бриджит срывающимся от волнения голосом. — Я часто думала, что мне делать в подобной ситуации, но... В общем, я надеялась, что меня минует чаша сия, но вот... не повезло. В общем, я должна сказать тебе насчет Ханта. И признаться...

При этих словах Талли вздрогнула. На мгновение ей захотелось выскочить из машины и бежать куда глаза глядят, лишь бы не слышать того, что собиралась поведать ей подруга. Она не сомневалась, что ничего хорошего не услышит. Да и Бриджит, похоже, тоже очень не нравилось то, что она собиралась сказать; это было написано на ее лице огромными буквами, и Талли пришлось сделать усилие, чтобы подавить в себе иррациональное желание заткнуть уши.

— Признаться в чем?.. — Казалось, ее губы сами произнесли эти слова.

— Я... Примерно три года назад, сразу после того, как Хант переехал к тебе, он пришел ко мне за наличными. По его словам, ты попросила его за что-то расплатиться. За что именно, я уже не помню, но его объяснения звучали вполне правдоподобно. К тому же, как я сказала, вы только что начали жить вместе и производили впечатление счастливой пары. Во всяком случае, мне казалось — ты влюблена в него до безумия, и, если бы я тогда стала спрашивать, можно ли давать ему деньги, ты могла... расстроиться. Или даже рассердиться на меня.

— Что за глупости!.. — растерянно пробормотала Талли.

Она никогда не была «безумно» влюблена в Ханта. Любовь пришла позже — уже после того, как они прожили вместе какое-то время. Впрочем, Хант с самого начала ей нравился достаточно сильно, иначе бы она не согласилась на его переезд к ней. Тогда ей казалось, что это удачный ход, и она действительно ни о чем не жалела. До сегодняшнего дня.

— В общем, я обналичила для него в банке пару тысяч, — продолжала Бриджит. — Я думала, что это все. Каково же было мое удивление, когда спустя неделю Хант снова потребовал у меня деньги. Это, правда, были не очень большие суммы: он говорил, что забыл обналичить чек или что ты просила его взять у меня наличные на какие-то покупки, ну а потом... Так оно и покатилось, а когда я опомнилась, то поняла, что Хант берет у меня деньги *регулярно*. Честно говоря, я растерялась и не знала, что делать. Меньше всего мне хотелось доставлять тебе неприятности, особенно после всего, через что ты прошла с тем актером-англичанином, да и Хант казался мне приятным парнем. В общем, все это понемногу продолжалось, и... Я и не представляла, сколько денег Хант набрал за все это время, пока ты мне не сказала... Нет, не спрашивай меня, зачем ему столько денег и что он с ними делает — может, тратит их на себя, а может, складывает в кубышку. Меня это не интересовало, да и не интересует. Я только боялась, что, если я тебе все расскажу, у вас с Хантом все будет кончено, а я вам этого ни в коем случае не желала. Вот почему я мирилась с этим три года, вот почему ничего тебе не говорила. Наверное, я поступила неправильно, но поверь — я каждый день мучилась и переживала... Кроме того, Хант все-таки неплохой парень; быть может, он не очень честный, но по нынешним временам и такой мужчина — редкость, уж я-то знаю. В общем, Талли, наличные, которые исчезли с твоего счета, попали к нему... — добавила Бриджит убитым голосом. — Поначалу он просил, придумывал какие-то предлоги, но теперь просто-таки ждет, что я сама отдам их ему.

Она отвернулась, низко опустив голову. Вид у нее был крайне виноватый, но Талли почему-то не чувствовала жалости.

— Значит, ты просто отдавала ему деньги, — проговорила она. — И ничего мне не сказала! Почему? Почему, Бриджит?! — воскликнула Талли, поддавшись охватившему ее смятению.

Оказывается, мужчина, с которым она жила и которого любила, на протяжении трех лет воровал у нее деньги, а помогала ему в этом ее лучшая подруга. И она не только отдавала ему деньги, но и покрывала его — все три года молчала, а это немалый срок. Почему Бриджит ничего не сказала раньше? Она сделала из нее круглую дуру, а сама... сама стала невольной сообщницей Ханта.

Да, подумала Талли мельком, от таких новостей у кого хочешь прибавится седых волос. Хант и Бриджит сделали из нее полную идиотку; нет, хуже — они ее предали...

— Как ты могла... как ты могла отдавать ему мои деньги и молчать? — спросила Талли тихим, дрожащим голосом. Она была настолько потрясена, что каждое слово давалось ей с усилием.

— Я же говорю — я боялась испортить ваши отношения. Тебе нужен мужчина, Талли. Очень немногие женщины способны долго выносить одиночество и при этом оставаться собой. К тому же Хант очень помогал тебе в твоей работе, ведь он один из лучших продюсеров Голливуда. Помнишь первый фильм, который вы сделали вместе? Он стал настоящим блокбастером, а лента, которую вы снимаете сейчас, будет еще лучше, уж можешь мне поверить. Я бы себе не простила, если бы помешала вашему сотрудничеству. Впрочем, я и так никогда себя не прощу...

Талли только покачала головой. Бриджит, разумеется, хотела как лучше, но теперь все слишком запуталось. Если бы она рассказала ей все с самого начала, Талли потеряла бы одного Ханта, но теперь, похоже, она лишится не только любовника, но и подруги. В объяснениях Бриджит чего-то не хватало, но чего — она никак не могла понять.

— Ты позволяла ему брать мои деньги и ничего мне не говорила, потому что беспокоилась за меня, так? — проговорила Талли. — Что-то я никак не разберу, Бриджит, на чьей ты стороне?

— На твоей! Конечно, на твоей! — воскликнула Бриджит, и в ее глазах блеснули слезы. — Я совершила ужасную ошибку и теперь раскаиваюсь. Хант использовал меня, а мне не хватило мужества тебе признаться. Но — честное слово! — до нашего вчерашнего разговора я не представляла, во сколько тебе обошлась моя ошибка. Ведь Хант никогда не брал помногу сразу — по одной, по две тысячи, реже по пять... Мне и в голову не приходило, что за месяц набирается двадцать пять тысяч!

— И так продолжалось все три года?

Бриджит виновато кивнула.

— И обошлось мне почти в миллион, — грустно констатировала Талли. — Не понимаю, зачем ему это понадобилось?! Ведь Хант зарабатывает больше меня...

Она действительно не понимала, зачем Ханту могли понадобиться ее деньги, но Бриджит она поверила. Слишком уж некрасивой была эта история, а именно такие истории чаще всего и оказываются правдой. К тому же ей казалось, что Бриджит не стала бы выдумывать. Несмотря ни на что, Талли по-прежнему верила своей подруге, хотя ее доверчивости и был нанесен чувствительный удар.

— Хант, конечно, просил тебя ничего мне не рассказывать? — снова спросила она.

Теперь, когда она узнала самое страшное, ей хотелось выяснить все подробности, хотя Талли не представляла, что она будет с ними делать. Виктор был прав — она действительно теряла каждый месяц крупную сумму денег, и теперь Талли знала, как и куда они уходили. Не представляла она только, как вернуть потерянное.

— Да, — кивнула Бриджит. — В конце концов он действительно сказал, чтобы я ничего тебе не говорила. Хант знал, что́ он делает, и я тоже знала... Мы оба тебя обкрадывали. Точнее, он обкрадывал, а я ему помогала. Я не взяла себе ни цента, но поверь — от этого мне нисколько не легче.

— Ну и ну, — покачала головой Талли. — Знаешь, ничего подобного я не ожидала... в особенности от тебя.

— Я не хотела, Талли. Все получилось как-то само собой...

Бриджит потупилась. Вид у нее был чрезвычайно расстроенный, но Талли не испытывала к ней ни жалости, ни сочувствия. Потом, быть может, она постарается понять Бриджит, но сейчас ее больше всего занимали собственные ощущения. То, что она услышала, повергло Талли в самый настоящий шок. Ничего подобного она не испытывала, даже когда узнала, что муж-актер изменяет ей и что об этом написали все газеты. То, что сделал Хант, было стократ хуже. Он не просто предал ее, но еще и обокрал... Более низкого поступка Талли не могла себе даже представить.

— Да, насчет отеля... — вдруг сказала Бриджит. — Я действительно один раз останавливалась в «Шато Мормон». У меня с собой не оказалось моей карточки, поэтому я расплатилась нашей общей кредиткой. Сейчас я даже не помню, с кем я туда отправилась и почему. Кажется, это был один из наших операторов; я была от него без ума, но он был женат, и поэтому ты не хотела, чтобы я с ним спала. В общем, мне не хватило духу тебе во всем признаться. Потом я, конечно, вернула все деньги — внесла их наличными на наш оперативный счет для покрытия непредвиденных расходов.

— Виктор утверждает, что видел несколько квитанций с твоей подписью. И не только из «Шато Мормон», но и из «Сансет Маркис», — сухо сказала Талли. — Он проверял.

— Ну, может быть, я останавливалась в отеле дважды, но я все вернула. Наверное, кто-то подделал мою подпись на других квитанциях. Может быть, даже Хант. — Бриджит снова опустила глаза. — Дело в том, что... В общем, есть еще одна вещь, о которой я тебе не рассказывала. — Она набрала полную грудь воздуха, словно перед прыжком в воду. — Я думаю... В общем, Хант с кем-то встречается. Уже больше года. Сначала я ничего не знала точно, только подозревала, но потом... Один мой приятель работает у него в офисе. Я спросила, знает ли он что-нибудь, и он рассказал, что Хант встречается с секретаршей. Она довольно молодая — лет двадцать пять, не больше, но у нее есть трехлетний ребенок и муж, который ее... в общем, дурно с ней обращался. Мой приятель сказал, что Хант очень ее жалел и пытался чем-то помочь. Она как раз ушла от мужа, но этот ублюдок то и дело возвращался и продолжал избивать ее и ребенка, принуждая к сожительству. Тогда Хант снял ей небольшую квартирку, где она могла бы спрятаться. Думаю, с этого все и началось. Сейчас они встречаются регулярно. Раньше они, наверное, могли видеться только в отелях, но теперь... Твоя приходящая домработница сказала, что, когда ты уезжаешь на натурные съемки, Хант почти никогда не ночует дома. Это правда, я проверяла. Должно быть, он ездит к своей любовнице на квартиру, которую снял для нее.

Бриджит перевела дух, но на лице у нее было написано сочувствие. Она очень переживала за Талли.

— Ну вот, теперь ты знаешь все, — добавила она несчастным голосом.

— Значит, тебе сказала домработница?.. Похоже, кроме меня, все остальные в курсе. — Талли скрипнула зубами. Проклятый Хант!.. Он не только обкрадывал ее, но и изменял ей, изменял почти открыто, так что об этом знали многие. А ведь она любила его и никогда не заподозрила бы ни в чем подобном! Хант казался ей честным, добрым, справедливым, но на поверку вышло — он ничем не лучше ее последнего мужа-актера. Даже хуже.

— Что ты собираешься делать? — с тревогой спросила Бриджит, заглядывая Талли в глаза. На ее лице ясно читались раскаяние и сочувствие. — Поверь, я не хотела сделать тебе больно. Напротив, я всегда старалась тебя защитить. Конечно, я знала — ты расстроишься из-за денег, но мне казалось — может быть, ты не захочешь терять Ханта. Что касается секретарши, с которой он завел роман, то я надеялась, что эта история вот-вот закончится, он одумается и вернется к тебе, но, к сожалению, этого не случилось. Наоборот, по моим сведениям, там все очень серьезно. Они даже планируют пожениться, когда она окончательно оформит развод.

— И когда же Хант планировал сообщить мне эту замечательную новость? — холодно осведомилась Талли. — Уж не после ли их медового месяца? Ну и свинья же он!.. — Ее голос звучал достаточно спокойно, но по лицу Талли было ясно: ее мир только что разлетелся вдребезги, словно хрупкое стекло.

— Я виновата, что не сказала тебе этого раньше, — посетовала Бриджит. — О том, что Хант завел любовницу, я узнала где-то полгода назад. Конечно, мне следовало сразу тебе рассказать... И насчет денег тоже. Господи, что же я наделала!

Эти слова заставили Талли немного смягчиться. Все-таки Бриджит скрывала от нее информацию не со зла, а потому, что не хотела делать ей больно. И все же потрясение, которое она испытала, было достаточно сильным. Узнать, что твой любимый человек изменяет тебе и крадет у тебя деньги, — это стало бы серьезным ударом для кого угодно. Но чем она заслужила такое?! Талли этого не знала.

Взглянув на Бриджит, Талли увидела, что ее подруга плачет. Лицо у нее было виноватым и очень несчастным.

— Я... я должна подумать... решить, что делать дальше, — проговорила Талли. Сама она не плакала, но голос у нее дрожал, а горло то и дело перехватывали болезненные спазмы. — Мне нужно время, чтобы как-то... чтобы немного успокоиться. Только потом я смогу говорить с Хантом...

Стоило ей произнести это имя, как внутри ее что-то надломилось, и она судорожно всхлипнула. Некоторое время обе женщины плакали, сидя на противоположных концах автомобильного сиденья и глядя каждая в свою сторону. Между ними тоже пробежала трещина, которая не скоро исчезнет.

— Я думала, ты захочешь сохранить Ханта любой ценой, — сказала наконец Бриджит и высморкалась. — Мне казалось, он для тебя дороже, чем какие-то деньги.

— Дело не в деньгах, — отозвалась Талли. — Как бы сильно я его ни любила, нам придется расстаться. Он мне солгал, солгал дважды, а это значит, что я больше не смогу ему доверять. Никогда.

Разумеется, тяжелее всего Талли переживала измену Ханта. Когда она узнала об этом, деньги сразу отошли для нее на второй план. В конце концов, деньги всегда можно как-то возместить, но как восстановить утраченное доверие? Хант причинил ей такую сильную боль, что Талли казалось: она больше не сможет доверять ни ему, ни какому-либо другому мужчине. Похоже, он стал последней каплей, переполнившей чашу. А самым страшным было то, что теперь Талли казалось: она больше не сможет доверять не только мужчинам, но даже самой себе. Наверное, она не умеет выбирать, не может отличить хорошего, порядочного человека от негодяя и подлеца. Трижды в жизни она ошибалась, и ошибалась жестоко, и повторения этого болезненного опыта ей ни в коем случае не хотелось.

— Мне очень жаль, Талли, — тихо сказала Бриджит, вытирая глаза. — Правда жаль...

В ответ Талли только кивнула и посмотрела на часы. Пора было ехать, они уже и так опаздывали. При других обстоятельствах она, возможно, попыталась бы утешить подругу, но не сейчас. Талли все еще сердилась на Бриджит за то, что она не рассказала ей о Ханте раньше.

О том, *как* она будет работать после всего, что узнала, Талли не имела ни малейшего представления, но выбора у нее не было. Фильм необходимо закончить, пусть даже у режиссера разбито сердце, а руки опускаются от горя. В глубине души Талли мечтала, чтобы все было уже позади — и фильм, и неизбежное расставание с Хантом. Она, однако, понимала, что не стоит рубить сплеча, и не потому, что она не поверила Бриджит, а просто потому, что подобное было не в ее характере. Сначала ей нужно хотя бы немного прийти в себя и постараться добыть доказательства того, что она сегодня услышала. Только потом она сможет разговаривать с Хантом. Как добыть эти доказательства и кто ей может в этом помочь, Талли пока не знала, а значит, ей предстояло несколько мучительных дней или даже недель, в течение которых она должна делать вид, будто ничего не произошло. Ей, конечно, будет очень больно, но Талли сознавала, что это единственный правильный путь.

— Ты теперь меня, наверное, уволишь? — спросила Бриджит, со страхом глядя на подругу.

— Может быть. Я пока не знаю... ничего не знаю, — ответила Талли. Это был единственный честный ответ, который она могла дать в данный момент. — Я, во всяком случае, не хочу этого делать, — добавила она. — Давай немного подождем и посмотрим, как у нас пойдет дальше...

Это было все, что она могла сделать для Бриджит. И Бриджит это понимала и была ей за это признательна. Талли нужно было о многом подумать, многое решить — ведь после всего, о чем она сегодня узнала, ей фактически предстояло строить свою жизнь заново.

Бриджит медленно тронула машину с места, и они поехали дальше. Весь остаток пути они молчали. Бриджит терзали угрызения совести, а Талли... Талли просто чувствовала, что ее мир рухнул и все ее надежды и мечты обратились в прах.

В очередной раз.

Глава 6

Вечером Талли предпочла остаться в Палм-Спрингс. После признания Бриджит ей совсем не хотелось возвращаться домой к Ханту и разговаривать с ним. От самóй Бриджит она тоже старалась держаться подальше. Талли понимала, что намерения у ее помощницы были добрые, но то, чтó она сделала, было совершенно неправильным. Вместо того чтобы молчать о том, что Хант вымогает у нее деньги и к тому же изменяет Талли с молодой секретаршей, ей следовало рассказать подруге сразу, но Бриджит этого не сделала, и теперь ситуация стала особенно сложной и неприятной.

Чего Талли по-прежнему не могла понять, так это зачем Ханту понадобились ее деньги. Ведь он был успешным продюсером и очень обеспеченным человеком. Что касалось его измены, то она старалась думать о ней как можно меньше — слишком сильную боль причиняла Талли сама мысль о том, что Хант обманывал ее столько времени. Кроме того, своей изменой Хант окончательно убил в ней доверие к людям. И это было едва ли не хуже всего.

Едва войдя в свой гостиничный номер, Талли, несмотря на сравнительно ранний час, сразу разделась и легла в постель. Ей было плохо не только морально, но и физически — голова кружилась, а сердце ныло и болело так, что впору было принять какое-нибудь сильнодействующее лекарство. Ужинать она не стала — даже мысль о еде вызывала у нее тошноту. Талли хотелось позвонить дочери в Нью-Йорк, но потом она решила этого не делать. По ее голосу Макс, конечно, сразу поймет: что-то случилось, а ей не хотелось расстраивать дочь раньше времени. Макс очень любила Ханта, и весть о его измене стала бы болезненным ударом и для нее.

Талли долго плакала, завернувшись в одеяло. Было уже девять вечера, когда она достала мобильник, чтобы позвонить своему адвокату. До сих пор Грег Томас в основном составлял для нее договоры и контракты, однако ему приходилось заниматься и личными делами Талли; кроме этого, ему удалось предотвратить несколько судебных исков, и Талли знала, что он превосходный юрист и умеет хранить тайну.

Поскольку в это время он уже покинул офис, она позвонила ему домой; там трубку взял кто-то из его детей, но, как только Талли назвала себя, Грег тотчас взял трубку.

— Привет, Грег, — сказала она похоронным тоном.

— Привет, Талли. Что-нибудь случилось?

Судя по голосу, адвокат был удивлен и встревожен ее поздним звонком. Талли была из тех немногих клиентов, кто никогда не беспокоил его дома. Все свои вопросы она старалась решать в рабочее время, демонстрируя этим своё уважение, а адвокат в свою очередь ценил ее порядочность и скромность. И вот теперь этот неожиданный звонок... Грег Томас сразу подумал, что с Талли стряслась какая-то беда, и не ошибся.

— Да, кое-что случилось, — ответила она все тем же безжизненным голосом. — Я... я начну с самого начала, ладно? Один потенциальный инвестор потребовал провести аудиторскую проверку моих и Ханта финансов. Проверка недавно закончилась, инвестор был удовлетворен результатами и согласился подписать контракт, но... — Она замолчала, ища в себе силы продолжать.

— Что же было дальше, Талли? — мягко подбодрил адвокат.

— Всплыли кое-какие обстоятельства... — выдавила Талли. — Очень серьезные обстоятельства, Грег... — Она всхлипнула, и адвокат еще больше встревожился. Слушать ее было очень тяжело, у Талли был просто *ужасный* голос. Можно было подумать — все ее близкие внезапно умерли, и она осталась совершенно одна, без помощи, без поддержки.

И это было бы недалеко от истины.

— Какие обстоятельства, Талли?.. Впрочем, если не хотите — можете не рассказывать. Давайте поставим вопрос так: чем я могу вам помочь?

— Я... Мне, наверное, потребуются услуги надежного частного детектива. Я хочу расследовать эту ситуацию и удостовериться... Мне это необходимо для собственного спокойствия — в настоящее время я просто не знаю, кому и во что верить. Буквально сегодня утром я узнала ужасную новость... вернее, две новости, и мне надо разобраться, действительно ли дела обстоят именно так. А если не так, то как именно...

— Какого рода новости, Талли? — уточнил адвокат. — Я спрашиваю не из любопытства — от этого зависит, какой именно частный детектив вам нужен. Есть агентства, которые специализируются на уголовных расследованиях, другие успешнее всего работают по семейным делам, есть аналитики, есть практики... Кто, по-вашему, вам подойдет больше?

Талли никак не могла решить, является ли кража денег Хантом делом семейным или уголовным, поэтому решила рассказать адвокату все, не пускаясь, впрочем, в излишние подробности.

— Проверка обнаружила, что я каждый месяц теряю довольно большую сумму денег. Объяснить их исчезновение я не могла, поэтому стала наводить справки, и мне кое-что рассказали... Откровенно говоря, новости просто ужасные. Судя по всему, это Хант... И он не только крадет мои деньги, но вдобавок изменяет мне со своей секретаршей. Именно это мне и нужно выяснить, прежде чем я решусь на разговор с ним.

— Хант? — удивился Грег.

Он встречался с ним несколько раз и знал, что Хант и Талли снимают вместе превосходные фильмы. Грег сам составлял для них соглашение о создании компании с ограниченной ответственностью, которая и занималась производством совместных лент. В целом Хант произвел на него весьма благоприятное впечатление, а обмануть Грега было довольно сложно — для этого он был слишком опытным адвокатом.

— Да, Хант. А ведь, глядя на него, и не скажешь, верно?

— Я думаю, вы поступили совершенно правильно, когда решили сначала все проверить. Кстати, кто рассказал вам о деньгах и... о прочем?

— Мой бухгалтер обнаружил пропажу денег, а Бриджит призналась, что знала об этом. Как выяснилось, Хант вымогал у нее наличные на протяжении трех лет, да и о его интрижке с секретаршей она тоже давно догадывалась. Бриджит... думала, что делает мне одолжение, держа меня в неведении.

— Насколько хорошо вы ее знаете? — осведомился Грег. С подобными историями он сталкивался уже не раз и не два.

— Так же хорошо, как себя, — просто ответила Талли. — Бриджит мне как сестра. Она проработала у меня семнадцать лет, и за все это время у меня не было с ней никаких проблем и никаких оснований в чем-то ее подозревать. Бриджит происходит из богатой семьи, поэтому у нее просто не может быть причин красть мои деньги или лгать насчет Ханта. Я бы доверила ей свою жизнь, своего ребенка — все, что у меня есть!

Ханта Талли знала всего четыре года, поэтому она, естественно, отдавала предпочтение Бриджит, однако Грег, похоже, не разделял ее уверенности.

— Знаете, Талли, — проговорил он медленно, — люди часто совершают поступки, совершенно необъяснимые с точки зрения логики или здравого смысла. Я работаю адвокатом уже много лет, но человеческая природа попрежнему остается для меня загадкой. Я знаю случаи, когда люди, у которых, казалось бы, нет абсолютно никаких причин лгать, были просто физически не способны говорить правду. — Возможно, и Хант из таких, подумал Грег. Судя по тому, что́ он только что услышал, сожитель Талли относился именно к этому типу. — Мне очень жаль, Талли, — добавил он. — Я знаю, как действуют на людей подобные вещи, и очень вам сочувствую.

Человек по характеру отзывчивый и добрый, Грег Томас не раз наблюдал похожие семейные драмы, и сейчас у него щемило сердце от жалости. Что ждет Талли в будущем, какие последствия может иметь для нее предательство близкого человека — все это было ему прекрасно известно.

— Так вот, насчет детективного агентства, — быстро сказал он, стараясь отвлечь Талли от тяжелых мыслей. — У меня как раз есть на примете небольшая фирма, которая прекрасно вам подойдет. Я сам сотрудничаю с этими людьми, когда мне необходимо провести какое-то дополнительное расследование. Фирму возглавляет женщина, бывший агент ФБР: она умна и настойчива, к тому же у нее большой опыт. Думаю, вы не будете разочарованы. У меня есть ее домашний номер; я свяжусь с ней прямо сейчас и перезвоню вам, о'кей?

— Хорошо.

Талли на всякий случай продиктовала ему номер своего телефона в гостинице и дала отбой. Не успела она снова укрыться одеялом, как завибрировал ее мобильник. Это был Хант. Увидев его имя на экране телефона, Талли почувствовала, как внутри у нее все переворачивается, а глаза застилает пелена слез. Она не хотела с ним разговаривать — просто *не могла*, однако, коль скоро окончательное выяснение отношений откладывалось до того момента, когда она будет знать все наверняка, ей необходимо было делать вид, что все идет по-прежнему, а это было нелегко, и рука, которой Талли прижимала к уху мобильник, мелко дрожала.

— Я скучаю без тебя, — сказал Хант, как только она ответила.

Он тоже звонил по мобильнику, поэтому Талли не могла сказать, где он находится. Не исключено было, что как раз сейчас Хант дожидался в отеле свою любовницу, чтобы провести с ней ночь. Еще вчера подобная мысль не могла бы прийти к ней в голову, но после того, что́ Талли узнала, она ему больше не верила. Ни единому его слову.

— Я тоже скучаю, — тихо ответила она. Ее голос прозвучал фальшиво даже для ее собственных ушей, но Хант, похоже, ничего не заметил.

— Как прошел день? — спросил он бодро. — Ты успела снять все, что планировала? Идешь по графику?

— Да, все в порядке. — Говорить о работе было неизмеримо легче, чем об остальном — о том, что связывало их еще вчера. — Натуру я планирую закончить вовремя. Через пару недель можно будет вернуться в Лос-Анджелес и доснять последние эпизоды. — Талли вдруг подумала, что ей больше не нужно торопиться, чтобы вернуться к нему как можно скорее. Теперь она была даже рада, что оказалась в Палм-Спрингс. Здесь, вдали от Ханта, у нее была возможность немного перевести дух и как следует все обдумать.

— Завтра я свободен, — тепло сказал он. — Если хочешь, вечером я могу приехать к тебе.

Талли ответила не сразу. Она просто не знала, что сказать.

— Это было бы здорово, — проговорила она наконец. — Но как раз завтра я планирую ночные съемки, если, конечно, позволит погода. В этом случае мне придется провести на съемочной площадке всю ночь, так что ты только зря прокатаешься. Давай я позвоню тебе завтра, когда буду знать наверняка.

— Ну хорошо, буду ждать твоего звонка, — ответил Хант и вдруг заторопился, словно человек, к которому внезапно кто-то пришел. — Или лучше я сам тебе перезвоню, — добавил он и дал отбой.

Мгновение спустя зазвонил городской телефон на ночном столике.

Звонил Грег.

— Я только что разговаривал с этой женщиной, — с ходу сообщил он. — Она готова встретиться с вами, как только у вас найдется время, но если вы сейчас на натуре... Когда вы планируете приехать в Лос-Анджелес?

— Завтра. Завтра у меня будет сравнительно легкий день, — ответила Талли.

Ханту она сказала неправду — видеть его сейчас было выше ее сил. «Вот и я тоже опустилась до лжи», — подумала Талли с отчаянием. До сих пор она считала их отношения открытыми и честными, но оказалось, что все четыре года Хант только и делал, что обманывал ее. И все же Талли казалось, что платить ему той же монетой было бы ниже ее достоинства.

— Думаю, я сумею добраться до Лос-Анджелеса часам к шести, самое позднее — к семи. Как вы думаете, сможет эта женщина встретиться со мной в это время?

Талли хотелось, чтобы расследование началось как можно скорее — и как можно скорее закончилось, и она бы узнала наконец правду. Пока же обвинения Бриджит оставались в значительной степени голословными, а Талли не любила неопределенности.

Особенно в таких важных вопросах.

— Маргерит — ее зовут Маргерит Симпсон — сказала, что готова встретиться с вами в любое удобное время. Да вы сами можете позвонить ей и договориться. Она дала мне свой домашний номер.

— Спасибо, Грег.

— Не за что, Талли. И... постарайтесь успокоиться. Мне действительно очень жаль, что с вами случились все эти... неприятности. Позвоните Маргерит, она как раз должна быть дома.

На этом они попрощались, и Талли сразу перезвонила по номеру, который продиктовал ей адвокат.

У Маргерит Симпсон оказался очень приятный, молодой голос, однако разговаривала она с уверенностью настоящего профессионала. После того как Талли вкратце ввела ее в курс дела, Мег — так она просила себя называть — задала ей несколько стандартных вопросов. В конце концов женщины договорились, что Талли подъедет в лос-анджелесский офис Маргерит в шесть часов вечера. По меркам Талли это было довольно рано, но завтрашний день обещал быть довольно легким, и она рассчитывала, что помреж сумеет ее заменить.

— Спасибо, что согласились встретиться со мной так скоро, — сказала Талли в трубку.

— Не за что, — ответила Мег. — Кстати, не могли бы вы захватить с собой фотографии объектов? Если не сможете — ничего страшного, но если у меня будут фотографии, я смогу начать уже завтра.

— На веб-сайте мистера Ллойда есть несколько очень неплохих его фотографий. Загляните туда, — посоветовала Талли и продиктовала Мег электронный адрес. — Что касается Бриджит, то ее фото есть у меня дома, но... — Талли не договорила. Заезжать домой перед встречей с сыщицей ей не хотелось — она боялась столкнуться там с Хантом. К счастью, Талли вспомнила, что несколько любительских снимков Бриджит есть у нее в мобильнике, и предложила Мег прислать их — если они подойдут.

— Думаю, этих снимков будет достаточно, — уверила ее Мег. — Хотя бы для того, чтобы просто начать. Вы хотите установить наблюдение за обоими или только за Хантером Ллойдом?

При этих словах Талли невольно вздрогнула. Слежка всегда казалась ей чем-то недостойным, ибо означала глубокое и грубое вмешательство в личные дела другого человека. Но другого выхода, по-видимому, не было, к тому же измена и кража денег были делами не менее, а может быть, и более низкими.

— У меня нет никаких оснований в чем-то подозревать мою помощницу, — проговорила она медленно. — Бриджит не нуждается в деньгах, единственная ее вина заключается в том, что она не сообщила мне о... о Ханте. — Тут Талли вспомнила, что Бриджит почему-то упорно отказывалась признать свою подпись на гостиничных счетах, и это выглядело довольно-таки странно.

— Конечно, вам решать, — мягко сказала Мег, — но мне кажется, было бы разумнее проверить обоих. Только в этом случае мы сможем достаточно быстро выяснить, что происходит. У вас, насколько я поняла, две проблемы: непонятно куда исчезающие деньги и предполагаемая измена вашего мужчины. Я предлагаю взглянуть на дело под другим углом: раз вы обеспокоены тем, что с двумя вашими самыми близкими людьми происходит что-то не совсем обычное, значит, вам надо выяснить, в чем проблема. В конечном счете это может принести пользу не только вам, но и им тоже.

— Да, наверное, вы правы, — сказала Талли, хотя и сомневалась, что подтвержденные фотографиями свидетельства измены Ханта могут принести какую-то пользу ей или ему. — И все-таки мне кажется, что Бриджит ни при чем, — повторила она. — Моя подруга молчала только потому, что не хотела сделать мне больно. Она всегда была очень внимательной и чуткой и привыкла оберегать меня от неприятностей. Теперь Бриджит очень жалеет, что не сказала мне обо всем сразу.

— Значит, устанавливаем наблюдение за обоими, — подвела итог Мег.

— А что мне делать с информацией, когда вы ее добудете? — спросила Талли.

Она чувствовала себя несколько ошеломленной мягким напором Мег, равно как и неожиданным поворотом дела. Ничего такого она не ожидала. С другой стороны, вся ее жизнь полетела под откос, и Талли откровенно растерялась. Она не знала, что делать, а чего — не делать, что правильно, а что — нет. Привычная ясность мышления возвращалась к ней только на съемочной площадке, но эта ясность была сугубо профессиональной и никак не влияла на принятие решений, не относящихся к работе. В этих условиях Талли была только рада, что нашелся человек, готовый взять на себя часть ее проблем и хотя бы немного прояснить ситуацию. С другой стороны, то, что она могла узнать, по-прежнему ее пугало.

— И это тоже придется решать вам, — ответила Мег. — В особенности это касается информации, так сказать, личного свойства. Разные люди действуют по-разному. У меня было несколько случаев, когда мои клиенты узнавали о своих близких ужасные вещи, но... ничего не предпринимали — главным образом потому, что не хотели нарушить сложившееся положение вещей. Моя информация помогала им контролировать ситуацию и не допускать ее ухудшения. Большинство, конечно, поступают иначе: когда им становится известна правда, они резко меняют свою жизнь и свое окружение, фактически начинают с нуля. Это, впрочем, касается только ваших личных отношений с мистером Ллойдом. Деньги — дело другое. Думаю, вам вряд ли захочется и дальше терять столь крупные суммы, поэтому — в зависимости от того, чтó нам удастся обнаружить, — вам, вероятно, придется обратиться в полицию. Тут все будет зависеть от того, имело ли место нарушение закона или нет. Но повторюсь — в любом случае решение принимать вам. Я только добываю информацию и снабжаю вас доказательствами, чтобы вы не сомневались в достоверности полученных сведений и могли в случае необходимости на них опереться. Но как вы предпочтете действовать, какой путь изберете, зависит только от вас. Тут никто вам указывать не будет.

Это показалось Талли разумным — учитывая, насколько деликатной была ситуация. Когда Мег снабдит ее исчерпывающей информацией о происходящем, тогда она и примет решение. Впрочем, уже сейчас Талли знала, что, если Хант действительно завел интрижку с секретаршей, мириться с этим она не будет. Она не станет молчать и притворяться, будто ничего не знает и не замечает. Если у него появилась другая женщина, им придется расстаться. Правда, попросить его уехать из ее дома было сравнительно легко, но что делать с их совместной работой над фильмом — и над тем, который она снимала сейчас, и над новым проектом, для которого они только-только нашли подходящего инвестора? Это был непростой вопрос, но Талли решила, что не будет думать об этом сейчас. Ей и без того предстояло иметь дело с довольно запутанной ситуацией.

Одно, впрочем, Талли знала твердо: как бы крепко она ни любила Ханта, как бы дорог он ей ни был, их отношения все же нельзя было назвать семейными в полном смысле этого слова. Главное, у них не было общих детей, так что ни при каких условиях Талли не собиралась закрывать глаза на его интрижку. Продолжать жить с человеком, который встречается с другой женщиной, — это казалось ей совершенно немыслимым. Другое дело — деньги, которые он потихоньку брал у нее на протяжении трех лет. Талли знала, что не будет подавать на Ханта в суд — она просто предложит ему вернуть все, что он у нее украл. В том, что он не станет отказываться, Талли не сомневалась. Во-первых, Хант был достаточно богат, поэтому миллион долларов не был для него запредельной суммой, а во-вторых, она продолжала считать его человеком порядочным и честным, даже несмотря на его измену. Иными словами, проблему с исчезнувшими деньгами Талли надеялась решить сравнительно быстро и без какого-либо вмешательства полиции.

Как быть с Бриджит, Талли представляла довольно плохо. Почему-то ей казалось, что за свое пребывание в отелях помощница расплачивалась ее деньгами не один и не два раза, а гораздо чаще. Что ж, если эти подозрения подтвердятся, ей придется что-то предпринять, однако никакого криминала в поступках Бриджит Талли не видела. В том, что произошло, она скорее склонна была винить себя, ибо это она наделила помощницу слишком большими полномочиями, и та не справилась с соблазном. Вряд ли это можно было считать уголовно наказуемым деянием. Другое дело, что прежнего доверия между ними уже не будет, а раз так — с Бриджит ей тоже придется расстаться.

— Я не думаю, что мне придется привлекать полицию, — сказала Талли в трубку.

Никакая полиция, подумала она печально, не сможет исцелить ее разбитое сердце и вернуть утраченную веру. Ни полиция, ни врачи, никто... Понадобится время, чтобы ее раны перестали кровоточить, а болеть они не перестанут, наверное, уже никогда.

— То есть, — добавила она, — мне не кажется, что мы имеем дело с настоящим преступлением. Формально, деньги действительно пропали, но за этим вряд ли сто́ит какой-то злой умысел или обдуманное намерение. Просто... так получилось, вот и все.

— Ну, не скажите, — возразила Мег. — Ведь речь идет не о паре сотен, а о миллионе. Это очень большая сумма, и кто знает, что́ мы выясним, если потянем еще и за эту ниточку.

На мгновение Талли захотелось попросить Мег проверить и Виктора Карсона, но она поняла, что это будет чересчур. Бухгалтер *уже* казался ей самым честным человеком из всех, кто ее окружал. Если он в чем-то и ошибался, то исключительно потому, что его отвлекали какие-то личные проблемы и неприятности. В конце концов, ведь это он обнаружил исчезновение наличных и странные счета из отелей. С другой стороны, спросила себя Талли, почему Виктор не обратил на это внимание раньше? Было ли это простой небрежностью или он тоже строил какие-то планы, надеясь поживиться за ее счет? Впрочем, Виктора можно было проверить и позже, сейчас же Талли интересовали Хант и отчасти Бриджит.

Попрощавшись с Мег, Талли сразу отправила ей две фотографии Ханта и три фотографии Бриджит, которые хранились в памяти ее телефона. Не успела она закончить, как телефон снова зазвонил. Это была Бриджит, и Талли, вздохнув, ответила.

— Это я, — сказала Бриджит. Голос у Талли был усталый и несчастный, и Бриджит показалось, что подруга плакала. — Я подумала... могу я что-то для тебя сделать?

— Нет, мне ничего не нужно. Со мной все в порядке. — Ответ Талли прозвучал достаточно прохладно, но Бриджит это не смутило.

— Но ведь я знаю, что с тобой вовсе не все в порядке, — возразила она. — Вряд ли тебя это утешит, но... я тоже чувствую себя ужасно. Я все сделала не так и очень сожалею об этом. Наверное, я слишком привыкла ограждать тебя от всех неприятностей — для меня это как инстинкт, как рефлекс какой-нибудь... Вот почему я не сообразила, что в данном случае даже горькая правда лучше, чем...

Она не договорила, но обе знали, что слово, которое Бриджит так и не произнесла, было «ложь». Оно повисло между ними как темное облако, и Бриджит снова задумалась о том, уволит ли ее Талли или нет. Спрашивать ее об этом во второй раз она не решилась и только молилась про себя, чтобы Бог, или кто еще там есть на небесах, смягчил сердце Талли и помог ей простить свою помощницу. Тогда, быть может, они снова заживут как раньше.

Если относительно Бриджит Талли еще колебалась, то судьба Ханта была решена, и обе это понимали. Собственно, никакого выбора у Талли просто не было — она *должна* была с ним расстаться, как бы больно ей при этом ни было. Обман Талли еще могла простить, но не предательство. А Хант именно предал ее — предал их любовь, если, конечно, он вообще ее когда-нибудь любил. Но об этом Талли запретила себе даже думать.

О том, что она обратилась в частное детективное агентство, Талли не сказала Бриджит ни слова. Сухо поблагодарив ее за заботу, она попрощалась с ней до завтра и дала отбой. Лежа на кровати, она смотрела в потолок гостиничного номера и думала, думала, думала... Хант ей больше не звонил — только прислал эсэмэску со словами любви и пожеланиями спокойной ночи, и Талли не могла не задуматься, лежал ли он в постели со своей секретаршей или, для того чтобы набрать текст сообщения, Хант все-таки вышел в соседнюю комнату. В том, что именно в эти минуты он развлекается с любовницей, Талли не усомнилась ни на минуту. В противном случае он бы позвонил, а не стал слать эсэмэс.

Не замечая катящихся по щекам слез, Талли еще раз перечитала сообщение — и удалила его. Отвечать на него она не собиралась. Ей было нечего сказать Ханту — разговаривать с ним она сможет, только когда будет знать все наверняка. К счастью, она сумела сделать первые шаги в этом направлении. Завтра она встретится с Мег, и, быть может, уже через несколько дней та представит ей отчет, в котором будет написана вся правда о Ханте.

И о Бриджит тоже.

Глава 7

На следующий день Талли отозвала в сторонку своего помрежа и сообщила, что в четыре она уедет и ему придется заканчивать сьемку без нее. Никаких проблем она не предвидела — на сегодня были намечены второстепенные эпизоды и несколько обратных планов, когда операторы снимали актеров со спины в разных ракурсах. При монтаже обратные планы дополняли важные сцены, но для их сьемки присутствие Талли было необязательным, и она рассчитывала, что помреж справится с этим сам. Как она и предвидела, молодой помощник был очень доволен, получив возможность проявить себя. Насколько Талли знала, парень был не без способностей, однако и отсутствием честолюбия тоже не страдал, поэтому в ее тени ему было тесновато.

Бриджит она сообщила о своем отъезде, только когда уже пора было трогаться в путь.

— Мне нужно в город, — сказала Талли, не потрудившись ничего объяснить.

В последние два дня они держались несколько отчужденно, хотя никто из окружающих ничего странного не заметил. Талли, впрочем, по обыкновению была с головой погружена в работу, а вот Бриджит приходилось нелегко. Впервые за семнадцать лет Талли почти не разговаривала с ней и даже не глядела в ее сторону. Отчасти эта ее отстраненность объяснялась тем, что она пыталась «переварить» все, что случилось, и примириться с той ролью, которую помощница вольно или невольно сыграла в постигших ее несчастьях. Бриджит, во всяком случае, надеялась, что дело обстоит именно так, однако ей все равно было не по себе.

— Я могла бы тебя подвезти, — предложила Бриджит. — Хочешь?

Обычно именно она подвозила Талли на деловые встречи или домой.

— Не стоит, я справлюсь. Мне нужно немного побыть одной, — сказала Талли, и Бриджит согласно кивнула. — Я возьму один из студийных внедорожников, — добавила Талли. — А ты, если хочешь, можешь вернуться в Лос-Анджелес позже.

Бриджит отрицательно покачала головой.

— Эти выходные я планировала провести здесь, — сказала она.

Бриджит не сказала, что даже если бы Талли попросила отвезти ее домой, она бы все равно вернулась в Палм-Спрингс, так как на сегодня у нее было назначено очередное свидание с Томми, с которым она встречалась уже несколько раз. Они собирались снять виллу в окрестностях города и оставаться там до понедельника. Свою связь оба тщательно скрывали, хотя кое-кто из съемочной группы начинал догадываться об их отношениях. Кое-какие слухи дошли даже до Талли, но она ничего не сказала помощнице, полагая, что это ее личная жизнь и что Бриджит может встречаться с кем хочет, благо на съемочной площадке всегда хватало молодых сексуальных актеров, так что выбор у нее был достаточно широким. И надо сказать, что Бриджит активно пользовалась этой возможностью, но Талли никогда не обращала внимания на то, с кем спит ее помощница. Во-первых, ей было все равно, а во-вторых, ее это не касалось. Бриджит давно была взрослой и самостоятельной женщиной.

Коротко попрощавшись с помощницей, Талли села в джип и уехала, не забыв, впрочем, в последний раз переговорить с ведущим сценаристом и напомнить ему о необходимости переслать ей по факсу все изменения в сценарии, какие он сочтет необходимым сделать за выходные. Правда, по большому счету, Талли было не до работы над сценарием, но она сказала себе, что не должна пренебрегать своими обязанностями только потому, что ее личная жизнь разваливается на куски. Разбитое сердце не повод, чтобы забросить работу, от которой, помимо нее самой, зависят десятки человек. Кроме того, Талли надеялась, что работа поможет ей отвлечься от грустных размышлений.

Ей потребовалось около двух часов, чтобы добраться до города, поэтому у дверей кабинета Маргерит Симпсон она была ровно в шесть. Как обычно, Талли была одета в старую майку, старые джинсы и до неприличия стоптанные кроссовки без шнурков. Надеть что-то другое ей и в голову не пришло — Талли к этому просто не привыкла, к тому же она приехала в город прямо со съемочной площадки, и голова ее все еще была полна мыслями о работе. Мег, впрочем, тактично не заметила, что ее клиентка одета, мягко говоря, не совсем по-деловому. Зато от нее не укрылось, насколько молодо выглядит прославленная Талли Джонс и насколько она хороша собой, хотя переживания последних дней наложили на ее лицо отчетливую печать. Что касалось гардероба Талли, то Мег подумала, что Талли, возможно, слишком переживает из-за своего бойфренда и подруги и ей безразлично, что на ней надето. О том, что таков индивидуальный стиль Талли, Мег просто не знала.

Сама сыщица была одета в темно-синий брючный костюм и простую белую блузку. Длинные темные волосы она носила собранными в аккуратный конский хвост, а косметикой почти не пользовалась. В целом Маргерит Симпсон была похожа на врача или на юриста, но Талли почему-то подумала, что именно так должен выглядеть отставной фэбээровец. Вероятно, дело было в исходившей от Мег ауре силы и уверенности, свойственной большинству представителей власти.

Пригласив посетительницу садиться, Мег распорядилась, чтобы секретарша принесла кофе, а сама рассказала кое-что о себе. Талли узнала, что Мег сорок два года, что у нее двое детей и что она уже десять лет занимается частной практикой. До этого она почти столько же проработала в ФБР на оперативных должностях и приобрела достаточный опыт, чтобы заниматься детективной практикой. Все это она сообщила, чтобы Талли не сомневалась в ее компетентности. Талли, однако, ответила, что для нее достаточно рекомендации Грега, суждениям которого она вполне доверяет.

Когда подали кофе, Мег перешла к вопросам, касавшимся Ханта и Бриджит. В основном ее интересовали места, в которых они чаще всего бывают, а также их личные привычки, вкусы и предпочтения. Талли, как могла, описала машины, на которых те ездили, и даже ухитрилась вспомнить регистрационный номер принадлежащего Ханту «Бентли». Номер «Астон Мартина» Бриджит она не знала, но Мег успокоила ее, сказав, что за такой приметной машиной легко следить даже в плотном потоке транспорта. Что касалось номера, то его можно было без труда узнать по базам Отдела регистрации транспортных средств. Записала она и домашний адрес Бриджит — Талли, впрочем, вовремя вспомнила, что эти выходные ее помощница собиралась провести в Палм-Спрингс, предположительно — с мужчиной.

Кроме этого, Талли перечислила названия отделений банков, в которых у них были открыты счета, назвала отели, за которые Бриджит расплачивалась общей кредитной карточкой, а также рассказала Мег то немногое, что ей было известно о молодой секретарше из офиса Ханта. Только сейчас Талли сообразила, что не знает даже ее имени, поскольку Бриджит его не упоминала, но Мег сказала, что это не проблема и что она узнала вполне достаточно, чтобы ее сотрудники могли работать. Не без внутреннего сопротивления Талли согласилась на то, чтобы за Хантом и за Бриджит следили два опытных детектива из фирмы Мег. Слежка все еще казалась ей чем-то недостойным, но Мег успокоила ее, сказав, что ее детективы умеют хранить тайну и что «наблюдение за объектами» будет продолжаться только до тех пор, пока она и Талли не решат, что полученной информации достаточно для принятия какого-то решения.

Потом Мег назвала свои расценки — сколько она возьмет за работу и сколько ей необходимо на текущие расходы. Сумма показалась Талли более чем приемлемой. Она думала, что оплата услуг частного детектива будет высокой, и Мег действительно запросила внушительную сумму, но она не была чрезмерной, да и дело того стоило. С каждым днем, с каждым прошедшим часом Талли все сильнее хотелось разобраться в ситуации, узнать максимум подробностей. Ей казалось, правда, что наблюдение за Бриджит вряд ли принесет пользу, поскольку ее бурная сексуальная жизнь Талли мало интересовала. Другое дело — Хант. Тем не менее она все-таки сочла нужным посвятить Мег в некоторые подробности биографии Бриджит. Талли сказала, что ее подруга происходит из богатой семьи, которая живет в Сан-Франциско, рассказала о средствах в доверительном фонде, оставшихся ей после смерти матери, упомянула о всех бонусах и привилегиях, которые та извлекала из своего положения личной помощницы знаменитой режиссерши, — в том числе о подарках и подношениях, которые Бриджит получала вместо нее. Из ее рассказа следовало, что у Бриджит не могло быть никакой необходимости запускать руку в ее карман, поскольку все — от дизайнерской одежды до ювелирных украшений — доставалось ей за мизерную часть реальной стоимости, а то и вовсе бесплатно. Иными словами, причин, чтобы присваивать деньги Талли, у Бриджит было ничуть не больше, чем у Ханта, хотя ее доходы были, конечно, не так велики. Мег, впрочем, сказала, что для работы ей понадобятся все сведения, какие только Талли сможет ей дать.

И все же прежде чем уехать, Талли напомнила Мег, что главным объектом расследования остаются Хант и его любовница, а также истинный характер их отношений. Деньги, конечно, тоже были важны, однако Талли понимала, что объяснить их исчезновение будет гораздо труднее, коль скоро ни Хант, ни Бриджит не имели никаких очевидных причин — «мотивов», как выразилась Мег, — ее обкрадывать. Подобный поступок со стороны любого из них казался Талли бессмысленным, однако, немного поразмыслив, она подумала, что измена Ханта тоже была лишена особого смысла. В конце концов, им было очень хорошо вдвоем, так почему же Ханту вдруг вздумалось искать счастья на стороне? И даже если он влюбился в свою секретаршу по-настоящему, почему тогда он не ушел к ней сразу, как полагается любому порядочному мужчине? Неужели он продолжал притворяться, что все у них прекрасно, только из-за фильмов, которые они делали вместе? Или те превосходные ленты, которые снимала Талли, с самого начала были единственной причиной, которая заставила Ханта сойтись с ней, и измена была неизбежна? Все это были очень сложные и очень болезненные вопросы, но Талли все равно хотелось найти на них ответы — и как можно скорее. И Мег, похоже, могла ей в этом помочь. Талли прекрасно понимала, что даже самый лучший детектив вряд ли способен раскрыть перед ней все причины и побуждения, которые заставили Ханта повести себя подобным образом, но Мег, по крайней мере, могла дать ей достоверную и точную информацию относительно того, с кем он встречается, как долго продолжается его роман, а также насколько серьезны его намерения. Правда, кое-какие сведения ей сообщила Бриджит, но Талли больше не доверяла помощнице так безоговорочно, как прежде. В конце концов, Бриджит солгала ей насчет отелей. Правда, это была небольшая и, в общем-то, безвредная ложь, и все-таки ложь.

Мег обещала, что будет держать Талли в курсе дела и что на первые результаты можно рассчитывать уже через несколько дней. Похоже, на опыт и проницательность Мег и ее сыщиков можно было положиться, поэтому, когда в начале девятого Талли наконец покинула офис детективной фирмы, настроение ее несколько улучшилось. Теперь ее не так пугала и встреча с Хантом, который уже должен был вернуться домой. Звонить ему Талли, впрочем, по-прежнему не хотелось. Сам Хант тоже почему-то ей не позвонил и не прислал никакого сообщения: проверяя телефон, Талли обнаружила только эсэмэску от Бриджит, которая интересовалась, как она доехала, и желала приятных выходных. Похоже, ее подруга пребывала в тихой панике, и это серьезно огорчило Талли. Ей было очень тяжело сознавать, что она фактически потеряла двух своих некогда самых близких людей. Наверное, логичнее было бы сначала дождаться, что́ покажет расследование, однако Талли уже не верила, что ее отношения даже с Бриджит снова станут прежними.

Это было бы невозможно, даже если бы выяснилось, что ни Бриджит, ни Хант перед ней ни в чем не виноваты.

Ехать домой Талли по-прежнему не торопилась, поэтому, немного подумав, она решила заскочить к отцу, благо ей было по дороге. Днем за Сэмом присматривала домработница-никарагуанка Амелия, но по вечерам он был предоставлен самому себе. К счастью, несмотря на солидный возраст и мучительную болезнь, он еще мог худо-бедно себя обслуживать. В молодости Сэм Джонс был высоким и красивым мужчиной, но сейчас ему уже исполнилось восемьдесят пять, и артрит заставлял его сгибаться чуть не до земли. При ходьбе он пользовался рамой-ходунками, поэтому ему потребовалось довольно много времени, чтобы открыть Талли дверь. Впрочем, стоило ему увидеть дочь, и его глаза вспыхнули прежним молодым огнем, и даже спина, казалось, немного распрямилась. Дух его все еще был силен, и можно было легко представить, как когда-то в суде он выигрывал самые сложные дела и громил оппонентов.

— Какой приятный сюрприз! — сказал Сэм, радостно улыбаясь, и отодвинул ходунки в сторону, чтобы она смогла войти. Он только что доел ужин, который оставила ему Амелия, и собирался смотреть телевизор: в последнее время Сэм никуда не выходил, и визит дочери был для него вдвойне приятным событием. — Ты по делу или просто так?

— Просто так. Я ехала домой, но решила заскочить, проведать... Как ты себя чувствуешь, па?

Она наклонилась, чтобы поцеловать его в щеку, потом первой двинулась в гостиную. Сэм ковылял следом. На диван он усаживался долго, с трудом, и Талли почувствовала, как сердце у нее сжимается от жалости. Она, впрочем, не столько жалела отца, сколько беспокоилась за него. Талли очень боялась, что он может упасть и удариться головой, а рядом никого не будет, но Сэм Джонс был упрям. Он привык жить один и не желал, чтобы в доме постоянно находилась платная сиделка.

— Я-то нормально, а вот ты... — Отец пристально взглянул на Талли. От него не укрылось выражение затаенной боли в глазах дочери, но он не спешил ее расспрашивать. — Меня очень тревожат сводные ведомости, которые мне прислал твой бухгалтер. Тебе удалось что-нибудь выяснить насчет этих денег?

Сэм знал, что Талли много зарабатывает, но даже для нее миллион долларов был значительной суммой, к тому же деньги доставались ей трудом, а не падали с неба. Сам Сэм никогда не был богат — скорее его можно было назвать человеком хорошо обеспеченным. Дочери он всегда помогал, особенно вначале, однако успеха и известности Талли добилась благодаря своему таланту и упорному труду, и Сэм всегда очень гордился ею. Больше того, он был уверен, что, будь мать Талли жива, она была бы счастлива иметь такую дочь. Правда, Белинда мечтала, чтобы Талли стала актрисой, но Сэму казалось — она бы не возражала, если бы узнала, что их дочь стала знаменитым режиссером.

— Я только что наняла частного детектива, — набрав в грудь побольше воздуха, ответила Талли. — Пока еще ничего не известно, но меня заверили, что результатов долго ждать не придется. Надеюсь, что информация, которую добудут сыщики, хоть что-то прояснит, потому что я ничего не понимаю. Бриджит говорит, что Хант... что у него другая женщина. Может быть, из-за этого он, гм-м... сбился с пути? Кроме того, Виктор обнаружил несколько счетов из лос-анджелесских отелей. Сначала и Хант, и Бриджит несли какую-то чушь — Хант утверждал, что останавливался в этих отелях вместе со мной, Бриджит же вообще клялась, что не имеет к этим счетам никакого отношения, хотя на слипах стоит ее подпись. В конце концов она, правда, призналась, что пару раз останавливалась в «Шато Мормон» с любовниками, но это ничего не объясняет. Ведь, по большому счету, ни у Ханта, ни у нее нет необходимости присваивать мои деньги. У каждого из них есть свой капитал. В общем, я ничего не понимаю, — повторила она с усталым вздохом.

Сэм покачал головой. Он видел, как тяжело дочери, и переживал за нее.

— Может, это кто-то другой? — спросил он.

— Кто? Я не знаю. Разве только Виктор? Я знаю, бизнес-менеджеры, финансовые консультанты и бухгалтеры частенько обкрадывают своих богатых клиентов, но мне кажется, это не тот случай. Виктор всегда производил на меня впечатление человека серьезного и честного, и мне кажется — он на такое не способен. Кроме того, почему именно сейчас? Виктор занимается моими финансами уже полтора десятка лет, так что, если бы он хотел присвоить часть моих денег, он бы сделал это уже давно. И не забывай — это он обратил мое внимание на то, что у меня пропадают наличные. Правда, Бриджит говорила, что в последнее время Виктор сам на себя не похож; быть может, у него какие-то личные проблемы, но это началось сравнительно недавно, а деньги пропадают с моих счетов уже года три или четыре. — Она снова вздохнула. — Кстати, четыре года назад я начала встречаться с Хантом, но я думаю — это просто совпадение. Кроме того, я не представляю, как могут быть связаны пропажа денег и его увлечение другой женщиной — если, конечно, Бриджит ничего не перепутала. — В глубине души Талли все еще надеялась, что сообщенные ей помощницей сведения могут оказаться неточными и что на самом деле все не так страшно, как она себе вообразила.

— Ты говоришь, у твоего бухгалтера неприятности? — Сэм навострил уши. — Знаешь, Бриджит, если эти неприятности финансового свойства, он мог и не удержаться от соблазна. Надо было сказать этим твоим детективам, чтобы они проверили и его.

— Я обязательно скажу, но позже. Сейчас мне гораздо важнее знать, как обстоят дела с Хантом и Бриджит. Могу ли я им доверять или... Впрочем, даже если Хант *не* крадет мои деньги, остается эта его женщина... Мне нужно точно знать, какие у них отношения.

Старый адвокат знал, что чудес не бывает и что Хант изменил Талли. Сама она тоже в этом почти не сомневалась, но продолжала цепляться за почти уже призрачный шанс.

— Я был бы рад услышать, что он ни в чем не виноват. — Сэм со вздохом кивнул. — Этот парень мне всегда нравился. — Он действительно считал, что Хант и Талли созданы друг для друга, и ему было горько сознавать, что «неофициальный зять», как он в шутку называл Ханта, обманул его ожидания.

— Я тоже была бы рада, — мрачно сказала Талли, думая о том, как трудно ей будет притворяться, будто ничего не произошло, и ждать, ждать, ждать, пока Мег пришлет первый отчет. Впрочем, первый отчет мог ничего и не прояснить. Для того чтобы установить истину, могло понадобиться довольно много времени, и все это время ей придется терзаться неизвестностью. — Ты ужинал? — спросила она, чтобы уйти от неприятной темы, и Сэм кивнул.

— Спасибо за заботу, дочка, но я предпочел бы, чтобы ты сейчас больше думала о себе. Я же вижу, как тебе тяжело.

— Тяжело — не то слово. — Талли невесело улыбнулась. — У меня такое чувство, будто вся моя жизнь разлетелась на куски, и все за каких-то три-четыре дня. Я даже Макс ничего не сказала — не хочу, чтобы она узнала... Только не сейчас! Ведь она тоже любила... любит Ханта.

Кроме того, с грустью подумала Талли, у Макс никогда не было отца, и ее представления о мужчинах — о *порядочных* мужчинах — сформировались в основном благодаря общению с Хантом. Она наблюдала его в различных житейских ситуациях, сравнивала его со своими знакомыми парнями и делала какие-то выводы. Каково ей будет узнать, что человек, которого она считала образцом, оказался вором и предателем? Нет, решила Талли, сейчас она ничего не будет говорить дочери. Она все расскажет Макс, когда будет точно знать, что Хант ей изменил. Быть может, тогда в ее распоряжении будут факты, с помощью которых она сумеет как-то объяснить дочери, почему Хант поступил подобным образом.

А может, с надеждой подумала Талли, Бриджит *все-таки* ошиблась и Хант на самом деле просто сочувствует молодой женщине, которую бьет и тиранит муж. Она знала, что Хант — человек отзывчивый и добрый, он вполне мог помочь кому-то совершенно бескорыстно, однако такая помощь вовсе не означает увлечения, интрижки, романа... Со стороны, однако, очень легко было принять одно за другое, вот почему приятель Бриджит, который работал в офисе Ханта, ошибся сам и ввел в заблуждение ее помощницу. Могло такое быть? — спросила себя Талли и сама же себе ответила — вполне могло. Она, однако, понимала, насколько слаба эта ее надежда. Как говорил в одном из ее фильмов главный герой: «Из всего, что может случиться, рассчитывать надо на самый худший вариант».

И все же она продолжала цепляться за свою призрачную надежду.

Они поговорили еще немного, потом Талли попрощалась с отцом и нехотя поехала домой. Ей, однако, снова повезло — Ханта не было. Из оставленной им записки Талли узнала, что он встречается с юристами мистера Накамуры, с которыми ему предстояло обсудить окончательный вариант контракта. В постскриптуме Хант, впрочем, приписал, что постарается вернуться пораньше. И он действительно приехал вскоре после нее. Судя по слегка осунувшемуся лицу, он здорово вымотался. От него, однако, не укрылось, что Талли, которая встретила его лежа в постели, выглядит не такой оживленной, как обычно, но, к счастью, Хант приписал ее угнетенное состояние усталости и недосыпу.

— Ты, я погляжу, порядком забегалась, — заметил он, бросая пиджак на кресло.

— Так и есть, — согласилась Талли, натягивая одеяло повыше. — Эта неделя была не из легких.

— Ну ничего, осталось немного. Скоро ты закончишь сьемки на натуре и вернешься домой. Мне тебя очень не хватает, — сказал он с улыбкой и, на ходу развязывая галстук, опустился рядом с ней на край кровати. А Талли не знала, то ли заплакать, то ли ударить его, то ли крепко прижать к себе и не отпускать. Она не хотела терять Ханта, не хотела вопреки всему, хотя здравый смысл твердил, что, скорее всего, она его *уже* потеряла.

— Правда? — глухо спросила она.

— Конечно, правда, глупышка. — Хант наконец справился с галстуком и отправил его вслед за пиджаком. — Хочешь, поужинаем где-нибудь вместе?

Талли отрицательно покачала головой. Она слишком измучилась, да и усталость тоже давала о себе знать.

— Нет, не особенно.

— Тогда попробуем сообразить что-нибудь из того, что́ найдется в холодильнике, — бодро сказал Хант.

На этот раз Талли кивнула, гадая, сколько еще таких вечеров вдвоем, сколько домашних ужинов и проведенных вместе ночей им осталось. Она твердо знала: все кончится, если Мег удастся установить, что Хант спит с другой женщиной. Или не «если», а «когда». Похоже, их роману пришел конец.

Но даже думать об этом ей было слишком тяжело. Талли продолжала упорно гнать от себя мысль о неизбежном разрыве, потому что в противном случае она могла не выдержать. Не имело никакого значения, что подобное с ней уже случалось — ковбой и актер-англичанин были не в счет просто потому, что с Хантом она прожила четыре года, и, хотя официально они так и не зарегистрировали свой брак, с ним Талли чувствовала себя уверенно. Казалось, все ее мечты сбылись и ничто ей не угрожает, но все оказалось не так.

Далеко не так.

Хант тем временем спустился в кухню и приготовил салат и омлет, а также откупорил бутылку любимого вина Талли. К тому времени, когда она нашла в себе силы и мужество присоединиться к нему, все уже было готово. Они сели к столу, но почти не разговаривали. Молчание становилось тягостным, и Талли включила какую-то музыку. О чем с ним говорить, она так и не придумала. Впрочем, после пары бокалов Хант немного расслабился и спросил, как прошли два последних сьемочных дня, а потом рассказал о своей встрече с представителями инвестора. По его словам, все вопросы были урегулированы, так что они смогут приступить к сьемкам нового фильма, как только закончат производство текущей ленты.

После ужина Талли приняла душ и снова легла. За весь вечер она не сказала и пяти слов, и Хант снова забеспокоился.

— Да что с тобой? Ты не заболела? — заботливо спросил он.

— Кажется, я действительно слегка простыла, — уклончиво ответила Талли. — Мне нездоровится с... со вчерашнего дня, — добавила она для вящей убедительности.

— Думаю, тебе просто нужно как следует выспаться, — сказал Хант и, заботливо укрыв ее одеялом, ушел к себе в кабинет, чтобы просмотреть кое-какие документы, которые передали ему адвокаты инвестора.

Когда час спустя он снова вернулся в спальню, Талли притворилась, что спит. Ей было очень одиноко, и, когда Хант погасил свет, по ее щекам сами собой покатились беззвучные слезы. Как долго продлится этот кошмар, Талли не знала. Ей было понятно только одно: нужно терпеть. И она готова была терпеть сколько потребуется.

На следующий день Талли с утра отправилась в тренажерный зал, а потом позвонила в Нью-Йорк Макс. Судя по звукам на заднем плане, которые раздавались в трубке, Макс обедала с друзьями в каком-то довольно шумном месте, и Талли невольно вздохнула с облегчением. Из-за смеха и музыки разговаривать по телефону было довольно трудно — Макс не слышала половины из того, что говорила ей мать, поэтому они договорились, что созвонятся позднее. Ноток отчаяния в голосе матери Макс не заметила.

После обеда Хант отправился играть с друзьями в теннис, а Талли села в гостиной и стала просматривать очередную порцию изменений в сценарии. Хант предложил пойти вечером в кино, и она волей-неволей согласилась. Теперь она ждала его возвращения чуть не со страхом и гадала, сколько времени может занять расследование. Время тянулось невыносимо медленно, и каждая минута причиняла ей почти физическую боль. Талли даже стало казаться, что она не выдержит этой пытки и попробует выяснить отношения с Хантом, не дожидаясь, пока Мег сообщит ей о результатах работы сыщиков. С тех пор как она побывала в офисе детективной фирмы, не прошло и суток, но Талли чувствовала себя так, словно ждет звонка от Мег уже целую вечность.

Они все-таки поехали в кино. Талли просто не сумела придумать подходящий предлог, чтобы остаться дома, к тому же она знала, что, если откажется, Хант вряд ли отправится туда один. По дороге ей вдруг пришло в голову, что как раз в эти минуты кто-то из людей Мег следит за ними, но когда у входа в кинотеатр Талли огляделась по сторонам, то ничего не заметила. Хант и вовсе ничего не подозревал.

Этот уик-энд стал, наверное, самым длинным в жизни Талли. И самым тягостным. Воскресенье, впрочем, оказалось не таким гнетущим, так как по предложению Ханта они заехали к отцу Талли, а потом все вместе отправились в «Плющ». Вывезти Сэма в город было нелегко — с некоторых пор это требовало значительных усилий и превращалось в целую «боевую операцию», но Ханта это нисколько не пугало. Подобные вещи он всегда делал охотно, зачастую — по собственной инициативе. Талли это очень нравилось, но сейчас ей только стало еще тяжелее. Неужели все кончено, спрашивала она себя. Теперь Талли стало понятнее, почему некоторые женщины, узнав об измене мужа, не спешат выяснить с ним отношения, а, напротив, — делают вид, будто ничего не произошло. По словам Мег, подобное случалось довольно часто, но Талли такой вариант не подходил. Она знала себя, знала, что не сможет жить с Хантом, если выяснится, что он ей изменил. С другой стороны, разрыв тоже казался ей чем-то невероятным, невозможным. Талли не представляла себя без Ханта, но и остаться с ним не могла.

В «Плюще» было многолюдно и шумно. Сэм очень старался держать себя как обычно, и ему это вполне удавалось, но Талли знала, что на самом деле отец глубоко переживает и за Ханта, и за нее. К счастью, на веранде, где они заказали столик, им встретились знакомые. Разговор с этими людьми — довольно приятной супружеской парой — немного отвлек Талли, и все равно она не чаяла, когда же этот тягостный обед наконец закончится.

За выходные Бриджит звонила Талли дважды, что было для нее не совсем обычно, да и, судя по голосу, чувствовала она себя крайне неловко. Бриджит, правда, сказала, что наслаждается спа-процедурами в отеле, но Талли подозревала, что, если бы это было действительно так, помощница вряд ли стала бы ей звонить. Не было никаких сомнений, что Бриджит чувствует себя виноватой и не находит себе места от беспокойства. Талли тоже нервничала, правда — по совершенно иной причине, и только Хант, похоже, ничего не подозревал, полагая, что она действительно немного простыла. В воскресенье вечером он, правда, предпринял попытку заняться с ней любовью, но Талли не могла ответить ему взаимностью. Пришлось сослаться на головную боль и общую слабость, и Хант, решив, что она подхватила грипп, принес ей в постель куриный бульон, отчего Талли едва не расплакалась.

— Я не хочу, чтобы ты меня баловал, — сказала она печально.

— Зато *я* хочу тебя баловать, — возразил он.

При этом голос его звучал настолько тепло и искренне, что Талли снова спросила себя, неужели Бриджит ошиблась и услышанные ею офисные сплетни были неточны. Сама она не знала, что и думать, кому и во что верить. Ей по-прежнему было больно и грустно, но сейчас самым сильным чувством, которое испытывала Талли, была растерянность. Ей даже казалось — она готова отдать *все* свои деньги, лишь бы знать что-то наверняка.

Она все-таки нашла в себе силы съесть бульон и проглотить пару поджаренных гренков. За едой они с Хантом болтали как старые, добрые друзья, потом он подоткнул одеяло и, поцеловав на сон грядущий, пожелал спокойной ночи.

Но Талли так и не смогла уснуть. Всю ночь ее мучили кошмары, и она не сомкнула глаз до самого рассвета.

Рано утром Талли села в джип, который одолжила на съемочной площадке, и вернулась в Палм-Спрингс. В шесть она была уже в своем трейлере. По дороге Талли пыталась взбодриться и заставить себя думать только о работе, но у нее почти ничего не получилось. Она никак не могла сосредоточиться на фильме, и лишь колоссальным усилием воли ей более или менее удалось успокоиться. Рабочий день начался с обсуждения изменений в сценарии, во время которого Талли все еще была рассеянна и не могла сразу включиться в обсуждение, так что сценаристы, с которыми она беседовала, удивленно на нее косились.

В восемь начались сами съемки — зажужжали камеры, засновали по рельсам операторские тележки, и Талли постепенно увлеклась, втянулась в знакомый процесс и почувствовала себя чуточку лучше. Кроме того, рядом не было Бриджит, которая напоминала бы ей о ее проблемах — помощница на весь день уехала в Лос-Анджелес, чтобы заняться мелкими организационными делами. В Палм-Спрингс она вернулась только во вторник и привезла несколько официальных писем, на которые, как ей казалось, Талли должна была непременно взглянуть. Талли снова постаралась сосредоточиться, но дела мало интересовали ее. Она с нетерпением ждала только одного — весточки от Мег, но та не писала и не звонила.

Хозяйка детективного агентства дала о себе знать только в четверг — через шесть дней после их встречи в Лос-Анджелесе. Для Талли это были самые долгие шесть дней в ее жизни.

— Здравствуйте, как поживаете? — вежливо поздоровалась Мег, и Талли захотелось заорать на нее, потребовать, чтобы она как можно скорее рассказала все, что сумела узнать за без малого неделю.

Не без труда она взяла себя в руки, хотя поддерживать предложенный Мег безразлично-деловой тон ей было невероятно трудно. Талли казалось, что, если неизвестность продлится еще хоть несколько минут, она сорвется и устроит что-то вроде истерики прямо по телефону. Единственное, что ее удержало, — это мысль о том, что она разговаривает с профессионалкой, на которую крики и вопли вряд ли подействуют.

— Н-нормально, — выдавила Талли. — Хотя если честно... Я очень ждала вашего звонка, Мег... Есть какие-нибудь новости? — С этими словами она опустилась на диванчик, который стоял в гостиной ее номера в отеле. В Лос-Анджелес Талли не ездила всю неделю — Ханту она говорила, что очень устает и к тому же все еще болеет и не хочет приезжать, чтобы не заразить его.

— Мне очень жаль, мисс Джонс, что я заставила вас столько мучиться, — негромко проговорила Мег. — Но такова уж наша работа — порой необходимы недели и даже месяцы, чтобы понять, что к чему. На этот раз мы сработали довольно быстро, хотя вы, конечно, вряд ли со мной согласитесь. Вам эта неделя, наверное, показалась очень длинной.

— Бесконечной, — с горечью призналась Талли. — Но я надеюсь, вам удалось что-то выяснить?

— Я бы предпочла не обсуждать это по телефону, — откликнулась Мег. — Нам нужно встретиться, мисс Джонс. Когда вы планируете быть в Лос-Анджелесе?

— Завтра вечером или чуть раньше, во второй половине дня. — Талли очень хотелось, чтобы Мег рассказала ей все сейчас, однако она слишком боялась того, что́ может услышать. Отчего-то она предчувствовала, что результаты расследования ей очень не понравятся.

— Завтра я весь день свободна, — сообщила Мег.

— Как насчет четырех часов? — предложила Талли. — Я попробую выехать сразу после обеда — думаю, меня ничто не задержит.

На уик-энд она все равно собиралась домой, нельзя же было «болеть» вечно. Да и Хант мог забеспокоиться и примчаться в Палм-Спрингс, а Талли предпочитала общаться с ним в знакомой обстановке, коль скоро избежать тесного контакта все равно не получится. Машину, подумала она, снова можно будет взять на студии — это было проще, чем просить Бриджит отвезти ее прямо в детективное агентство, что могло обернуться дополнительными проблемами. Кроме того, Талли не хотелось ехать с Бриджит, которую она всю неделю старалась избегать, а если и обращалась к ней, то только по каким-то рабочим вопросам. Рядом с помощницей она чувствовала себя крайне неловко и неуютно. Порой ей и вовсе казалось, что бóльшую часть своей жизни она прожила с повязкой на глазах, не видя и не понимая, что за люди ее окружают. Когда-то Талли доверяла всем, но теперь ее вера в окружающих пошатнулась, и она впала в другую крайность, не доверяя никому. Возможно, это было только временное состояние, но порой Талли думала, что пройдет еще много лет, прежде чем она отважится установить с кем-то близкие дружеские отношения. А как долго она будет «дуть на воду, обжегшись на молоке», зависело от того, что́ сообщит ей Мег Симпсон.

— Что ж, в четыре часа меня вполне устроит, — деловито сказала Мег, и Талли не решилась спросить, к чему ей готовиться, к хорошим новостям или, наоборот, к плохим. Она даже не была уверена, что обрадуется хорошим известиям, — слишком дорого обошлось ей шестидневное ожидание.

Этой ночью Талли снова спала очень мало. С утра она, как обычно, работала на съемочной площадке, но нервы ее были напряжены до предела, и только чудом Талли не наделала ошибок и не сорвалась, когда ошибался кто-то другой. После обеда и совещания со сценарной группой (что́ и кому она говорила, Талли не помнила — все было как в тумане) она сразу уехала, ни с кем не попрощавшись. Перед отъездом она перебросилась парой фраз только со своим помощником, который оставался руководить съемками вместо нее, причем на этот раз Талли почти не заботило, как он справится со своей задачей. Ей было не до съемок, к тому же испорченную сцену всегда можно было переснять. Всю дорогу до Лос-Анджелеса

Талли не отпускала педаль газа и подьехала к офису Мег на четверть часа раньше оговоренного времени. От волнения ее слегка подташнивало, а когда секретарь провел ее в кабинет, Талли была близка к обмороку.

Так, во всяком случае, казалось ей самой.

Увидев Талли, Мег быстро поднялась из-за стола и, сделав пару шагов навстречу, предложила ей сесть. Благодарно кивнув, Талли почти рухнула в удобное кожаное кресло. Раньше она никогда не нервничала перед важными встречами и никогда не боялась услышать неприятные новости, но ведь тогда речь не шла о самом для нее главном. Вот почему она впилась взглядом в лицо сыщицы, пытаясь угадать, что́ ее ждет, но черты Мег ничего не выражали — все-таки она была профессионалом высокого класса. Впрочем, держалась она довольно сочувственно. Внимание Талли приковала к себе толстая папка, лежащая на столе, что показалось ей плохим знаком.

— Полагаю, нам удалось собрать необходимую информацию, — сказала Мег, возвращаясь на свое место за столом. — Конечно, за столь непродолжительное время мы не сумели выяснить все подробности, но я считаю — добытых нами сведений достаточно, чтобы вы могли представить себе реальное положение дел.

С этими словами Мег придвинула к себе папку, и Талли разглядела, что на ней нет никаких имен — только цифровой код.

— На протяжении последних семи дней, — продолжала Мег, — мои люди следили за мистером Хантером Ллойдом, а также предпринимали некоторые действия, необходимые для обьективной оценки его финансового положения. К сожалению, у нас нет доступа к его сугубо личным данным, в том числе к банковским счетам, однако мы проверили кредитоспособность мистера Ллойда, пообщались с сотрудниками банка, а также попытались выяснить, как и на что он тратит свои деньги. Как вам, безусловно, известно, доходы мистера Ллойда весьма высоки. Свои средства он успешно вкладывает в предприятия с высокой доходностью, избегая при этом чрезмерного риска. Исходя из этих сведений, можно с достаточно высокой степенью вероятности предположить, что в настоящий момент мистер Ллойд является полностью платежеспособным и не испытывает никаких финансовых затруднений.

Расходы мистера Ллойда довольно велики, однако они много меньше его доходов. Как вам известно, он ездит на спортивном «Бентли», приобретает дорогую недвижимость и акции крупных, успешных компаний. Таким образом, мистер Ллойд производит впечатление человека ответственного, знающего цену деньгам. Важная подробность — почти все расчеты он осуществляет при помощи своей кредитной карты. В целом репутация мистера Ллойда выглядит безупречно, а его кредитный рейтинг[1] относится к категории A1. Мои люди не обнаружили никаких признаков того, что мистер Ллойд увлекается азартными играми, употребляет наркотики или посещает женщин легкого поведения, следовательно, он вряд ли нуждается в крупных суммах наличных денег. Все покупки, даже самые незначительные, он также оплачивает исключительно при помощи кредитной карты.

Разумеется, мистер Ллойд может что-то скрывать, но, чтобы выяснить это, потребуется полноценная финансово-криминалистическая экспертиза. Проведенное нами расследование можно считать лишь предварительным, однако складывается впечатление, что с финансовой точки зрения мистер Ллойд — человек абсолютно благополучный. Вы можете, конечно, сомневаться в моих словах, однако опыт и интуиция подсказывают мне, что никакой необходимости присваивать ваши деньги у мистера Ллойда нет. Разумеется, многие считают, будто от лишних трехсот тысяч в год может отказываться только глупец, однако это

---

[1] Кредитный рейтинг — формализованная оценка кредитной истории и возможности выполнять обязательства юридического или физического лица; размер кредита, который можно предоставить этому заемщику.

правило отнюдь не универсально. Собранные нами сведения убедительно доказывают, что мистер Ллойд принадлежит к той категории людей, для которых триста тысяч — сумма недостаточно большая, чтобы ради нее подвергать опасности свою репутацию и положение...

Слушая Мег, Талли согласно кивала. Пока все, что она узнала, выглядело обнадеживающе, но с другой стороны, если Хант ни при чем, значит, ее обманывала Бриджит, что тоже не могло ее не огорчить. Кроме того, Мег говорила пока только о деньгах, а Талли с самого начала считала, что Хант не имеет никакого отношения к пропавшему миллиону. Он действительно зарабатывал намного больше ее и к тому же никогда не был ни скуп, ни прижимист — на протяжении всех четырех лет он оплачивал бóльшую часть их общих расходов, но никогда об этом не заговаривал. Деньги Хант тратил легко, но и не бросал их на ветер, как и сказала ей только что Мег.

Но Талли знала это и сама. Увы, деньги — это было еще не все. О том, что оправдания Бриджит оказались ложью, она старалась сейчас не думать. С замиранием сердца Талли ждала, что еще расскажет о Ханте Мег.

— Если финансовое положение мистера Ллойда не вызывает никаких подозрений, — продолжала та, — то сведения о его личной жизни рисуют не столь радужную картину. Все наши источники единодушно информируют, что примерно год назад он серьезно увлекся некоей молодой женщиной, которая работала в его офисе секретарем отдела по связям с общественностью. По нашим сведениям, эта женщина по имени Анджела Морисси регулярно подвергалась преследованиям со стороны бывшего мужа, с которым она рассталась некоторое время назад из-за его склонности к домашнему насилию. Несколько раз он представал перед судом и дважды сидел в тюрьме по обвинению в нанесении побоев жене и трехлетнему сыну, в результате которых оба оказывались в больнице.

Видимо, мистер Ллойд пытался помочь своей секретарше, однако со временем сочувствие, которое он к ней испытывал, переросло в нечто большее — они начали встречаться. Миссис Морисси подала на развод. В настоящее время в суде решается вопрос о формальном расторжении брака между ней и ее мужем — официальное решение будет вынесено не позднее, чем через один-два месяца. В настоящее время миссис Морисси продолжает работать на мистера Ллойда — и встречаться с ним. Нам удалось установить, что они, как правило, видятся несколько раз в неделю, в основном по вечерам, в номерах отелей «Шато Мормон» и «Сансет Маркис». Если вас нет в Лос-Анджелесе, мистер Ллойд проводит со своей любовницей всю ночь: в частности, мы выяснили, что на прошедшей неделе это повторялось трижды. Как и всегда в подобных случаях, миссис Морисси оставляла ребенка с соседкой, а сама ехала в отель к мистеру Ллойду. Очевидно, она боится приглашать его к себе из опасения, что бывший муж может следить за ней или за домом. Впрочем, несмотря на подобную возможность, миссис Морисси и мистер Ллойд встречаются достаточно часто и проводят вместе много времени.

С этими словами Мег достала из папки несколько увеличенных фотографий и разложила их на столе перед Талли. На одной из них Хант целовал миловидную темноволосую молодую женщину, на другой — тепло обнимал ее за плечи, а на третьей — держал за руку маленького мальчика. На заднем плане Талли разглядела все ту же темноволосую красотку и фрагмент решетки, похожей на звериную клетку. Судя по всему, все трое были сфотографированы в лос-анджелесском зоопарке. Показав на этот снимок, Мег пояснила, что он был сделан в прошлую субботу, и Талли сразу вспомнила, как в тот день Хант сказал ей, что идет играть в теннис с друзьями. На самом же деле он снова встречался с этой своей Морисси и ее сыном. Мальчик, впрочем, выглядел очаровательно, но ни к нему, ни тем более к его матери Талли в данный момент не испытывала никаких теплых чувств.

— Сколько ей лет? — спросила она пересохшими губами.

— Вы имеете в виду миссис Морисси? — уточнила Мег. — Ей двадцать шесть. Как нам удалось узнать, она сообщила кое-кому из подруг, по секрету, разумеется, что мистер Ллойд собирается на ней жениться, как только ей удастся получить развод. И, судя по всему, она сама в это верит.

После этого Мег продемонстрировала Талли еще несколько снимков: Хант и Анджела идут в кино, выходят из ресторана, вылезают из его «Бентли» у дверей отеля «Сансет Маркис». Снимки были довольно высокого качества, и Талли без труда разглядела, какое у Ханта было лицо. На нем не заметно было никаких признаков вины или раскаяния; напротив, он выглядел как человек, наконец-то обретший свое счастье, да и миссис Морисси тоже выглядела довольной. Глядя на Ханта, Талли невольно задумалась, не сама ли она виновата в том, что он нашел себе другую. Быть может, она в чем-то его разочаровала, подвела, а может, ему просто стало с ней скучно? Или все дело в том, что она слишком часто жаловалась на трудности в работе или слишком часто возвращалась домой вымотанной после напряженных съемок? А может, причина в том, что она была *старой*, вот он и нашел себе женщину помоложе? Талли совершенно искренне не понимала, почему Хант поступил с ней подобным образом. Разве она это заслужила?

Пристально всматриваясь в фотографии, Талли низко склонила голову, пытаясь сдержать подступившие к глазам слезы. Она ясно видела, что Хант любит эту женщину, любит ее сына... и больше не любит ее. Сердце ее разрывалось от боли, кровь шумела в ушах, и она не сразу расслышала, как Мег сказала:

— К сожалению, это не все, мисс Талли. Есть еще кое-что...

В ее голосе звучало сочувствие, она словно извинялась за то, что была вынуждена говорить. Мег видела, что Талли потрясена, раздавлена, уничтожена свалившимся на нее известием. Должно быть, так чувствует себя пациент, который надеялся на хорошие анализы, но вместо этого лечащий врач сообщил ему, что у него рак. Что-то в этом роде произошло и с Талли. Хант изменял ей со своей секретаршей около года — целый год он каждый день лгал ей, а сам спал с другой. На снимках он выглядел счастливым и влюбленным, к тому же его любовница была очаровательна и молода — на тринадцать лет моложе Талли.

— В ходе расследования нам стало известно, что до этого у мистера Ллойда был роман с другой женщиной, — продолжала Мег как можно более спокойным тоном. Она не хотела драматизировать положение, хотя ей и не очень верилось, что даже в самом сухом и сжатом изложении факты, которые Мег собиралась перечислить, не причинят Талли новой, еще более острой боли. — У нас нет ее снимков — только подробное описание. Если хотите, мы можем попытаться выяснить ее личность, но мне кажется, в этом нет особой необходимости. С ней мистер Ллойд также встречался по несколько раз в неделю в отелях «Шато Мормон» и «Сансет Маркис». Их роман продолжался около трех лет. На вид женщине было лет тридцать пять, она — довольно высокая, привлекательная блондинка с прекрасной фигурой. Служащие отелей показали, что она похожа на киноактрису, хотя и не из самых известных, иначе бы они ее узнали. Как я уже сказала, фамилию ее установить не удалось, но звали любовницу мистера Ллойда Бриджит.

Когда Талли услышала это, ее чуть не стошнило. Несколько мгновений она в ужасе смотрела на Мег, которая, привстав, протягивала ей стакан воды. Не сразу Талли удалось сделать глоток, причем половину содержимого стакана она расплескала на свою видавшую виды майку.

— Да, — подтвердила Мег, когда Талли слегка пришла в себя и снова начала воспринимать окружающую действительность, — судя по всему, речь идет о вашей личной помощнице мисс Паркер.

Талли машинально кивнула. Новый удар потряс ее еще сильнее, чем известие о том, что у Ханта есть молодая любовница, однако подсознательно Талли, видимо, уже подозревала что-то подобное. Душа ее была в смятении, но разум продолжал работать, и она сразу подумала о том, что теперь-то все встало на свои места, все получило объяснение: и подпись Бриджит на квитанциях из отелей, и странная ложь Ханта, который заявил, будто останавливался в «Шато Мормон» и «Сансет Маркис» с ней, с Талли. Если бы не внезапная аудиторская проверка и не внезапно проснувшаяся бдительность Виктора Карсона, который непременно желал все проверить и свести баланс доходов и расходов вплоть до цента, обман мог бы так и остаться нераскрытым, поскольку Талли, слепо доверявшая Бриджит, никогда не проверяла свои счета.

Теперь ей стало понятно, почему год назад счета из отелей перестали приходить, — Хант попросту увлекся другой женщиной. Наверное, одному богу известно, сколько других женщин было у него помимо Бриджит и Анджелы Морисси!

Да, подумала Талли, похоже, она была не только слепа, но и глупа.

— Свидетели, с которыми мы беседовали, показывают, что их роман закончился, когда мистер Ллойд увлекся миссис Морисси, — продолжала Мег, испытующе поглядывая на Талли. — И мисс Паркер это, по-видимому, не слишком обрадовало. Кроме того, нам удалось выяснить еще одно обстоятельство: несмотря на то что ваша помощница получает у вас довольно высокую зарплату, у нее имеется несколько крупных долгов, а ее кредитная история включает довольно сомнительные пункты. Я бы сказала, что работа вашей личной помощницей является для нее единственным источником дохода, но это только мое предположение. Как и в случае с мистером Ллойдом, мы не смогли получить доступа к ее банковским счетам, так как не являемся правительственным агентством и не обладаем соответствующими полномочиями, однако нам не удалось получить никаких подтверждений того, что мисс Паркер получает какие-то деньги от своих родственников. Между тем тратит она много... — Мег немного помолчала. — В настоящее время мисс Паркер встречается с молодым человеком по имени Томми Эппл, который занят в одной из второстепенных ролей в вашем фильме. Их встречи начались почти одновременно с началом съемок; прошедший уик-энд они тоже провели вместе, однако мой человек не считает их отношения чем-то серьезным. По-видимому, для мисс Паркер это просто очередное... приключение.

Она выложила на стол несколько фотографий, на которых Томми и Бриджит были сняты вместе, но Талли едва на них взглянула. Значит, думала она в смятении, не только Хант, но и Бриджит... Они ее предали, и не только каждый по отдельности, но и оба вместе. Бриджит и Хант — вместе... Они лгали ей три года подряд, пока у него не появилась Анджела. А это означало, что Хант изменял ей все четыре года, которые они прожили практически в браке, пусть он и не был официально зарегистрирован. На протяжении всего этого времени Хант встречался с другими женщинами, а она... она ничего не знала, ничего не замечала. Она даже ничего не *почувствовала*! То, что совершила Бриджит, было, впрочем, не менее ужасно. Ей Талли доверяла безоговорочно и полностью, но Бриджит использовала это доверие только затем, чтобы сойтись с ее бойфрендом. Теперь Талли даже не знала, что ранило ее больнее: измена Ханта или предательство Бриджит, которую она считала своей самой близкой и преданной подругой. Впрочем, *преданной* подругой в итоге оказалась она сама... Это был тяжелый, а главное — неожиданный удар, к которому Талли была совершенно не готова. На мгновение она даже усомнилась, уж не подводит ли ее слух.

— Вы... вы уверены? — пробормотала Талли хрипло.

— На девяносто девять процентов, — подтвердила Мег. — Наши источники и свидетели в большинстве своем являются людьми незаинтересованными, и их информация вызывает доверие. Кроме того, улики, которые добыли мои люди... — Она кивком указала на фотографии. — ...Выглядят достаточно, гм-м... убедительно.

На этот раз Мег постаралась смягчить свои слова. Ей было очень жаль Талли, для которой эти новости стали сильным потрясением. И даже если сведения о романе Ханта и Бриджит не соответствовали действительности (в чем Мег сильно сомневалась), жизнь Талли все равно была разрушена, поскольку ее бойфренд встречался теперь с другой женщиной на тринадцать лет моложе ее. И, по некоторым данным, собирался на ней жениться, чего он никогда не предлагал самой Талли. Впрочем, даже если бы Хант вдруг бросил Анджелу и ее сына, к которому искренне привязался, вернуться к Талли он бы все равно не смог. Для нее он стал мужчиной, который ее предал, человеком без чести и совести.

Да и Бриджит была не лучше.

— Я хотела бы обсудить с вами еще один вопрос, — негромко добавила Мег. — Это насчет пропавших наличных. Дело представляется мне довольно серьезным, поэтому я бы посоветовала вам обратиться в официальное правительственное агентство. Мы в данном случае вряд ли сумеем помочь. Только официальные правоохранительные организации имеют доступ к банковским счетам и финансовым документам частных лиц. Я понимаю, что сейчас вам, мягко говоря, не до этого, и все-таки мне кажется, не сто́ит медлить и откладывать расследование на потом. Вы потеряли уже почти миллион долларов, а можете потерять еще больше, поэтому необходимо как можно скорее выяснить, кто и как вас обкрадывает. Лично мне кажется, что мистер Ллойд здесь ни при чем, хотя я могу и ошибаться. Возможно, ваши деньги присваивает не один человек, а сразу несколько — каждый тянет понемногу, но все вместе складывается в довольно значительные суммы. Я не исключаю и варианта с электронным мошенничеством, но мне кажется, что в первую очередь следует проверить мистера Ллойда, мисс Паркер и вашего бухгалтера Карсона. Именно у этой троицы больше всего возможностей добраться до ваших счетов, а как показывает мой опыт, в семидесяти процентах случаев преступник — близкий жертве человек. — Мег с горечью усмехнулась.

Талли можно было посочувствовать. Ей изменил любимый человек, ее ближайшая подруга предала ее, и, как будто этого мало, кто-то регулярно воровал у нее большие суммы денег. Другая женщина на ее месте давно бы билась в истерике, но, к большому удивлению Мег, Талли каким-то чудом держала себя в руках. Она не только не плакала, но изо всех сил старалась сосредоточиться на том, что́ говорила ей сыщица.

— Но куда же мне обратиться? — проговорила Талли растерянно. — Я не знаю... мне никогда раньше не приходилось...

— Откровенно говоря, вчера я побеседовала с одним из моих бывших коллег, не называя, естественно, вашего имени. Время от времени я передаю ему кое-какие дела, заниматься которыми мне не позволяет моя лицензия. Когда я объяснила ему ситуацию, он сказал, что хотел бы встретиться с вами и поговорить более подробно. Возможно, мы действительно имеем дело с преступлением федерального значения, к каковым, безусловно, относятся все случаи электронного и банковского мошенничества. Двадцать пять тысяч в месяц — большая сумма: дилетанту такие деньги украсть трудно. Вот почему я настоятельно рекомендую вам обратиться в ФБР, пусть они расследуют ваше дело, если сочтут, что оно находится в их компетенции. Если нет, вы всегда можете обратиться в окружную прокуратуру или в полицию, но я все же предпочла бы, чтобы по вашему случаю работали мои бывшие коллеги. ФБР расследует такие дела более внимательно, да и результата добивается быстрее, так что, если вы согласны, мой бывший коллега готов встретиться с вами уже на этой неделе в любое удобное для вас время. Что делать с остальной информацией — решать вам, но насчет денег я настоятельно рекомендую вам хотя бы побеседовать с Джимом. — Мег записала на листке блокнота номер мобильного телефона и имя агента. — Вот, возьмите.

Его зовут Джим Кингстон, он будет ждать вашего звонка, — добавила она с мягкой настойчивостью.

Мег была опытным профессионалом, но сейчас ей было даже немного стыдно, что она причинила Талли такую сильную боль. Узнать, что твой любимый мужчина изменял тебе с твоей же лучшей подругой, причем узнать это от постороннего человека, — такого не пожелаешь и злейшему врагу, думала она.

Талли покорно взяла листок с телефоном.

— Так что мне теперь делать? — спросила она все еще растерянным тоном.

— Будет лучше, если вы сначала встретитесь с Джимом и только потом станете обвинять в чем-либо вашу помощницу, — сказала Мег. — В данном случае поспешность может только повредить. С мистером Ллойдом вы можете объясниться, когда... когда будете в силах это сделать, но я бы не стала выяснять отношения с мисс Паркер сейчас. Возможно, Джим захочет познакомиться с ее банковской историей, но если вы обвините ее в краже, она будет настороже и попытается замести следы. Ведь вы не хотите, чтобы она ушла от наказания? Кроме того, прежде чем вы ее уволите, мисс Паркер может попытаться снова украсть с ваших счетов, а вы и так потеряли немалую сумму, которую трудно будет вернуть. И еще — не обсуждайте вопрос о деньгах ни с мистером Ллойдом, ни с вашим бухгалтером Карсоном, это тоже может вам повредить. Лучше поговорите с Джимом, я уверена — он даст вам лучший совет, чем я.

— Хорошо, я... я позвоню ему, — сказала Талли, пряча листок с телефоном в свою бесформенную сумку. Застегнув «молнию», она еще некоторое время сидела неподвижно, растерянно глядя на Мег. — С-спасибо, — выдавила она наконец. Что еще сказать, Талли не знала, поэтому она просто кивнула и встала, опираясь на стол. Голова у нее шла кру́гом, и Талли все еще плохо понимала, что делать, куда идти...

— Мне было очень неприятно сообщать вам такие скверные новости, — сочувственно сказала Мег.

Именно это больше всего не нравилось ей в ее работе. Идти по следу, понемногу складывать друг с другом разрозненные фрагменты информации в надежде получить целостную картину — это было интересно и захватывающе, но как же тяжело было порой сообщать о результатах ничего не подозревающим клиентам, многие из которых были порядочными и даже довольно симпатичными людьми. Смотреть на Талли, видеть ее глаза, чувствовать ее боль было мучительно, и Мег стоило большого напряжения не отводить взгляд. Грег Томас говорил ей, что Талли Джонс — глубоко порядочная женщина, и она сама в этом убедилась. «Ну почему, почему именно порядочным и честным людям выпадают в жизни самые жестокие страдания?» — в который уже раз спрашивала себя Маргерит Симпсон.

Она проводила Талли к выходу из офиса и предложила звонить, если ей понадобится еще какая-то помощь. На прощание она вручила клиентке папку с фотографиями и отчетами детективов.

— У нас есть копии, — сказала Мег. — А вам это может пригодиться.

Талли сжала папку в руках. В глазах у нее вновь стояли слезы. Да, фотографии Ханта с другой женщиной, отчеты детективов о результатах наблюдения за ним и Бриджит и другие результаты расследования непременно понадобятся ей для того, чтобы... Нет, она не станет думать об этом сейчас, слишком уж это тяжело. Больше всего на свете Талли хотелось отшвырнуть от себя папку и повернуть время вспять, но увы — это было невозможно.

— Большое спасибо, Мег, — негромко проговорила Талли. — Я сегодня же позвоню вашему коллеге.

— Сделайте это, — кивнула та. — Нельзя бросать расследование на полпути.

В ответ Талли снова кивнула и пошла к машине. По дороге она чуть не споткнулась — ноги плохо ее слушались, к тому же сейчас она могла думать только о том, что́ она узнала о Ханте, о Бриджит, о молодой женщине с ребенком. Фотография — та, на которой Хант нежно целовал свою любовницу, — так и стояла у нее перед глазами.

Талли села в машину, завела мотор и отъехала. Только вернувшись домой, она позволила себе заплакать.

Глава 8

К счастью, Ханта дома не было, и он не мог видеть написанного на ее лице отчаяния. Талли долго сидела в темной гостиной, громко всхлипывая и прижимая к груди папку с документами. Ей хотелось бы, чтобы этих документов никогда не существовало, но они были, и игнорировать этот факт она не могла. В конце концов Талли раскрыла папку и, не переставая плакать, принялась перебирать снимки. Вот Хант целует Анджелу, вот держит за руку ее сына, и все это происходило считаные дни назад... Он выглядит счастливым и, похоже, даже не вспоминает о ней, о Талли, чья жизнь рассыпалась как карточный домик. Нет, не рассыпалась, а разлетелась вдребезги, и осколки уже не собрать, не склеить...

Талли все еще сидела в темноте, когда примерно час спустя вернулся Хант. Он привез большой пакет с продуктами и поэтому сразу прошел в кухню. Талли в темной гостиной Хант не заметил, и она, встав с дивана, последовала за ним, двигаясь бесшумно, как призрак. Хант положил продукты на стол, обернулся и вздрогнул, увидев ее. Талли выглядела ужасно: глаза покраснели и опухли, волосы висели сосульками, а руки, которыми она продолжала прижимать к груди папку, тряслись, как у пьяницы.

— Талли? Ты приехала?! У тебя совершенно больной вид. Тебе нужно как можно скорее лечь. Хочешь, я вызову врача?

Он притворялся озабоченным, но теперь Талли ясно видела, что настроение у него прекрасное, а почему — об этом она думать не хотела. Одному богу известно, где и с кем он был, прежде чем приехал сюда. Интересно, зачем ему вообще понадобилось возвращаться в ее дом — ведь, если верить Мег, в последнее время каждый свободный вечер Хант проводил со своей новой любовницей, которая уже давно рассказала своим подругам, что скоро они поженятся и заживут нормальной, полноценной семьей. Теперь Талли было ясно, что каждый раз, когда Хант говорил, что собирается играть в теннис с друзьями, встречаться с деловыми партнерами или ужинать с представителями японского инвестора, он, скорее всего, лгал. И вся их совместная жизнь была ложью. Быть может, Хант и не брал ее денег, зато он разбил ей сердце.

— Эй! С тобой все в порядке?

Должно быть, выражение лица Талли напугало Ханта, поскольку он шагнул к ней, протягивая вперед руки, но она попятилась от него. Выглядела Талли и в самом деле как собственный призрак, ненадолго восставший из могилы после поспешных и небрежных похорон.

Не отвечая, она достала из папки одну из фотографий — ту самую, на которой он целовал Анджелу, — и протянула ему. Хант бросил на нее недоуменный взгляд, потом его глаза широко раскрылись от неожиданности. Лицо его смертельно побледнело; казалось, он вот-вот потеряет сознание.

Талли, впрочем,чувствовала себя не лучше.

— Это твой «теннис с друзьями»? — спросила она с горечью и заглянула ему в глаза.

— Но как ты... — растерянно пробормотал Хант. — Зачем?!

Из глаз Талли снова потекли слезы, и у него сделалось такое лицо, словно он и сам готов был заплакать.

— Зачем ты это сделала? Я имею в виду — я бы и сам тебе все сказал, если бы ты спросила.

— Как я могла спросить, если я ничего не знала, пока не увидела *это*? — парировала Талли. — И не узнала бы, если бы не обратилась в детективное агентство, которое установило за тобой слежку. Ты неплохо прятался, Хант...

прямо шпион какой-то. Кстати, эта твоя Анджела всем говорит, что вы скоро поженитесь. Это правда?

Хант долго не отвечал, потом покачал головой.

— Я не знаю. То есть не знаю, как все вышло... Я, во всяком случае, не хотел ничего такого. Сначала мне было просто жаль ее, и я захотел помочь. Бывший муж избил Анджелу так, что она оказалась в больнице, и я поехал ее навестить, чтобы узнать, не могу ли я что-то сделать. Так все началось — я и сам не заметил, как увлекся... Ты мне, конечно, не поверишь, Талли, но... я люблю вас обеих! Мне очень нравится наша жизнь, нравится наша работа, но и с Анджелой мне тоже очень хорошо, к тому же я ей нужен...

Он явно пытался как-то оправдаться, объяснить, почему он сделал то, что сделал, но его слова звучали неубедительно и жалко. А главное — банально. Наверное, подумала Талли, все мужья, застигнутые с поличным, говорят примерно одно и то же, и это очень и очень грустно.

— Мне ты тоже нужен, — сказала Талли, снова начиная плакать.

Хант набрал в грудь побольше воздуха. По лицу его было видно, что он колеблется, но в конце концов Хант все же решился сказать все.

— Анджела беременна. Она только недавно об этом узнала.

Талли едва удержалась, чтобы не рассмеяться. Все происходящее напомнило ей сцену из плохого сериала. Благородный герой вынужден бросить жену ради любовницы, которой он ненароком сделал ребенка... Ей все было ясно, и развивать эту тему дальше Талли не собиралась. Единственное, что ей хотелось узнать, — это как Хант объяснит свое трехлетнее увлечение ее помощницей. Он что, тоже «не заметил», как все получилось?

— С Бриджит ты был осторожнее, — заметила она сухо. — По крайней мере, она от тебя не залетела.

Хант побледнел еще больше. Талли пристально смотрела ему в глаза, и он негромко застонал от отчаяния и стыда.

— О боже! Она тебе все рассказала?

— Нет, Бриджит тоже предпочла солгать. Как и ты. Вы оба лгали мне все четыре года.

— Это случилось через несколько недель после того, как мы с тобой стали встречаться. Я тогда еще не переехал к тебе. Ты отправилась на натурные съемки, а мне как раз срочно понадобились какие-то договоры, которые лежали у тебя в сейфе. Бриджит открыла мне дом и помогла разобраться в документах. Я был очень ей благодарен — без нее я провозился бы не меньше недели, а так мы управились за несколько часов. В знак признательности я решил угостить ее ужином. В ресторане мы выпили по несколько бокалов, а потом... Я и сам не знаю, как это произошло, но мы оказались в одной постели. Большей глупости я в жизни не совершал! На следующий день я попытался обсудить это с Бриджит, но она крепко держала меня на крючке. Она шантажировала меня, говорила — мол, если я попытаюсь от нее уйти, она все тебе расскажет. Я был влюблен и очень боялся тебя потерять, поэтому... согласился. На протяжении без малого трех лет я был вынужден встречаться с Бриджит по первому ее требованию — раз, а то и два раза в неделю, и эти три года стали самыми тяжелыми в моей жизни. Она продолжала угрожать мне разоблачением, и я ничего не мог сделать. Я никогда не любил Бриджит, но не знал, как мне выбраться из ловушки, в которую угодил, и при этом не разрушить твою и свою жизнь. А потом появилась Анджела, и мне каким-то образом удалось вырваться. Главным образом потому, что угрозы Бриджит меня больше не пугали. Беда в том, что я полюбил Анджелу... а теперь я люблю вас обеих. Да, Талли, у тебя есть все основания меня ненавидеть, и я тебя нисколько не осуждаю, но то, что́ я говорю, — чистая правда. Я люблю тебя и не знаю, что мне теперь делать...

Талли только покачала головой. Она не ожидала, что Хант признается во всем так быстро. Это, впрочем, нисколько его не оправдывало и не отменяло того факта, что, живя с ней, Хант одновременно встречался сначала с Бриджит, а затем — с Анджелой. И даже то, что́ он рассказывал об отношениях с ее помощницей, мало что могло изменить, если, конечно, это было правдой. А Талли вполне допускала, что это *могло быть* правдой: после всего, что поведала ей Мег, она не удивлялась уже ничему и ничто не считала невозможным. Раз Хант говорит, что чуть не с самого начала их отношений спал с ее помощницей, значит, так и есть. Что тут такого особенного? «Так устроен этот поганый мир, крошка!» — припомнила Талли цитату из своего предпоследнего фильма.

— Как я понимаю, Анджелу ты бросать не намерен? — спросила Талли неожиданно звонким и сильным голосом.

Ее интонации испугали обоих; Хант некоторое время смотрел на нее с потерянным видом, не в силах найти ответ, потом низко опустил голову.

— Она хочет сохранить нашего ребенка, — запинаясь, пробормотал он наконец.

— А ты? Чего хочешь ты? Кто тебе нужен, Анджела или я? Ты ведь должен понимать, что обязан выбрать — не можешь же ты оставаться нашим общим мужчиной, — сказала Талли, не скрывая насмешки. — Ты обманывал меня все четыре года, Хант, — столько, сколько мы были вместе. Даже не знаю, смогу ли я доверять тебе в будущем. Скорее всего — нет. Я, вероятно, могла бы попытаться, но только при условии, если ты пообещаешь... нет, поклянешься, что бросишь Анджелу, — добавила она вдруг и сама себе удивилась: с чего бы это ей вдруг вздумалось дать ему даже не второй — третий шанс?

Хант поднял на нее взгляд. По его лицу текли слезы, и Талли догадалась, каким будет его ответ, еще до того, как он успел произнести хоть слово.

— Я не могу, — прошептал Хант. — Только не сейчас...

— А если бы она не была от тебя беременна?

— Тогда... я не знаю. Я люблю Анджелу и ее сына... и тебя. Господи, как все запуталось!.. Ну и кошмар! — Хант с размаху опустился на один из кухонных табуретов и пинком захлопнул дверцу холодильника, куда собирался уложить купленные продукты, который все это время стоял открытым. — И зачем ты только пошла в это дурацкое детективное агентство?! — в сердцах воскликнул он. Сейчас Хант почти злился на Талли, но куда сильнее он злился на самого себя.

— Я только хотела узнать, кто ворует мои деньги и откуда взялись эти странные гостиничные счета, — объяснила Талли равнодушно. — Ты сказал Виктору, что останавливался в «Шато Мормон» и в «Сансет Маркис» со мной, но я-то знала, что это ложь. Как и все остальное... — Она всхлипнула и снова пожалела, что время нельзя повернуть вспять. Кроме того, его признание об отношениях с Бриджит означало, что Талли потеряла не одного, а сразу двух близких людей, которых она любила.

— Я не брал твоих денег, — сказал Хант хрипло.

— Да, верно, не брал. Тут ты сказал правду, зато ты лгал мне во всем остальном. Вся наша жизнь вместе — сплошная ложь, Хант! Ты изменял мне все эти годы!

— Я не хотел... — проговорил он беспомощно.

— Хотел или не хотел — теперь это уже неважно. Важно то, что ты сделал. Кроме того, ты только что сказал, что не собираешься бросать Анджелу. Что ж, это все, что мне нужно было узнать. Можешь не сомневаться, я не собираюсь мириться с существованием другой женщины, от которой у тебя к тому же будет ребенок.

— Я понимаю, — сказал Хант ровным, безжизненным голосом. — Чего ты от меня хочешь?

— Коль скоро ты не собираешься ее бросить, я хочу, чтобы ты съехал. Прямо сейчас, — твердо ответила она, и Хант кивнул.

На самом деле Талли хотела, чтобы он по-прежнему любил ее, чтобы отказался от Анджелы, но она видела, что Хант этого не сделает. Он влюбился по-настоящему: чтобы убедиться в этом, достаточно было взглянуть на снимки, которые сделали агенты Мег. На них он смотрел на Анджелу так, как давно не смотрел на саму Талли — разве что в самом начале, а может, и вообще никогда.

— Поверь, я не хотел, чтобы все закончилось именно так... — проговорил Хант. — Чтобы ты узнала обо всем от... от посторонних людей.

— Тогда тебе следовало все мне рассказать.

— Я хотел, но не знал как.

— Что ж, частные детективы сделали это за тебя. Впрочем, одна эта фотография сто́ит тысячи слов. — Талли кивком указала на снимок, который лежал теперь на кухонном столе. — А теперь — уходи.

Хант послушно шагнул к двери.

— Мне очень жаль, Талли, — сказал он и попытался на прощание обнять ее за плечи, но она отстранилась.

— Не надо, — сухо сказала она. — Не надо делать мне больнее, чем ты *уже* сделал. С меня хватит Анджелы и Бриджит. Кстати, я думаю, если бы ты хотел, то мог бы расстаться с Бриджит раньше, чем через три года.

— Ты не знаешь, какова она на самом деле! — возразил Хант с неожиданной горячностью. — Она способна на многое, а я не хотел, чтобы она испортила то, что было между тобой и мной.

— И поэтому ты продолжал с ней спать? Ради наших с тобой отношений? Что ж, должна тебя огорчить: сохранить их тебе не удалось. — Теперь Талли говорила жестким саркастическим тоном, но в глубине души продолжала недоумевать: как такое могло случиться *с ней*? Ведь все четыре года она была *абсолютно* уверена, что Хант любит только ее, что он — лучший в мире мужчина и что с ним она сможет наконец почувствовать себя счастливой. Как же она ошибалась! — Да, кстати, — добавила она, — следующий фильм я намерена снимать с другим продюсером. Имей это в виду.

Лицо Ханта огорченно вытянулось.

— Послушай, может, не стоит решать вот так, сгоряча?

— А тут нечего решать. Мы с тобой расстаемся, ты уходишь к Анджеле, а я... я не хочу работать с человеком, который поступил со мной непорядочно.

Хант действительно оказался человеком не слишком порядочным и правдивым, да и мужества, чтобы признать свои ошибки, ему явно не хватало.

Хант долго не отвечал. Он лишь смотрел на нее с выражением растерянности и отчаяния, только сейчас осознав, какую кашу заварил. Но, как говорится, что посеешь, то и пожнешь, и сейчас Хант пожинал плоды своих давних ошибок и слабости.

— Я хочу, чтобы ты съехал как можно скорее, — повторила Талли. Эти слова дались ей нелегко, но она все же сумела их произнести. Да и выхода у нее другого не было — она просто не могла оставить его в своем доме еще на одну ночь — не могла находиться с ним в одной комнате, лежать в одной постели и знать, что у него есть другая женщина, пусть Хант и утверждал, что любит и ее тоже.

— Хорошо. Я только возьму кое-какие вещи, — негромко ответил он. — За остальным я вернусь, пока ты будешь в Палм-Спрингс.

— Я сама их тебе пришлю, — ответила Талли, посторонившись, чтобы дать ему дорогу.

Прежде чем уйти, Хант снова потянулся к ней, но она отступила еще на шаг и, словно щит, выставила перед собой папку с фотографиями, которую по-прежнему держала в руках. Ее взгляд обжигал как раскаленные угли, и Хант впервые почувствовал всю глубину ее отчаяния и всю боль, которую она испытывала. До этой минуты он до конца не понимал, что наделал. У него, по крайней мере, были Анджела и ребенок, но Талли потеряла все. Что она сейчас чувствует, было хорошо видно по ее глазам, и Хант снова с особой остротой ощутил, как скверно он с ней обошелся. Что толку сваливать вину на Бриджит? Да, она была женщиной расчетливой и коварной, но ему в любом случае не следовало пасовать перед ней. А ведь он даже не пытался бороться — вместо этого он убедил себя, что ничего страшного не происходит и что уступить ей — единственный способ сохранить отношения с Талли.

И в Анджелу ему тоже не следовало влюбляться. К ней в больницу он поехал только затем, чтобы показать подчиненным, какой он заботливый начальник и хороший человек. Но незаметно для себя он увлекся этой молодой и красивой женщиной и уже очень скоро не мыслил себя без нее и без ее трехлетнего сына тоже. Теперь ради них Хант вынужден был бросить Талли. Напрасно он искал какой-нибудь выход из сложившейся ситуации — выбор у него был крайне ограничен: либо он причинит боль Анджеле, либо Талли, и необходимость что-то решать страшно его угнетала. Меньше всего Хант хотел ранить Талли; именно поэтому он так долго мешкал с признанием. Но и остаться с нею он не мог, потому что это означало бы бросить Анджелу, которая носила под сердцем его ребенка. Похоже, никакого выбора у него просто не осталось, понял Хант, поднимаясь по лестнице в спальню, где хранились его вещи.

Через десять минут он снова спустился в кухню с небольшой спортивной сумкой, куда покидал все, что попало под руку. Собирался он не особенно тщательно — в доме Анджелы у него было все необходимое, к тому же если бы ему что-то срочно понадобилось, Хант всегда мог это купить. Талли по-прежнему стояла в дверях и смотрела на него, а он не знал, что сказать ей на прощание. В конце концов он просто шагнул к ней и бережно обнял за плечи, и на этот раз Талли его не оттолкнула. Ее тело несколько раз судорожно вздрогнуло, и Хант поспешно отпустил ее, боясь, что она снова расплачется и тогда он не выдержит и пообещает ей что-то такое, чего не сможет исполнить.

Больше они не сказали друг другу ни слова. Минуту спустя Хант вышел на крыльцо; по его лицу текли слезы, но назад он так и не обернулся. Талли тихо закрыла за ним дверь, а еще какое-то время спустя услышала, как заработал мотор его машины и Хант отъехал. Она осталась одна в темном и пустом доме — только она и ее горе, которое, казалось, ей не избыть и за миллион лет. Куда от него бежать, где укрыться — этого Талли не представляла. Она просто стояла в прихожей и плакала, думая о Ханте и об Анджеле, о Ханте и о Бриджит. Они все ее предали, и сейчас Талли казалось, что она каким-то образом это заслужила.

Джиму Кингстону она так и не позвонила.

Глава 9

Тем вечером Талли плакала, пока не заснула. Когда в субботу утром она проснулась, то чувствовала себя как после трехдневного запоя. Каждая жилка в ее теле болела и ныла, руки тряслись, а голова была словно набита ватой. Вставать не хотелось, но она все же заставила себя выбраться из постели и спуститься на кухню. Там она заварила чай и села к столу, мрачно размышляя о том, какой будет ее жизнь без Ханта, и не поторопилась ли она, принимая столь радикальное решение. Быть может, думала Талли, сгорбившись над остывающим чаем, ее реакция была чисто инстинктивной, и если бы она постаралась сдержать себя, ей удалось бы отыскать какой-то другой выход.

Некоторое время спустя она, однако, начала сознавать, что выбора у нее все равно не было. Вряд ли Хант согласился бы бросить Анджелу, которая носила его ребенка, но даже если бы он на это пошел, Талли все равно не смогла бы жить с ним, притворяясь, будто ничего не случилось. Что можно сказать о человеке, который четыре года подряд обманывал ее с разными женщинами и который способен бросить собственного ребенка только потому, что попал в неприятную ситуацию? Да ничего хорошего. Такому человеку нельзя доверять, на такого мужчину нельзя положиться. Где гарантия, что через пару лет Хант не изменит ей с очередной красавицей из своего офиса или с юной голливудской звездочкой? Кроме того, Талли отнюдь не была уверена, что сможет его простить, — нужно было быть святой, чтобы простить такую боль и такой чудовищный обман. Нет, другого выхода у нее точно не было, они *должны* были расстаться.

Но выводы, к которым пришла Талли, хотя и выглядели логичными и правильными, отнюдь ее не успокоили. В доме было непривычно тихо и пусто, и эта пустота невидимой тяжестью давила на грудь, и каждый вздох давался ей с невероятным трудом. В считаные дни жизнь Талли, напоминавшая до этого ухоженный цветник, превратилась в безжизненную, палящую пустыню. Она не сомневалась, что ей еще очень долго будет не хватать Ханта. Да, он лгал ей, и все же Талли было хорошо с ним. Хант был добр к ней и к Макс, и ей нравилось жить с ним, работать над фильмами, развлекаться. С ним Талли была по-настоящему счастлива — или ей просто так казалось, однако теперь все было кончено.

Рассказывать дочери о том, что произошло, Талли по-прежнему не хотелось, поэтому когда через некоторое время раздался звонок из Нью-Йорка, она просто не взяла трубку. Своей выдержке Талли не доверяла — она была уверена, что расплачется, как только Макс спросит о Ханте. Нет уж, пусть лучше пройдет хотя бы немного времени, она смирится с потерей, успокоится, а уж потом попробует все объяснить дочери. Для Макс это, конечно, тоже будет тяжким ударом. Она любила Ханта и считала его если не отцом, то, по крайней мере, кем-то вроде близкого родственника.

Потом Талли вспомнила, что ее звонка ждет коллега Мег из ФБР. Разговаривать с ним ей тоже не хотелось, но Талли понимала, что это может быть важно. Мег дала ей хороший совет: кто-то ведь присваивал ее деньги, и, пока она не выяснит кто, это вряд ли прекратится.

Талли долго искала в своей «инструментальной» сумке листок бумаги с телефоном, потом снова вернулась к кухонному столу и едва не разрыдалась вновь, увидев на нем папку с фотографиями Ханта и Анджелы, которая так и лежала здесь со вчерашнего вечера.

В конце концов она все-таки взяла себя в руки и набрала номер специального агента ФБР Джима Кингстона, но ей никто не ответил. Тогда Талли оставила ему голосовое сообщение, назвав свое имя, номер телефона, по которому с ней можно связаться, а также фамилию Маргерит Симпсон. По какому делу она звонит, Талли обьяснять не стала — всего она рассказать все равно не могла, а в общих чертах Кингстон уже знал о ее проблеме от Мег.

Потом она поднялась в спальню и снова забралась в постель. Никаких дел у нее все равно не было, да она, наверное, и не смогла бы ими заниматься. Талли казалось, что ее жизнь подошла к концу и теперь ей остается только оплакивать то, что у нее когда-то было, или, точнее, *не* было.

* * *

Бейсбольный матч между командами средних школ «Гамильтон» и «Фэрфакс» был в самом разгаре. На позиции отбивающего стоял высокий темноволосый десятиклассник. Он внимательно следил за питчером, ожидая броска. Полевые базы были заполнены, счет был три — два в пользу «Фэрфакса». Момент был напряженный, и зрители на трибунах затихли. Дальнейший ход игры во многом зависел от умения и везения отбивающего.

И вот — бросок! Бита звонко ударила по мячу, который взвился высоко вверх и вылетел за пределы поля, благодаря чему все игроки на базах успели забежать в «дом». Шел последний иннинг, и родители школьников из «Гамильтона» вскочили, криками подбадривая свою команду.

Рослый привлекательный мужчина в бейсбольной шапочке, широко улыбаясь, быстро спустился к скамье запасных Гамильтонской школы и крепко обнял юношу, который только что покинул место отбивающего.

— Молодец, сынок! У тебя получилось! — воскликнул он радостно.

Юноша скромно потупился.

— Мы бы все равно победили. У них паршивые питчеры, — сказал он.

— Это не так, и ты прекрасно это знаешь, — возразил отец. — В общем, поздравляю. Ты сегодня настоящий герой, Бобби, — шутливо добавил он.

Джим Кингстон не пропускал ни одной игры с участием младшего сына, если, конечно, не был занят на работе. Его старший сын Джош учился в Мичиганском университете, получив спортивную стипендию — он был классным футболистом. Спорт всегда играл важную роль в жизни их семьи, особенно с тех пор, как пять лет назад умерла жена Джима. О том, чтобы жениться снова, он даже не думал. Вместо этого Джим начал после работы тренировать команды младшей лиги, в которой тогда играли его сыновья, и вообще старался проводить с ними каждую свободную минутку. Дети и любимая работа — вот чем была заполнена его жизнь все эти пять лет. После того как его жена Дженни скончалась от рака груди, Джим старался не брать задания, связанные с чрезмерным риском, и работал главным образом в офисе: ему нужно было думать о сыновьях, поскольку никаких других близких родственников у них не было. Джим знал, впрочем, что через пару лет Бобби тоже окончит школу и уедет в колледж, и тогда он снова останется один, но пока этого не произошло, он был намерен посвятить сыну все свое время и силы, как делал это пять последних лет. Когда Дженни не стало, Бобби и Джошу было, соответственно, десять и четырнадцать, и Джим заменил им и отца, и мать.

— Ты молодец, Бобби! — сказал юноше один из проходящих мимо мужчин. Джим его немного знал — это был отец одного из одноклассников сына. Матч закончился победой «Гамильтона», и зрители начали расходиться.

— Вы все очень неплохо сыграли, — сказал Джим, когда несколько минут спустя Бобби вышел из раздевалки и оба направились к выходу со стадиона.

— Хорошая была игра, — подтвердил юноша, широко улыбаясь.

Он был очень похож на своего отца — и ростом, и телосложением, и цветом волос. Джош тоже походил на Джима, но был массивнее, к тому же в последнее время он сильно раздался в плечах. Джош считался лучшим квортербеком студенческой команды Мичиганского университета. Джим очень гордился обоими сыновьями и жалел только об одном — что Дженни не может увидеть их сейчас.

Джим всегда считал: ему очень повезло, что у него двое сыновей. Общаться с мальчишками и воспитывать их было куда проще. Если бы вместо них родились девочки, он наверняка столкнулся бы с трудностями, преодолеть которые было бы нелегко, однако в последнее время Джим все чаще жалел о том, что у него нет дочери, которая была бы похожа на его покойную жену. Дженни была лучшей в мире женщиной — самой красивой, самой умной, полной нежности и огня. Она осветила собой всю его жизнь, и Джиму казалось — с ней не может случиться ничего плохого, но Дженни сгорела всего за два года — не помогли ни «химия», ни радиотерапия, ни двухсторонняя мастэктомия.

Когда ее не стало, Джим долго не верил, что она больше никогда не войдет в комнату, не скажет приветливо: «Добрый вечер, мальчики». До сих пор ему иногда казалось, что Дженни вот-вот постучит в дверь. Поначалу ему было очень плохо, но, к счастью, у него были сыновья, о которых он должен был заботиться. «Ради них, ради Дженни», — стиснув зубы, говорил себе Джим в самые тяжелые, беспросветные минуты, и ему сразу становилось легче. Сейчас ему было сорок восемь, и за пять лет вдовства он ни разу не взглянул на другую женщину. Они его попросту не интересовали. Друзья и коллеги пытались знакомить его со своими незамужними сестрами или с подругами своих жен, но это ни к чему не привело. Джим никогда не давал клятвы хранить верность покойной жене, просто ни одна из женщин, с которыми его знакомили, не могла сравниться с Дженни, по-прежнему остававшейся его идеалом. Пока она была жива, Джим чувствовал себя бесконечно счастливым, и сейчас ему казалось, что он не вправе требовать от судьбы большего. Да и дети доставляли ему главным образом приятные минуты. Джош часто приезжал навестить отца и брата, а Джим с Бобби старались ходить на все самые важные матчи с его участием. Джошу уже предложили подписать контракт с Национальной футбольной лигой, когда ему исполнится двадцать один год, но Джим хотел, чтобы сын сначала закончил учебу. Джош был вполне с ним согласен и не спешил становиться профессиональным футболистом, хотя условия контракта были весьма соблазнительными. Бобби тоже оказался талантливым спортсменом, но он еще не выбрал свой жизненный путь, хотя несколько университетов уже предлагали ему спортивные стипендии — при условии, что он нормально закончит школу. С этим, впрочем, никаких проблем не предвиделось, поскольку Бобби успевал не только тренироваться, но и считался одним из лучших учеников в классе.

Как раз когда они выходили со стадиона, мобильник Джима зазвонил, и на экране высветился незнакомый номер. Отвечать он не стал, решив, что свяжется с абонентом позже, когда ему будет сподручнее разговаривать.

Сначала они заехали в кафе, чтобы сьесть по гамбургеру, затем Джим отвез сына к приятелю, а сам отправился купить продуктов. Еще ему нужно было заскочить в прачечную, чтобы забрать из чистки кое-какую одежду. Вернувшись домой, Джим засел за отчеты, которые принес со службы еще в пятницу. Работать в выходные было для него обычной практикой — в последнее время требующих расследования дел становилось все больше. Почтовые и электронные мошенничества, манипуляции с кредитными картами и переводными чеками, ограбления банков, присвоение чужих денег и прочее — чтобы раскрыть эти преступления, требовалась кропотливая и долгая работа, но Джим не сетовал: ему нравилось ломать голову над сложными загадками, к тому же каждый раз, когда удавалось найти ответ, он испытывал удовлетворение, что кому-то помог.

Прежде чем придвинуть к себе первый отчет, Джим проверил мобильник. В памяти телефона оказался только один пропущенный звонок — тот самый, на который он не ответил, когда выходил со стадиона. Абонент оставил голосовое сообщение, которое Джим тотчас же и прослушал. Довольно приятный женский голос попросил его перезвонить, потом назвал номер телефона и имя, которое показалось ему смутно знакомым. Пытаясь вспомнить, где он мог его слышать, Джим заглянул во вчерашнюю голосовую почту и обнаружил там послание от Мег, которая предупреждала, что направит к нему свою клиентку Талли Джонс для консультации по делу о возможной краже средств со счетов. Мег была старой знакомой Джима; они работали вместе почти два года, прежде чем она ушла в отставку. Джиму Мег всегда нравилась, а главное — она нравилась и Дженни тоже.

Отложив папку с отчетом, Джим набрал номер этой самой Джонс, однако ему пришлось довольно долго ждать, прежде чем та взяла трубку. Ее голос он узнал сразу, хотя он и звучал слабо и невнятно. Джиму даже показалось — он ее разбудил, что выглядело довольно странно, поскольку на часах было только пять пополудни. Впрочем, он не исключал, что мисс Джонс больна и находится под действием лекарства.

Но как только Джим назвал себя, женщина на другом конце линии сразу проснулась.

— Спасибо, что перезвонили, мистер Кингстон, — сказала она с искренней признательностью, и Джим подумал, что не ошибся и что голос у нее действительно молодой и красивый, хотя речь по-прежнему звучала не слишком внятно. — Меня зовут Талли, Талли Джонс, — представилась она. — Мне посоветовала обратиться к вам миссис Симпсон, Мег Симпсон... Она уверяла, что это дело как раз по вашей части.

— А в чем, собственно, оно заключается? — уточнил Джим. — Не могли бы вы обрисовать мне ситуацию? Только вкратце.

— Вкратце?.. Хорошо, я... постараюсь. Недавно мой бухгалтер обнаружил, что кто-то регулярно снимает у меня со счета и обналичивает довольно крупную сумму. Я обратилась к Мег с просьбой провести предварительное расследование, так как не знала, кто это может быть — мой бойфренд или моя личная помощница. К сожалению, у Мег не хватило полномочий, чтобы выяснить это точно, но кое-какие результаты ее расследование принесло... Словом, сейчас я склоняюсь к тому, что это именно моя помощница, но доказательств у меня нет. Главное, я не понимаю, зачем Бриджит, мою помощницу зовут Бриджит, понадобилось меня обкрадывать? У нее есть собственный капитал, поскольку ее родители — люди очень состоятельные, к тому же она работает у меня почти семнадцать лет, и за это время у меня не было к ней абсолютно никаких претензий. В общем, может оказаться, что это совсем не она, но тогда кто?.. Словом, дело довольно запутанное. Мег считает, что неплохо было бы проверить и моего бухгалтера...

Речь Талли была довольно сумбурной; она еще не совсем пришла в себя, и ей было трудно обьяснить суть проблемы, не пускаясь в подробности, но так, чтобы собеседник как можно лучше ее понял. «Мой бойфренд изменил мне со своей секретаршей; еще раньше он изменял мне с этой самой Бриджит, поэтому они оба лгали насчет отелей, в которых встречались, но, несмотря на это, я не думаю, что кто-то из них был способен красть у меня по двадцать пять тысяч долларов в месяц», — непосвященному человеку было довольно трудно разобраться во всем этом с первого раза. Талли это чувствовала и, не зная, что сказать, а что следует опустить, окончательно растерялась.

— О какой сумме идет речь? — уточнил Джим. — Я имею в виду похищенные у вас деньги.

Он действительно мало что понял, но приписал невнятное объяснение волнению, которое, несомненно, испытывала Талли. Мег никогда не передавала ему неинтересных дел, чтобы он не тратил время на пустяки. Значит, подумал Джим, в первую очередь надо сделать так, чтобы эта мисс Джонс успокоилась, а то она слишком торопится.

— Я потеряла около миллиона, — ответила Талли. — В течение трех лет кто-то каждый месяц снимал с моего счета по двадцать пять тысяч долларов. Мег считает, что если это дело не расследовать, злоумышленник будет обворовывать меня и дальше.

— Мег абсолютно права, — сказал Джим как можно более дружелюбным тоном. — А почему вы не обратились в полицию?

— Мег сказала, чтобы я позвонила вам. Она считала, что мы, возможно, имеем дело с банковским или электронным мошенничеством, а это, кажется, как раз ваша, гм-м... компетенция. В общем, я не знаю всех ее мотивов, но она говорила, что вы обязательно мне поможете. Конечно, если это не ваша специальность, я не стану настаивать, но... Видите ли, мистер Кингстон, сама я в этих вопросах совсем не разбираюсь. Раньше со мной ничего подобного не случалось.

— Как вы обнаружили пропажу денег?

— Я же уже говорила — мне сообщил о ней мой бухгалтер. По-видимому, недостача вскрылась, когда мои финансовые дела проверяли независимые аудиторы.

— А чем именно вы занимаетесь?

— Я — кинорежиссер, снимаю фильмы, — просто ответила Талли.

По-видимому, ее имя было незнакомо мистеру Кингстону, иначе бы он не задал подобного вопроса. Джим, однако, прекрасно знал фильмы знаменитой Талли Джонс, просто ему не пришло в голову, что это именно она. Сейчас он почувствовал легкую досаду от того, что не подумал об этой возможности сразу. Правда, Джим не был готов к тому, что человек настолько известный вот так запросто позвонить ему на мобильник, но, с другой стороны, он отлично знал, что среди клиентов Мег встречаются люди во всех отношениях незаурядные, занимающие весьма высокое положение в обществе. Именно благодаря им она и добилась того, что ее детективная фирма стала столь популярной. Несколько раз Мег приглашала Джима перейти на работу к ней, но ему больше нравилась служба в ФБР. Дела, которые ему приходилось расследовать, были куда интереснее, а главное, Джиму казалось — на своем месте он сможет принести пользу куда большему количеству людей, чем в агентстве Мег. Не последнюю роль играли также престиж и грядущая пенсия, которая у старшего агента могла быть очень и очень достойной.

— Ах да, конечно!.. Прошу прощения, мисс Джонс, — проговорил Джим, все еще испытывая неловкость от того, что не узнал ее сразу.

— Ничего страшного, — тихо ответила она. Похоже, Талли Джонс было все равно, знает ли он ее имя или нет.

— Значит, в настоящий момент вы склонны подозревать вашу помощницу... мисс Бриджит. Я правильно понял? — проговорил Джим, мельком бросив взгляд на листок бумаги, на котором делал пометки.

Из опыта он знал, что жертвы всегда имеют свои соображения и догадки о личности преступника, хотя в действительности злоумышленником часто оказывался человек, которому они больше всего доверяли и которого совершенно не подозревали. Для мошенничества подобная картина была особенно характерной — Джим нередко сталкивался с этим в своей практике.

— Да... — подтвердила Талли. — Правда, сначала я подозревала своего, гм-м... человека, с которым я жила. Вчера он съехал, — закончила она неожиданно твердым голосом, и Джим невольно задумался, что́ это может означать и не в этом ли кроется причина странной нервозности Джонс. — Но сейчас мне кажется, что это не мог быть он, — продолжила Талли. — Да и Мег тоже склонна так считать. Таким образом, остается только моя помощница — никто другой просто не имел доступа к моим счетам. Но, как я уже сказала, я не верю, что это она. Мы знакомы семнадцать лет, даже больше, и все это время я доверяла Бриджит как себе. Правда, недавно я узнала, что она тоже лгала мне, и... В общем, она совершила кое-что еще, поэтому я ей больше не верю. В общем, я не знаю, что и думать, мистер Кингстон. Но Мег сказала, что вы сумеете во всем разобраться.

— Мег всегда была обо мне неоправданно высокого мнения, — улыбнулся Джим. — Но заверяю вас — я буду стараться. Если, конечно, ваше дело подпадает под юрисдикцию ФБР, — добавил он на всякий случай. — Скажите, мисс Джонс, что еще совершила ваша помощница? Из-за чего она утратила ваше доверие?

На этот раз его голос звучал сугубо по-деловому — совсем как у врача, который расспрашивает пациента о симптомах предполагаемого заболевания, и все же Талли не нашла в себе сил ответить прямо.

— Это... это личное, — сказала она. — Но именно поэтому я начала в ней сомневаться.

— Хорошо, — согласился Джим. — Я вас понимаю. Думаю, нам необходимо встретиться и еще раз поговорить обо всем — поговорить как следует, с подробностями. Я мог бы подъехать к вам на неделе. Когда вы будете свободны? — спросил он, и Талли снова немного растерялась.

— Я... Вообще-то я сейчас заканчиваю натурные съемки в Палм-Спрингс, но... Я постараюсь переиграть график и приехать в Лос-Анджелес. — Все-таки, подумала Талли, мистер Кингстон работает в официальной организации, и это она должна под него подстраиваться. — Просто скажите, когда вам удобнее, и я постараюсь выкроить время, — добавила она. — Обычно я бываю дома по выходным и иногда — вечером, когда погода портится и съемки заканчиваются раньше, но... В общем, я подъеду, только скажите когда.

Джим немного подумал. Он уже понял, что Талли Джонс чем-то очень сильно расстроена. И скорее всего — не пропажей денег. Должно быть, все дело было в том «личном», о котором она не спешила ему рассказывать.

— Вы сейчас в Лос-Анджелесе? — спросил он.

— Да. И пробуду в городе до понедельника. Послушайте, я же могу выехать в Палм-Спрингс попозже, а с утра заглянуть к вам!

— С утра в понедельник? — уточнил Джим.

— Да.

— У меня встречное предложение, — сказал он тогда. — Что, если мы встретимся завтра? Я мог бы подъехать прямо к вам домой.

— Это было бы очень хорошо, — ответила Талли, и в ее голосе прозвучало неподдельное облегчение. — Но ведь завтра воскресенье! — спохватилась она.

— Как раз завтра я совершенно свободен, — честно ответил Джим. Бобби собирался к друзьям на весь день, и он знал, что не увидит сына до ужина. — Как насчет одиннадцати часов?

— Это просто замечательно, — с признательностью сказала она. — Я действительно очень благодарна вам за то, что вы согласились встретиться со мной в ваш выходной день. И... простите, что побеспокоила вас. Я не знаю, возможно, все это пустяки, которые выеденного яйца не стоят. Иногда мне даже кажется, что это вовсе *не* Бриджит, — что я сама все перепутала...

Талли действительно чувствовала себя очень неловко от того, что обратилась в ФБР по делу, которое казалось ей в достаточной степени личным, но она доверяла Мег, а та настаивала, чтобы она сделала этот звонок.

— Не волнуйтесь, мисс Джонс, я думаю, мы во всем разберемся, к тому же миллион долларов далеко не пустяк. И не надо извиняться, это наша работа.

Последние слова прозвучали уверенно и твердо, и Талли приободрилась.

— Спасибо... — проговорила она.

— Еще один вопрос, мисс Джонс. У вас есть какие-то финансовые документы, касающиеся вашей, гм-м... пропажи?

Талли задумалась, потом вспомнила о сводных ведомостях, которые она просила Виктора переслать ее отцу.

— Да, у меня есть сводные ведомости, где отражено движение средств на счетах. Кроме того, у моего бухгалтера Карсона есть учетные книги и другие записи. Там все очень подробно расписано — ведь мы только что прошли аудиторскую проверку. Этого потребовал наш инвестор...

Она уже говорила ему об этом; Джим хорошо это помнил, а вот она, похоже, позабыла. По всей видимости, Талли пребывала в расстроенных чувствах и никак не могла сосредоточиться, но это как раз было понятно — немудрено растеряться, когда такие деньги уплывают из твоих рук неизвестно куда. О том, что гораздо больше ее расстроила измена Ханта, он пока не знал.

Талли продиктовала ему адрес и закончила разговор, а Джим тут же перезвонил Мег Симпсон. Та как раз собиралась в парк с мужем и детьми.

— Мне звонила твоя клиентка Джонс, — быстро сказал Джим, чтобы не задерживать Мег дольше необходимого. В трубке было хорошо слышно, как муж и дети просят ее поторопиться. — Я только что с ней разговаривал.

— Талли Джонс? — уточнила Мег.

— Ну да. А я, кретин, даже не подумал, что это *та самая* Талли Джонс, сообразил, только когда она сказала, что она — режиссер. Ох уж мне эти твои звездные клиенты!.. Почему ты сразу не предупредила меня, кто она такая? Быть может, тогда я бы так не опростоволосился, — добавил он шутливо, и Мег рассмеялась.

— Откуда мне было знать, что ты не следишь за новинками киноиндустрии? — сказала она. — Ты прямо как отшельник какой-то, живешь себе в пещере и не замечаешь ничего вокруг.

— Мне приходится заботиться о сыновьях, точнее — о Бобби. Джош учится в колледже, так что он уже вполне самостоятельный мужчина.

— Как быстро летит время! Я-то помню их еще младенцами. Похоже, мы с тобой не молодеем.

— Да, — грустно согласился Джим, но печалился он не из-за того, что годы прошли незаметно. Слова Мег напомнили ему о тех временах, когда Дженни была жива и он чувствовал себя абсолютно счастливым.

— Ей нужна твоя помощь, — сказала Мег, имея в виду Талли. — Бедняжке не позавидуешь — мне пришлось вывалить на нее целый грузовик новостей, и ни одна из них не была приятной. Ее бойфренд изменял ей несколько лет подряд, в том числе с ее личной помощницей, которая проработала у нее семнадцать лет и которую мисс Джонс считала лучшей подругой. Кроме того, не исключено, что эта самая помощница потихоньку ворует у своей работодательницы деньги. Очаровательная парочка эти двое: бойфренд и подруга. Возможно, правда, мисс Джонс излишне доверчива, но я вот что тебе скажу: люди, подобные Талли, часто становятся объектами разного рода мошенничеств, обмана, беззастенчивой эксплуатации и прочего. Мне не хотелось ей говорить, но эта история с деньгами — вещь довольно серьезная, так что присмотрись к ней получше.

— Так ты думаешь, это ее бойфренд виноват или все-таки помощница?

— Бойфренд — вряд ли. Парень просто купается в деньгах. Сам он, конечно, полное дерьмо, но воровать не будет, тем более что миллион для него — не такая уж крупная сумма.

— Мисс Джонс сказала что-то насчет того, что он вчера съехал.

— Это что-то новенькое... Должно быть, это случилось уже после того, как Талли побывала у меня в последний раз. Я отдала ей папку со всеми материалами, в том числе с фотографиями, где мистер Хант Ллойд снят со своей новой подружкой. В общем, нет ничего удивительного в том, что Талли его выгнала. Что касается денег, то мне кажется, это либо помощница, либо бухгалтер. А может, кто-то еще. Мне не удалось выяснить, кто может иметь доступ к ее счетам, да я и не особенно старалась. Талли Джонс наняла меня, чтобы проследить за бойфрендом и выяснить, останавливалась ли ее помощница в отелях, которые ей пришлось оплатить.

— Ну и как? Останавливалась? — заинтересовался Джим.

— Останавливалась. С ним, с бойфрендом. Он изменил Талли сначала с ее подругой, а потом нашел себе молоденькую секретаршу.

— Тогда ничего удивительного, что мисс Джонс разговаривала со мной так, словно ее мешком по голове огрели. Не представляю, как тебе хватает сил сообщать людям подобные вещи! Мне легче — я только говорю плохим парням, что им придется отправиться в тюрьму.

— Лет этак на сто пятьдесят! — рассмеялась Мег.

На самом деле оба знали, что все не так просто и что в работе у каждого есть свои сложности. Джим высоко ценил Мег, которая была умна, внимательна и умела действовать быстро и решительно. Работать с ней в паре было легко, поэтому, когда она оставила службу, ему очень ее не хватало. Сам Джим давно решил, что если он когда-либо уйдет из ФБР, то пойдет работать к Мег. Она давно его звала, но он не собирался бросать службу, пока не выработает полную пенсию.

— Вы договорились о встрече? — спросила Мег.

В трубке Джим отчетливо слышал галдеж детей и голос мужа, который нетерпеливо окликал супругу. Нормальный субботний день в нормальной семье, мимоходом подумал он и снова с особой остротой ощутил, как ему не хватает Дженни.

— Я обещал заехать к ней домой завтра.

— Ну и отлично. Я рада, что она тебе позвонила. Постарайся не слишком на нее давить, ей сейчас нелегко.

— Я никогда ни на кого не давлю. Тем более на пострадавших, — рассмеялся Джим. — Ладно, до встречи. Я позвоню, расскажу, как и что.

— Договорились. Удачи.

Мег повесила трубку и поспешила к томившимся в ожидании мужу и детям, а Джим еще некоторое время сидел неподвижно, размышляя обо всем, что только что услышал. Похоже, любовник и подруга обошлись с Талли не лучшим образом, а в довершение всего кто-то обобрал ее на миллион. Джим не исключал, что для голливудской знаменитости миллион — это мелочь, и тем не менее ему казалось, что Талли Джонс заслуживает как минимум сочувствия с его стороны.

* * *

Сразу после разговора с фэбээровцем Талли позвонила отцу. Ей нужно было забрать финансовые документы, которые переслал ему Виктор. Сэм не возражал, и они договорились о том, когда она заедет. Талли ничего не сказала ему о Ханте, но когда ближе к вечеру она приехала к отцу, Сэм был потрясен ее видом. Талли была бледна как смерть; глаза ее опухли и покраснели, а под ними залегли темные круги. Кроме того, за два дня она сильно осунулась, а поскольку Талли никогда не отличалась полнотой, сейчас она сделалась похожа на беженку из района военных действий, которой пришлось долго голодать.

— Что с тобой? — обеспокоенно спросил Сэм. — Что случилось?

— Ничего, па. Я просто устала.

— Меня не обманешь, дочка. Рассказывай. Выговоришься — легче станет.

Сэм привлек ее к себе, и Талли, не выдержав, расплакалась. Всхлипывая, она рассказала отцу все. Услышав об измене Ханта, Сэм пришел в ярость. Что касалось Бриджит, то он был скорее удивлен и никак не мог понять, что с ней произошло и как она могла поступить подобным образом со своей работодательницей и подругой. В целом, однако, сообщенные дочерью новости не слишком шокировали старого адвоката: он хорошо знал человеческую натуру и имел довольно полное представление о том, на что способны отдельные представители рода человеческого. Правда, ни от Ханта, который ему искренне нравился, ни от Бриджит, к которой он тоже хорошо относился, Сэм ничего подобного не ожидал. Сейчас, однако, он думал не о них, а о дочери, для которой все пережитое стало болезненным ударом.

— Мужчины часто совершают глупости, дочка, — сказал он, продолжая гладить всхлипывающую Талли по голове, как маленькую. — Особенно если думают не головой, а другим местом. Подумать только, что мне мог нравиться этот мелкий говнюк!.. — добавил он эмоционально, и Талли не выдержала и рассмеялась сквозь слезы.

— Ты прав, па. Похоже, другого названия он не заслуживает.

— И Бриджит тоже хороша. Что ты собираешься с ней делать?

— Пока не знаю. Частный детектив, к которому я обратилась, посоветовала мне обратиться в ФБР. Завтра ко мне приедет агент... или следователь, не знаю точно, как они называются. Для этого мне и нужны сводные ведомости — он все проверит по своим каналам и даст окончательный ответ. — Она покачала головой. — Я не знаю, взяла Бриджит эти деньги или нет, но она три года спала с Хантом, и мне кажется — этого достаточно, чтобы ее уволить. Я... я просто об этом еще не думала. Сначала мне нужно было разобраться с Хантом.

— Ну и как, разобралась? — ласково спросил Сэм.

— Да. Вчера вечером он съехал.

— Молодец, дочка. — Он внезапно нахмурился. — А Макс знает?

— Нет, я ничего ей не говорила. Мне кажется, сначала я должна смириться... или, по крайней мере, привыкнуть к мысли, что его больше нет рядом, и только потом разговаривать с дочерью. Для Макс, я уверена, тоже будет очень больно узнать, что... Кстати, его подружка беременна, и они собираются пожениться. — Незаметно для себя Талли опять свернула на больную тему. — Я спрашивала, согласен ли он ее бросить, — мол, тогда я постараюсь все забыть, — но он отказался. Именно тогда я поняла, что это конец и что я ему больше не нужна... Никому не нужна...

Талли снова всхлипнула. Последние слова она произнесла совершенно убитым голосом, и Сэм не на шутку за нее испугался. Он знал, что не только мужчины делают глупости. Женщины, как правило, сильнее мужчин, но они более эмоциональны и в минуту отчаяния могут совершить непоправимое. Несколько меньше он беспокоился о внучке, хотя и для Макс это известие грозило обернуться изрядным потрясением.

Потом ему в голову пришла еще одна мысль.

— А как же следующий фильм, который вы собирались делать вместе? — спросил Сэм. Это тоже был немаловажный вопрос, касавшийся сразу многих аспектов жизни Талли.

— Я больше не буду с ним сотрудничать, — ответила она. — Я так и сказала ему вчера. Этот фильм мы закончим, и потом — все! Да и как я смогу снова с ним работать, если...

Она не договорила, и Сэм кивнул. Все было ясно и без слов.

— Мне очень жаль, дочка, — проговорил он, касаясь ее мокрой щеки своими скрюченными артритом пальцами. — Действительно жаль. Вместе у вас неплохо получалось, но ты ни в чем не виновата. Просто Хант оказался совсем не таким, каким казался. Подумать только, он изменял тебе все четыре года, и за все время у него так и не проснулась совесть! Нет, то, что вы расстались, — это не несчастье, а скорее удача, большая удача. Ты так не считаешь? — Он изо всех сил пытался подбодрить дочь, но горе Талли все еще было слишком глубоким.

— Поменьше бы таких «удач», — устало сказала она. — Думаю, впредь я постараюсь без них обойтись, иначе меня просто не хватит надолго.

— Я понимаю, понимаю... Но ничего, выше нос, дочка! На Ханте свет клином не сошелся. Ты еще молода, найдешь себе другого мужчину, поприличнее, — уверенно сказал Сэм, но Талли сразу подумала, что после смерти Белинды сам он так и не женился и даже, насколько она знала, не завел ни одного романа, ни одной, даже пустяковой интрижки.

Ее мать была для Сэма единственной любовью в жизни, и памяти Белинды он остался верен до конца. Сама Талли любила Ханта далеко не так сильно, и все же он был для нее важен — с ним ей было приятно и комфортно, к тому же ей нравилось знать, что она кому-то дорога́.

— Мне никто не нужен, па, — возразила она мрачно. — С меня хватит. Я трижды обжигалась, больше не хочу.

— По крайней мере, вы не были официально женаты, — заметил Сэм. — Значит, с точки зрения закона никаких осложнений не будет.

Подобный «профессиональный» подход слегка позабавил Талли. Она улыбнулась, а Сэм продолжал:

— Вы ведь не приобретали вместе никакой недвижимости, никакого имущества, не так ли? Знаешь, это настоящий кошмар, когда супруги разводятся, а тебе приходится распутывать узлы и разбираться с совместно нажитой собственностью. Хуже этого ничего и быть не может. Э-эх, да я ведь, кажется, тебе уже говорил!..

Талли кивнула. Отец действительно не советовал ей оформлять свои отношения с Хантом официально, и она его послушалась. Правда, когда-то давно он сам настоял на том, чтобы она зарегистрировала брак с отцом Макс, но впоследствии Сэм объяснил, что сделал это не ради нее, а ради внучки, и, наверное, он был прав. По крайней мере, теперь Макс знала, что ее родители были женаты по-настоящему, а не просто сожительствовали. Талли, правда, подозревала, что понятие «незаконнорожденный ребенок» мало что говорит дочери. С другой стороны, сознавать, что ты родился в нормальной, полноценной семье, было приятно — она знала это по себе.

— Что касается Бриджит, то мне кажется — ты должна уволить ее как можно скорее, — неожиданно добавил Сэм, и Талли вскинула на него удивленный взгляд.

Похоже, отец не на шутку разозлился на Бриджит, которая осмелилась предать его дочь. Сама Талли не столько сердилась, сколько чувствовала себя глубоко уязвленной тем, что Бриджит завела интрижку с Хантом и столько времени ее обманывала.

— Я разберусь с этим в понедельник. Уволить ее в воскресенье я все равно не могу, — сказала она, стараясь успокоить отца, но на сердце у нее было тяжело.

Талли не могла представить себе жизни без Бриджит точно так же, как и без Ханта. Они были вместе семнадцать лет — целую вечность по нынешним временам. Их дружба была почти как брак, а в последнее время она все чаще думала о Бриджит даже не как о подруге, а как о сестре. Помимо всего прочего, именно благодаря Бриджит ее жизнь текла легко и спокойно; помощница решала большинство деловых и практически все бытовые проблемы, поэтому никакие мелочи не отвлекали Талли от творчества. Теперь, с грустью подумала она, положение изменится: ей придется самой заниматься самыми разными вопросами, по крайней мере до тех пор, пока она не наймет нового помощника или помощницу. А ведь ей, наверное, не каждый подойдет! Словом, ее жизнь действительно пошла наперекосяк, и ничего поделать с этим она не могла.

Пока она размышляла, отец принес ей аккуратно сложенные в папку документы. Талли уже собралась уезжать, когда он неожиданно спросил, кому, по ее мнению, достанутся в этом году награды Киноакадемии и пойдет ли она сама на праздничную церемонию. На оба вопроса Талли совершенно честно ответила, что понятия не имеет. За успехами коллег она следила, но ее мнение слишком часто расходилось с мнением жюри. Что касалось самой церемонии, то она боялась столкнуться там с Хантом — особенно если он будет с другой женщиной.

Попрощавшись с отцом, Талли уехала. Добравшись до дома, она первым делом заглянула во все шкафы и ящики в поисках вещей Ханта. У него была отдельная гардеробная, где оказалось довольно много одежды — домашней и для официальных встреч, в кухне стояло кухонное оборудование, которое он привез с собой или купил, пока жил с нею, два шкафа в кабинете были полны книг и справочников, а на столе лежали рабочие бумаги и ноутбук. Талли натыкалась то на его теннисную ракетку в чехле, то на гребной тренажер, а в прихожей стояла беговая дорожка, которую они покупали вместе. Она не знала даже, с чего лучше начать, однако не позволила себе опустить руки. Отправившись в ближайший супермаркет, Талли принесла оттуда несколько больших картонных коробок и начала понемногу упаковывать в них все, что хотя бы напоминало ей о Ханте. Работа оказалась не из легких — главным образом потому, что она все время плакала. При других условиях Талли попросила бы Бриджит ей помочь, но после ее предательства об этом не могло быть и речи. Талли решила, что соберет все сама, а потом позвонит в компанию, занимающуюся переездами, и отправит вещи Ханту. Ни видеть его, ни даже разговаривать с ним по телефону ей не хотелось.

Но Хант позвонил ей сам, когда в полночь, усталая и измотанная, Талли присела отдохнуть. Сначала она не хотела брать трубку, но ей так его недоставало, что в конце концов Талли сдалась.

— Я хотел узнать, как у тебя дела. Надеюсь, все в порядке? — спросил он.

Голос у него был расстроенный, и в нем сквозило беспокойство. Когда предыдущим вечером он приехал к Анджеле и сказал, что останется у нее насовсем, она была очень рада, но на сердце у Ханта было по-прежнему неспокойно. Правда, возвращаться он все равно не собирался: с Анджелой он связывал все свои надежды на будущее, тогда как Талли осталась в прошлом, однако Хант продолжал чувствовать себя виноватым перед ней.

— Нет, — ответила Талли. — Ничего не в порядке. По правде говоря, мне довольно паршиво, — добавила она, решив быть честной. Это, однако, было ошибкой, так как при этих словах Талли снова начала плакать и никак не могла остановиться. — Да и как может быть иначе, если со мной случились все эти ужасные вещи?.. — проговорила она сквозь слезы. — Как бы ты чувствовал себя на моем месте?

— Мне бы захотелось кого-нибудь убить, — признался Хант. — Кого-нибудь или, может быть, себя... В любом случае я, наверное, не смог бы сдерживаться, как ты, и устроил скандал. Или истерику, — добавил он. — Поверь, Талли, мне очень жаль, что так получилось, и я хотел бы попросить у тебя прощения... за все.

— Ты поступил со мной очень жестоко. Измену я, наверное, смогла бы тебе простить, но ложь... А ведь ты обманывал меня все время, что мы были вместе. — Она снова громко всхлипнула, и Хант почувствовал себя последним мерзавцем.

— Поверь, я действительно не понимаю, как все получилось. После того как я связался с Брит, одно потянулось за другим, ну а чем все закончилось, ты знаешь. Единственное, что я хотел бы тебе сказать, — это то, что Бриджит подстроила все специально. Я практически уверен в этом. Только не подумай, будто я оправдываюсь, — я очень виноват перед тобой, и мне не может быть никаких оправданий, но... Она очень хочет *быть тобой*. Даже если это означает спать с твоим мужчиной. До сих пор не понимаю, что на меня нашло после того первого раза, — я никак не мог от нее отделаться, не мог сказать «хватит, пошла прочь». Бриджит затянула меня в свою паутину, и я никак не мог вырваться.

Если верить ему, Бриджит была главным злодеем, а он — жертвой, но Талли продолжала считать, что Хант виноват не меньше. И то, что сейчас он пытался свалить всю ответственность на Бриджит, не особенно ей понравилось. Она считала, что раз уж он совершил ошибку, то должен иметь мужество признаться в ней. Кроме того, ему с самого начала не следовало спать с Бриджит. Ведь не могла же она заставить его сделать это силой, а раз так, значит, он сам ей поддался. Так Талли и сказала.

— Она шантажировала меня. Сказала, что все расскажет тебе, если я перестану с ней встречаться, а я не хотел тебя потерять... и все равно потерял, — сказал Хант.

— Но это не объясняет, почему ты поменял Бриджит на Анджелу, — возразила Талли. — Или она тоже тебя шантажировала?

— Нет, конечно. Анджела не виновата, это я — глупец... А она... она очень приятная и милая женщина. Нет, Анджела ни при чем, и Бриджит, наверное, тоже. Это я во всем виноват. Я с самого начала все делал неправильно.

— Похоже, что так, — сухо сказала Талли.

— А ты рассказала своему отцу о... о том, что произошло?

— Да.

— Господи, теперь он, наверное, меня ненавидит! — Хант явно смутился. Ему очень не хотелось, чтобы Сэм узнал о его неблаговидных поступках.

— Да, папа очень рассердился. — Да и кто бы на его месте не рассердился, подумала Талли.

— А Макс? Макс знает?

— Пока нет. Я ничего ей не сказала, потому что... потому что это разобьет ей сердце. Она ведь тоже тебя любит. Как и я... — Талли снова заплакала.

— И я тоже вас люблю. И тебя, и Анджелу, и Макс... и твоего отца. Господи, что я наделал! Это же просто какой-то кошмар!

— Да, кошмар, — согласилась Талли. — Причем главным образом — для меня.

То, что Хант ушел от нее к другой женщине, причинило ей боль, но то, что у него будет ребенок от Анджелы, казалось ей самым настоящим оскорблением. И Талли *хотела* его ненавидеть, но... не могла. Вместо ненависти в душе были только пустота и тупая, изматывающая боль, которой, казалось, не будет конца.

— Я соберу твои вещи и перешлю тебе на будущей неделе, — произнесла она уныло, думая о том, что с этими вещами окончательно уйдет из ее жизни все хорошее — все, о чем она мечтала и на что надеялась. Это был конец эпохи, за которой не наступит ничего.

— Хорошо, — сказал Хант. Он так и не решился назвать ей адрес Анджелы, у которой планировал жить в первое время, а Талли не хотела спрашивать, поэтому пообещала, что отправит все вещи на адрес его офиса, и Хант подтвердил, что это его устроит.

Больше говорить было не о чем, им оставалось только попрощаться. На протяжении всего разговора Талли не переставала плакать, и к тому моменту, когда она дала отбой, Хант чувствовал себя настоящим чудовищем. Он как-то не задумывался о том, что расставание может причинить Талли такую боль; отчего-то ему казалось, что для нее все пройдет не так болезненно, но сейчас ему стало очевидно: если лжешь человеку, который тебя любит, ты наносишь ему рану, которая заживет не скоро. А может, и вообще никогда. В глубине души Хант боялся скандала, боялся истерики, может быть — битья посуды, но он не ожидал, что его уход повергнет Талли в такое отчаяние, и теперь ему было не по себе от того, что он поступил с ней так жестоко.

Кроме того, со стороны могло показаться, будто он, как беспечный мотылек, с легкостью перепархивает от одной женщины к другой, нисколько не задумываясь, какие последствия может вызвать его уход. Хант действительно перебрался к Анджеле буквально в тот же день, когда Талли его выгнала, и это, наверное, выглядело не очень солидно, однако основная причина подобной поспешности заключалась вовсе не в том, что Ханту некуда было деваться. На самом деле он хотел защитить Анджелу от ее мужа — особенно теперь, когда она носила его ребенка. Отцовство было для него чем-то совершенно необычным и новым, поскольку детей у Ханта никогда не было, да он и не хотел их иметь. И вот теперь у него будет сразу двое — сын Анджелы и их общий ребенок, который должен появиться на свет месяцев через пять. О своей беременности, кстати, Анджела сообщила ему достаточно поздно, боясь, что он начнет уговаривать ее сделать аборт. Она призналась, что очень хотела родить ребенка именно от него, и Хант почувствовал себя тронутым до глубины души. Это тоже было для него внове. До сих пор еще ни одна женщина не мечтала иметь от него детей.

Талли провозилась с укладыванием вещей почти до двух часов ночи. К этому моменту ей удалось очистить два книжных шкафа и почти всю гардеробную. У Ханта оказалась целая гора вещей, и Талли даже начала бояться, что не успеет собрать все до отъезда в Палм-Спрингс. В воскресенье утром она постаралась встать пораньше и снова взялась за работу. На этот раз у нее была вполне определенная цель, поэтому вместо того, чтобы заливаться слезами каждый раз, когда она открывала очередной шкаф или выдвижной ящик с его вещами, Талли принималась за дело и вскоре упаковала еще две большие картонные коробки. И все же вещей было очень много. Из одной только ванной комнаты она вынесла почти полную коробку всяких мелочей, и это был еще далеко не конец. За четыре года Хант успел основательно обжиться в ее доме, а Талли хотелось, чтобы ей больше ничто о нем не напоминало.

Она как раз разбирала бумаги в его кабинете, когда раздался звонок в дверь. Это пришел старший агент Кингстон из ФБР. Отворив дверь, Талли увидела на пороге высокого, подтянутого мужчину довольно приятной наружности — темноволосого, голубоглазого и широкоплечего. Несмотря на воскресенье, он был одет в белую сорочку с галстуком, пиджак спортивного покроя, серые брюки и замшевые мокасины. Как Джим объяснил ей впоследствии, он пришел не в гости, а с рабочим визитом, поэтому и оделся столь официально. Он сразу назвал себя и предьявил удостоверение сотрудника ФБР, и Талли пригласила его в кухню, извинившись за царящий в доме разгром. Джим, впрочем, успел заметить стоящие в прихожей пустые и заполненные коробки. О том, что они означают и чем занимается Талли, он догадался почти сразу, но никаких вопросов задавать не стал.

В кухне она предложила ему чай или кофе, но он отказался и от того, и от другого, и Талли вручила ему документы, которые взяла у отца. Некоторое время Джим внимательно их изучал, потом поднял голову и посмотрел на Талли. Лицо у нее было печальное, большие зеленые глаза припухли от слез, и он понял, что она еще не смирилась со своим горем.

— Что ж, мисс Джонс, давайте немного поговорим о том, кто мог украсть у вас эти деньги. Ограничимся пока теми тремя вариантами, о которых вы говорили по телефону. Итак, что подсказывает вам ваша интуиция? Кто, по-вашему, это может быть?

— Моя интуиция говорит, что я — идиотка, потому что не заметила исчезновения денег раньше, — невесело сказала Талли. — Впрочем, как недавно выяснилось, вокруг меня происходило много всякого, а я не замечала *ничего*.

— Люди, которые присваивают чужие деньги мошенническим путем, как правило, действуют очень хитро и осторожно, — хладнокровно заметил Джим. — Они отлично знают, как далеко можно зайти, сколько они могут взять и как замести следы, чтобы не попасться. Возможно, для вас это будет слабым утешением, но я из опыта знаю, что в большинстве случаев мошенником оказывается именно тот, кому жертва больше всего доверяла. Именно поэтому разоблачить злоумышленника бывает довольно трудно, но... но мы справляемся. — Он чуть заметно улыбнулся уголками губ.

— Сначала я подумала на Виктора Карсона, на моего бухгалтера, — ответила Талли. — Мне казалось — если это был не он, то почему он не обнаружил исчезновение денег раньше?

— Не исключено, что он не обнаружил их исчезновение по той простой причине, что злоумышленник отлично знал, как обвести вокруг пальца не только вас, но и его. Поверьте, ФБР достаточно часто сталкивается с подобными вещами. Я, разумеется, побеседую и с вашим бухгалтером, а наши финансовые эксперты поработают над вашим гроссбухом и остальными документами. Думаю, что объектами расследования мы сделаем именно вашего бухгалтера, вашу помощницу и вашего... в общем, мужчину, с которым вы жили. Если выяснится, что все они непричастны к пропаже денег, что ж, будем копать дальше, пока не найдем истинного виновника. Вы согласны?

Талли кивнула. Она считала, что только трое перечисленных им людей действительно могли ее обворовывать, причем в невиновности Ханта она была уверена практически на сто процентов. Так Талли и сказала Джиму.

— Мег Симпсон тоже считает, что мистер Ллойд не причастен к этой некрасивой истории, — кивнул Джим. — Зато ваша помощница прекрасно подходит на роль основной подозреваемой.

— Это еще почему? — удивилась Талли.

— Потому что, насколько я понял, вы ей полностью доверяете. А доверие дает нечестному человеку широкие возможности. Кроме того, однажды мисс Паркер вам уже солгала, и вы об этом знаете.

Талли снова кивнула. Она знала, о чем идет речь, и была благодарна Джиму за то, что он не стал пускаться в подробности.

— Завтра я собираюсь уволить Бриджит, — сказала она грустно.

Она размышляла над этим всю ночь, пока не заснула, но окончательное решение приняла только утром, когда проснулась. Им придется расстаться. Талли просто не могла оставить Бриджит на должности своей личной помощницы после всего, что́ та сделала.

— А вот с этим я бы на вашем месте спешить не стал, — сказал Джим, и Талли недоуменно вскинула брови, хотя Мег тоже советовала ей не торопиться.

— Почему нет?

— Мне бы хотелось, чтобы, пока мы ведем расследование, мисс Паркер ничего не знала о наших подозрениях. В противном случае она будет очень осторожна, и нам будет труднее взять ее с поличным. Вы уже разговаривали с ней насчет этих денег?

— Да. Я спрашивала, не знает ли она, куда они могли подеваться, и Бриджит ответила, что их вымогал у нее Хант. Тогда я ей поверила, но потом...

— Вы не возвращались к этой теме после того, как получили у Мег отчет о результатах расследования?

— Нет, отчет я получила в пятницу, с тех пор мы не виделись. Бриджит вообще не знает, что я обратилась к частным детективам.

— Мне бы хотелось, чтобы вы продолжали делать вид, будто ничего не знаете и продолжаете ей доверять, — сказал Джим. — Я понимаю, это будет непросто, но поверьте, мисс Джонс, — это в ваших собственных интересах. Ваша помощница сообщила вам о том, что у вашего любовника появилась другая женщина. Скажите ей, что из-за этого вы с ним и расстались, а об остальном промолчите. Впрочем, можете добавить, что подозреваете в краже денег его и вашего бухгалтера. Мне кажется, это должно успокоить мисс Паркер, а мы посмотрим, что она предпримет. Правда, после того как вы расстались с вашим любовником, она больше не сможет сваливать исчезновение денег на него, поэтому на какое-то время кражи прекратятся. Но потом, я думаю, она отыщет какой-то другой способ забраться к вам в карман — тут-то мы и схватим ее за руку. Если ваша помощница не будет знать, что ее подозревают, она расслабится и наделает ошибок. В этом наше преимущество. Как только мы получим неопровержимые доказательства ее вины, вы сможете ее уволить, а до тех пор... Короче говоря, нам нужно время.

— Как долго мне придется ждать и притворяться, будто я ничего не знаю? — хмуро спросила Талли, у которой этот план не вызвал особого воодушевления — главным образом потому, что она не могла бросить в лицо Бриджит обвинение в том, что та спала с Хантом за ее спиной.

Сейчас ее помощница считала, что Талли сердится на нее за то, что она не сообщила ей об увлечении Ханта Анджелой раньше. Что касалось кражи наличных денег, то Талли не обвиняла в этом Бриджит — она только спросила ее, куда они могли деваться, и та ответила, что их присваивал Хант, правда, не без ее помощи. О том, что Талли знает о ее и Ханта трехлетнем романе, Бриджит не имела ни малейшего представления.

— Нам может потребоваться месяц или два, а может быть, и больше, — ответил Джим. — Лично мне кажется, что все выяснится в течение месяца; в любом случае по прошествии этого срока какие-то результаты мы наверняка получим и сможем скорректировать наши дальнейшие действия. Но до тех пор вам придется делать вид, будто вы простили вашу помощницу. Пока идет расследование, нужно предоставить ей полную свободу — пусть покрепче запутается в наших силках. Мы будем присматривать и за ней, и за вашими деньгами — за приходом, за расходом; кроме того, нужно будет допросить мистера Ллойда и мистера Карсона и удостовериться, что они ни при чем, но главное все-таки зависит от вас. Вы не должны подавать вида, будто что-то знаете или о чем-то догадываетесь. Как вы, справитесь?

Талли медленно кивнула. То, чего требовал от нее спецагент Кингстон, было нелегко исполнить, к тому же ей не хотелось, чтобы коварный враг, каковым вполне могла оказаться Бриджит, оставался ее доверенным лицом еще целый месяц, однако в его словах был определенный смысл.

— Я попробую, — проговорила Талли, криво улыбнувшись. — Я ведь начинала как актриса и только потом стала режиссером. Да, думаю, я справлюсь. Дело в другом — мне очень противно притворяться, будто все в порядке, хотя на самом деле...

— От вашей игры многое зависит, — проговорил Джим. — Я не хочу сказать, что у нас нет других способов выяснить истину, просто тот путь, который я предлагаю, даст самые быстрые и самые лучшие результаты. Разумеется, о том, что вы обращались в частное детективное агентство и в ФБР, не должна знать ни одна живая душа.

Джим также предупредил Талли, что, если в ходе расследования не будет выявлено преступлений федерального уровня — таких, например, как электронное или банковское мошенничество, — им придется передать дело полиции. Об этом, добавил он, пока рано думать, сначала нужно получить улики, а там будет видно. Говорил Джим в сдержанной, деловой манере, и это очень понравилось Талли. Сразу было видно, что перед нею — настоящий профессионал. Кроме того, он демонстрировал искреннее участие к ней и неподдельный интерес к ее проблемам, и это тоже не могло ее не тронуть. Талли чувствовала, что ее дело в надежных руках, и уже больше не сомневалась в том, что его необходимо расследовать до конца. Два человека, которых она любила и которым доверяла больше всего, ее предали; оставалось только выяснить, кто из них ее обокрал.

— Большое спасибо, мистер Кингстон, — сказала Талли, вздохнув с облегчением.

Разговор получился подробным и обстоятельным, и она не сомневалась, что ему удастся все досконально выяснить. После знакомства с этим компетентным профессионалом и просто приятным, вежливым человеком ей даже стало немного легче на душе, хотя за прошедший час с небольшим — столько длилась их встреча — ее обстоятельства нисколько не изменились.

— Прошу вас, называйте меня просто Джим и на «ты», — попросил он. — Мне так привычнее.

— Тогда и вы называйте меня Талли, — ответила она. — Я каждый раз вздрагиваю, когда слышу ваше «мисс Джонс». Меня так никто не называет.

Он рассмеялся.

— Хорошо... Талли. Не надо беспокоиться: мы раскроем это дело, хотя для этого понадобится время. К сожалению, подобные дела иногда тянутся гораздо дольше, чем хотелось бы... жертвам. — На последнем слове Джим слегка запнулся, а Талли поморщилась.

— Я не считаю себя жертвой, — сказала она. — Это звучит слишком ужасно.

— Это и *есть* ужасно. Вы... то есть ты стала жертвой настоящего преступления. Люди вроде тебя часто становятся мишенью всякого рода проходимцев.

— Да, наверное, я напрасно слишком доверяла Бриджит. Но, с другой стороны, как можно не полагаться на человека, который честно проработал на тебя больше полутора десятков лет? Ничего удивительного, что я стала доверять ей буквально во всем.

— Вероятно, соблазн оказался чересчур велик, и в конце концов мисс Паркер воспользовалась своим исключительным положением. Только ничего хорошего это ей не принесет: если дело дойдет до суда и мисс Паркер признают виновной, она получит весьма внушительный срок. В последнее время суды считают злоупотребление доверием отягчающим обстоятельством, а мисс Паркер именно так и поступила с тобой. Злоупотребление доверием — это очень серьезно, — сказал он, а Талли подумала, что это относится и к Ханту, но судить и приговорить его нельзя. Он не совершил преступления — он просто нарушил свои же обещания и разбил ей сердце. — Я думаю, следственные действия мы начнем уже завтра, — сказал Джим, и Талли продиктовала ему телефоны Виктора и Ханта, чтобы он или его помощники могли с ними встретиться.

Бриджит Джим пока трогать не собирался — только наблюдать за ее действиями и поступками, да еще за счетами Талли, чтобы проверить, будет ли она по-прежнему терять по двадцать пять тысяч в месяц. Он был уверен, что теперь, когда Хант исчез из жизни Талли, Бриджит придется действовать хитрее, и ему нужно быть предельно осторожным, чтобы ее не насторожить. Если деньги присваивал все-таки Хант, утечка средств со счетов прекратится вовсе; если же это был Виктор, воровство продолжится в прежних масштабах, хотя не исключено было, что бухгалтер найдет другой способ обирать свою клиентку.

На этом разговор закончился, Джим поднялся и стал прощаться, и Талли снова поблагодарила его за то, что он приехал к ней в свой выходной.

— Извини, что пришлось побеспокоить тебя в воскресенье, — проговорила она, все еще чувствуя некоторую неловкость от того, что обращается на «ты» к столь малознакомому человеку.

Джим улыбнулся:

— Ничего страшного, мисс Джо... Талли. — Он тоже еще не привык называть знаменитость просто по имени. — Честно говоря, сегодня у меня не было никаких особых дел. Обычно я провожу выходные с сыном, но ему скоро шестнадцать, и у него все чаще и чаще находятся занятия поважнее, чем общаться с отцом. — Джим снова улыбнулся, впрочем, не слишком весело.

— Моей дочери восемнадцать, — сказала Талли. — Я тоже вижу ее довольно редко. Правда, она учится в колледже в Нью-Йорке, но когда приезжает, то тоже проводит больше времени с подругами, чем со мной. — Она улыбнулась, и они немного поговорили о детях, благодаря чему дружеское расположение, которое оба испытывали друг к другу, еще больше укрепилось.

— Мой старший сын учится в Мичиганском университете, — поделился Джим. — Дети вырастают, уезжают в другие города, начинают жить собственной жизнью. И с этого момента они нам больше не принадлежат. Вот почему я так вцепился в своего младшего, хотя он тоже уже почти взрослый, — признался он, и оба рассмеялись.

Интересно, подумала Талли, Джим разведен? Она, разумеется, ни о чем его не спрашивала, а он не говорил о своем семейном положении, и тем не менее у нее сложилось впечатление, что в настоящий момент он живет без жены, с одними лишь сыновьями. Но, быть может, она и ошибалась. Джим казался ей вполне достойным мужчиной — умным, рассудительным, хорошо воспитанным. Кроме того, ее известность не произвела на него особого впечатления: Джим хотя и разговаривал с ней с подчеркнутым уважением, но не пресмыкался и не старался угодить. Он, правда, еще раз извинился перед ней за то, что не сразу догадался, кто она такая, на что Талли сказала:

— Ничего страшного, Джим. Я сама не считаю себя звездой и не люблю, когда окружающие начинают со мной носиться.

Она говорила совершенно искренне, и Джим подумал, что для настоящей голливудской знаменитости это довольно необычно. Ее слава, известность существовали как бы отдельно от нее, в самой же Талли не было ничего напыщенного или претенциозного. Напротив, общаться с ней было очень легко, и это тоже говорило в ее пользу.

— Я обязательно позвоню, если у меня возникнут какие-то дополнительные вопросы или появятся результаты, — пообещал Джим, когда они уже вышли в прихожую. — До свидания, Талли.

На прощание они обменялись рукопожатием, потом Джим сел в свою машину и уехал. Талли провожала его взглядом, пока он не скрылся за углом. Она была рада, что послушалась совета Мег и позвонила ему, хотя и жалела, что не может избавиться от Бриджит уже завтра. Теперь ей придется еще целый месяц, а может, и больше, притворяться, будто ничего особенного не происходит. Талли понимала, что это будет нелегко, но Джим объяснил ей, почему это необходимо. Кроме того, он сказал, что даже ФБР понадобится время, чтобы получить допуск к персональной банковской статистике Бриджит. Джим, впрочем, обешал, что постарается действовать как можно быстрее, но в данном случае все зависело от того, как быстро будут поворачиваться прокуратура и соответствующие банковские структуры.

Вскоре после ухода Джима Талли вернулась к укладыванию вещей Ханта. Она как раз упаковала очередную коробку, когда ей позвонил отец.

— Ну, как прошла твоя встреча с фэбээровцем? — спросил Сэм, которому очень хотелось узнать, что сказал Талли представитель официальных властей.

— Все в порядке, па, не волнуйся, — ответила Талли. — Мне пообешали, что ФБР все проверит. К сожалению, я пока не могу уволить Бриджит. Им нужно выиграть время для следствия и при этом не дать ей понять, что ее в чем-то подозревают. Быть может, она совершит ошибку, и тогда ее схватят с поличным.

— Что ж, вполне разумная стратегия, — одобрил Сэм. — Боюсь только, что тебе нелегко придется. Ведь это ты должна будешь терпеть ее рядом с собой и делать вид, будто ничего особенного не произошло.

— К счастью, Бриджит не знает, что мне все известно насчет нее и Ханта... Я могу ей сказать, что он признался в своем романе с Анджелой: пусть думает, что о ней он ничего не говорил. Кстати, если верить Ханту, Бриджит вела себя с ним так, словно... словно у нее в голове что-то повредилось. То, что он говорил, выглядит довольно странно, ну а правда это или нет, мы со временем узнаем. То есть я надеюсь, что узнаем, — поправилась она. — Я притворюсь, будто простила ее за то, что она не рассказала мне об измене Ханта раньше, Бриджит расслабится и попадет в ловушку, которую расставило для нее ФБР.

— Хороший план, ничего не скажешь. Но я все равно за тебя беспокоюсь, дочка, сможешь ли ты выдержать...

— Думаю, мне *придется* выдержать. — Талли слегка улыбнулась. — Агент, с которым я разговаривала, сказал, что это самый верный и самый быстрый способ вывести Бриджит на чистую воду. И все-таки мне жаль, что я не смогу уволить эту лживую тварь уже завтра! — добавила она.

Сэм сочувственно вздохнул. Он очень переживал за дочь, которую предал не только любовник, но и ее ближайшая подруга, но сделать ничего не мог. Им с Талли оставалось только ждать, пока ФБР добудет доказательства вины Бриджит; тогда, быть может, она получит по заслугам.

Увы, старый юрист как никто другой знал, что до этого момента может пройти еще очень много времени.

Глава 10

Стараясь в точности исполнить рекомендации Джима, Талли сама позвонила Бриджит и попросила отвезти ее в Палм-Спрингс. Все дальнейшее происходило по заведенному порядку. Бриджит заехала за ней рано утром, и они тронулись в путь. После обычной остановки у кофейни «Старбакс» Талли некоторое время молчала, не зная, что сказать, но потом ей стало совершенно ясно, чтó нужно делать, чтобы заставить Бриджит отказаться от любых подозрений.

— Как прошли выходные? — небрежно спросила Бриджит, пристально глядя на ложащееся под колеса пустынное шоссе.

— Не слишком хорошо, — ответила Талли и протяжно вздохнула. — Мы с Хантом расстались. Я... я его выгнала.

— Какой кошмар! — воскликнула Бриджит, исподтишка бросая на Талли испытующий взгляд. — Это... это из-за того, чтó я тебе рассказала?

Талли кивнула и отвернулась, глядя в окно. После всего, что произошло, ей не было нужды притворяться грустной — на душе у нее по-прежнему кошки скребли, и она с трудом сдерживала слезы.

— Да, — подтвердила Талли, снова поворачиваясь к бывшей подруге, и Бриджит сразу увидела, насколько тяжело дались ей переживания прошедших двух дней. — Ты была права, — добавила Талли. — У Ханта действительно роман с секретаршей из его офиса. Он сказал, что любит ее и что у нее будет от него ребенок.

Услышав эти слова, Бриджит негромко ахнула, и по ее лицу скользнула недовольная гримаса.

— Он что, собирается на ней жениться? — потрясенно спросила она. При этом Талли показалось, что Бриджит изумлена не меньше ее.

— Скорее всего, — пожала она плечами. — Когда я сказала, что постараюсь простить его, если он ее бросит, Хант отказался. Мне не оставалось ничего другого, кроме как попросить его съехать. Это было еще в пятницу. Думаю, он отправился прямо к ней.

Последовало довольно продолжительное молчание. Бриджит пыталась переварить услышанное, и на лице ее сменилась целая гамма чувств. Талли, впрочем, знала ее достаточно хорошо, чтобы понять — Бриджит сильно расстроена известием о том, что Хант собирается жениться на своей любовнице и что у него будет от нее ребенок.

— А насчет денег ты его спрашивала? — спросила Бриджит после паузы.

Талли молча кивнула.

— И что он сказал?

— Он, конечно, клялся, что ничего не брал, но я ему не верю. Как бы там ни было, теперь он не будет вымогать у тебя мои деньги, так что, по крайней мере, эта проблема решена.

И снова наступило молчание. Они проехали еще несколько миль, потом Бриджит сказала:

— Мне очень жаль, Талли. Действительно очень жаль.

Похоже было — она поверила Талли, поверила, что та считает, будто деньги брал Хант, и ее убитый вид объяснялся исключительно известием о том, что бывший любовник изменил ей с Анджелой.

— Почему ты не позвонила мне? Я бы сразу к тебе приехала, — добавила Бриджит. — Вдвоем все-таки легче...

Она произнесла эти слова с совершенно искренней интонацией, но Талли сразу подумала, что помощница пытается вернуть ее доверие.

— Честно говоря, мне это просто не пришло в голову. Я... я была слишком потрясена, когда Хант признался, что любит другую. После его ухода я два дня проплакала. Возможно, я немного поторопилась, когда велела ему убираться, но ведь он совершенно ясно сказал, что не собирается бросать эту свою секретаршу, а быть третьей лишней в любовном треугольнике мне не хотелось. Это слишком... банально. И пошло. Кроме того, если она действительно беременна, у меня нет ни одного шанса его вернуть.

— Мне казалось, Хант не собирался заводить детей. — Бриджит нахмурилась.

Талли с горечью улыбнулась.

— По-видимому, он не хотел ребенка *от меня*, но секретарша — дело другое. Она ведь на тринадцать лет моложе меня, по сравнению с ней я — старая корова. Кстати, у нее уже есть сын от первого брака, и Хант от него без ума.

И снова наступила довольно продолжительная пауза. Наконец Бриджит спросила негромким, вкрадчивым тоном:

— А на меня ты все еще сердишься? Ну, за то, что я так долго молчала о его любовнице и... о деньгах?

Талли покачала головой.

— Нет. Кто-то должен был мне сказать, так уж лучше ты.

Нелегко дались ей эти слова, но, преодолев спазм, перехвативший горло, она все же их произнесла. За последние несколько дней Талли узнала о Бриджит куда больше, чем за многие годы. Бриджит лгала ей, спала с ее любовником и к тому же тайком ее обкрадывала. Это было отвратительно, и Талли едва сдерживалась, чтобы не высказать бывшей подруге в лицо все, что она о ней думает. Ханта она еще могла если не простить, то, по крайней мере, понять, но к Бриджит это не относилось. Ни понять, ни простить ее она не сумела бы никогда. Все дружеское расположение и привязанность, которые Талли испытывала к подруге, умерли в тот момент, когда Мег рассказала ей, что Бриджит и Хант три года встречались в тех самых отелях, счета из которых она, ничего не подозревая, оплачивала до тех пор, пока Виктор не забил тревогу. Целых три года Бриджит спала с ее любовником и при этом продолжала как ни в чем не бывало смотреть ей в глаза, не испытывая ни неловкости, ни стыда. И Талли совершенно искренне считала ее самой лучшей, самой близкой подругой! Она любила Бриджит, а та совершенно беззастенчиво обманывала ее вместе с Хантом. Ничего более низкого Талли не могла себе представить. Уж от Бриджит-то она, во всяком случае, ничего подобного не ожидала, полагая, что изучила ее достаточно хорошо. Увы, и Бриджит, и Хант, которому она доверилась, несмотря на то что знала его не так давно, оказались людьми мелочными и слабыми, неспособными противостоять соблазну.

— Я только жалею, что ты не предупредила меня раньше, — добавила она негромко, и помощница с облегчением вздохнула. Похоже, Талли удачно справлялась со своей ролью — Бриджит так и не удалось раскусить ее игру.

— Я боялась, что ты продолжаешь на меня сердиться, — проговорила Бриджит доверительным тоном. Теперь она уже не сомневалась, что Талли винит во всем Ханта, а значит, сама она вне подозрений. Пройдет немного времени, и они смогут вернуться к прежним дружеским отношениям. — Я просто вся извелась — никак не могла решить, говорить тебе или нет.

— Нет, не сержусь, — со вздохом ответила Талли и, откинувшись на спинку сиденья, прикрыла глаза, давая понять, что хочет немного отдохнуть.

Продолжать этот разговор ей совершенно не хотелось. Хорошо бы, подумала она, чтобы ФБР поскорее закончило свое расследование. Притворяться перед Бриджит, будто они снова задушевные подруги, было невероятно тяжело, и она чувствовала, что надолго ее не хватит. Джим Кингстон предупреждал, что на поиски улик может уйти до двух месяцев. Талли этот, в общем-то, небольшой срок казался вечностью. Каждый раз, когда она смотрела на Бриджит, ей сразу вспоминалось, как она лгала, как притворялась лучшей подругой, а сама в это время спала с Хантом в номерах дорогих отелей. Сама мысль об этом вызывала у нее тошноту, и Талли очень хотелось, чтобы Бриджит исчезла из ее жизни как можно скорее вне зависимости от того, была ли она виновна в исчезновении денег или нет. Ведь даже если Бриджит не взяла у нее ни цента (что, впрочем, вызывало большие сомнения), она оставалась двуличной обманщицей без капли совести и чести. Наверное, думала Талли, так или примерно так чувствуют себя обманутые жены, когда узнают, что муж изменил им с их лучшей подругой. Правда, они с Хантом не были женаты официально, однако она жила с ним и любила его.

— Ты не собираешься заявить на Ханта в полицию? Ну, насчет денег, я имею в виду? — с деланой небрежностью осведомилась Бриджит, и Талли покачала головой.

— Не вижу в этом особого смысла. Денег мне все равно никто не вернет, а в том, что их украл именно Хант, я и так не сомневаюсь, — ответила она, стараясь еще больше успокоить Бриджит. «Пусть думает, что я ей верю и ни в чем не подозреваю, — рассуждала Талли. — Тогда, быть может, она наделает ошибок, и Джим Кингстон разоблачит ее».

Бриджит кивнула, и остаток пути они проделали в молчании.

Оказавшись на съемочной площадке, Талли сразу с головой ушла в привычную работу и скоро забыла о своих невзгодах. «Все-таки хорошо, — думала она во время редких технических пауз, — что у меня есть дело, благодаря которому я могу отвлечься от мыслей о Ханте с Бриджит, об их предательстве». Она и в самом деле увлеклась съемками и даже почувствовала себя чуточку бодрее, однако, когда в обеденный перерыв Талли вернулась в свой трейлер, первым делом она позвонила своему адвокату Грегу Томасу.

— Ну как, — спросил он после того, как они обменялись приветствиями, — помогла вам Мег Симпсон?

— Это с какой стороны посмотреть, — мрачно ответила Талли. — Скажем так, ей удалось выяснить все, что я хотела знать, но услышать об этом было не слишком приятно. Оказывается, Хант изменял мне все четыре года нашего знакомства, причем первые три года он регулярно спал с моей ближайшей подругой. Это была главная неприятная новость, но увы — не единственная. Было и еще кое-что...

— Сочувствую вам, Талли. А что насчет денег? Их тоже брал Хант?

— Как раз это пока неизвестно, но я не думаю, что это он. Мег порекомендовала мне обратиться в ФБР — к агенту, с которым она когда-то работала. Я встречалась с ним вчера, и он посоветовал мне не делать поспешных шагов, поскольку доступ к моим деньгам имели и другие люди. Сам он начинает полномасштабное расследование, которое, я надеюсь, все прояснит.

— Честно говоря, Талли, я очень рад это слышать. Уж ФБР-то докопается до истины. Ну а чем я могу быть вам полезен?

— Я хочу, чтобы вы послали Ханту... мистеру Ллойду официальное уведомление о том, что я отказываюсь от дальнейшего сотрудничества. Я не буду снимать с ним следующий фильм. Точка. Нашему партнерству конец. В пятницу, перед тем как он... съехал, я сказала ему об этом, но он, кажется, мне не поверил или не придал моим словам значения. Вот почему я намерена оформить свой отказ документально. Я не могу и не хочу участвовать в его новом проекте, и мистер Ллойд должен узнать об этом до того, как он заключит договор с японским инвестором. К счастью, мы пока не подписывали никаких официальных документов, так что никаких санкций или неустоек быть не должно.

— Вы уверены, Талли? — мягко спросил Грег.

Первый совместный фильм Талли и Ханта принес очень высокую прибыль, и отказ от продолжения сотрудничества был с ее стороны большой жертвой. Сама Талли это тоже понимала, но никаких сомнений у нее не было. Она снимала отличные фильмы до того, как познакомилась с Хантом, будет снимать их и теперь. Чтобы сделать успешную, прибыльную картину, Хантер Ллойд был ей вовсе не нужен: Талли могла найти другого продюсера, а могла взяться за эту работу сама. Одного ее имени было вполне достаточно, чтобы фильм стал настоящим блокбастером.

— Уверена, — без колебаний ответила она. — Я больше не буду сотрудничать с Хантом вне зависимости от того, сколько мы смогли бы заработать в итоге. Он лжец и... и просто непорядочный человек, а работать с такими партнерами я не могу. Себе дороже. В общем, Грег, отправьте ему уведомление, да поскорее.

— Я займусь этим безотлагательно, — пообещал Грег Томас. Талли всегда была человеком принципиальным, и сейчас он еще раз убедился в том, что морально-этическая сторона была для нее важнее денег.

— Спасибо, Грег.

— Но, мисс Талли... На составление официального документа все равно понадобится какое-то время. Чтобы мистер Ллойд был в курсе, я могу направить его адвокату предварительное уведомление по электронной почте.

— Хорошо, Грег, поступайте, как считаете нужным.

Адвокат сдержал слово. Извещение юристам Ханта он отправил, по-видимому, сразу после телефонного разговора с Талли. Она догадалась об этом, когда около четырех часов пополудни Хант принялся названивать ей на мобильник. Она видела его имя на экранчике, но отвечать на звонки не стала. Хант, однако, не сдавался и прислал ей по меньшей мере три пространных текстовых сообщения, в котором умолял отказаться от своего решения или перезвонить ему, чтобы обсудить дополнительные условия. Вероятно, Хант вообразил, что, предложив Талли какие-то финансовые выгоды, он сумеет ее уговорить, и она впервые за все время засомневалась в том, что это не он украл у нее деньги.

В конце концов Талли набрала знакомый номер. Было это уже вечером, когда съемки закончились и она села в один из студийных внедорожников, чтобы вернуться в Лос-Анджелес. Бриджит, которой Талли сказала, что хочет немного побыть одна, уехала с полчаса назад. Чтобы не отвлекаться от управления, Талли включила телефон на громкую связь и невольно вздрогнула, когда из динамиков раздался некогда близкий и родной голос.

— Это несерьезно, Талли! — воскликнул Хант, когда она спросила, что, собственно, ему непонятно. — Я не верю, что ты действительно не хочешь работать со мной. Одумайся! Ведь речь идет не о нашей с тобой личной жизни, а о карьере! О работе!

— Вот именно, — холодно ответила Талли. — Наша с тобой совместная жизнь закончилась — и наша работа тоже. Я не могу сотрудничать с человеком, который мне лгал. Теперь мы с тобой абсолютно чужие люди.

В ее словах прозвучала горечь — за сегодняшний день она изрядно устала, да и забыть о том, чтó он сделал, Талли не могла. Она знала, что боль, которую причинил ей Хант, не пройдет еще долго; фактически ее страдания только начались. Нечто подобное Талли испытывала десять лет назад, когда узнала об измене второго мужа, вот только в этот раз все было гораздо хуже.

И больнее.

— Ты хоть понимаешь, во что обойдется нам обоим твое упрямство? Если ты не станешь снимать эту картину, мистер Накамура тоже откажется от сделки. Я только что разговаривал с его представителем, и он это подтвердил.

— Тем хуже для тебя, Хант. Наверное, ты напрасно не подумал о последствиях, когда укладывал в постель сначала Бриджит, а потом эту твою секретаршу. Или ты рассчитывал, что после всего этого я буду работать с тобой как ни в чем не бывало?

— Послушай, Талли, мы же с тобой разумные, взрослые люди. Зачем смешивать бизнес и личные проблемы? Мы с тобой уже работали вместе, и весьма успешно. Неужели ты хочешь просто взять и зачеркнуть все, что было?

— Ты это *уже* зачеркнул, — сухо ответила Талли. — И назад пути нет. Я больше не буду работать с тобой. Никогда. Это мое окончательное решение.

— Но послушай, давай поговорим об этом еще раз, хорошо? Скажем, завтра или через несколько дней, когда ты немного...

— Нет.

— И что ты мне предлагаешь сказать мистеру Накамуре? Что тебе вожжа под хвост попала? — Хант, похоже, не на шутку завелся.

— Скажи ему, что пока ты жил со мной, ты одновременно трахал мою ассистентку и свою секретаршу, и я очень на тебя за это обиделась. Я уверена, мистер Накамура все поймет правильно. — Талли тоже рассердилась и вдруг с удивлением обнаружила, что гнев гораздо лучше уныния и тоски.

— Слушай, Талли, я же сказал, что мне очень жаль. Я поступил... неправильно. Ты этого не заслуживала, и я готов попросить у тебя прощения. Но зачем же из чистого упрямства ломать карьеру себе и мне? Что ты пытаешься этим доказать?

— Я ничего никому не собираюсь доказывать. Я просто не хочу с тобой работать, только и всего. Эту картину мы закончим — и все. Конец.

Услышав эти слова, Хант с облегчением вздохнул. Поначалу он боялся, что Талли хлопнет дверью и ему придется каким-то образом доснимать нынешнюю ленту самому. Единственное, на что он надеялся, — это на профессионализм Талли, который не позволил бы ей бросить недоделанную картину, — и на ее порядочность. С другой стороны, он знал, что Талли человек прямой, принципиальный и даже немного упрямый — особенно когда она считала, что с ней обошлись несправедливо. А с ней *обошлись* несправедливо — он сам и обошелся. К счастью, она не отказывалась доделать текущий фильм, что же до остального... Тут ее не сдвинешь, подумал он расстроенно. Быть может, со временем она и передумает, но вряд ли.

Тут ему в голову пришла еще одна мысль.

— А Бриджит ты уволила?

— Нет, — коротко ответила Талли.

— Почему?

— Тебя это не касается.

— Но я не понимаю, почему ты можешь простить ее и не хочешь простить меня?!

— Я не говорила, что простила ее, — сказала она тихо и ничего больше не добавила.

Не могла же она, в самом деле, объяснить Ханту, что не уволила Бриджит потому, что так ей посоветовали в ФБР? Во-первых, Хант мог проболтаться, а во-вторых, он и сам был объектом расследования, о котором ничего не должен был знать.

— Это мое дело, Хант. Мое, а не твое, — добавила Талли. — Я предлагала тебе остаться, а при каком условии, ты знаешь. Ты не захотел бросить Анджелу, а я не захотела жить с человеком, который спал с двумя женщинами и лгал одной из них. Или обеим. Каждый из нас сделал свой выбор, Хант.

— Я знаю, что совершил чудовищную ошибку, Талли, но ты должна знать: я по-прежнему тебя люблю.

— Я тоже тебя люблю... к несчастью. Надеюсь, со временем мы оба это преодолеем, и все равно работать с тобой я больше не буду. Вот все, что я хотела тебе сказать... Да, ничего не говори о нас Макс, если она вдруг тебе позвонит. Я сама ей все расскажу, когда она приедет в Лос-Анджелес. Или, возможно, я сама съезжу к ней в Нью-Йорк. Такие вещи нужно сообщать лично, а не по телефону. Вот теперь все. Прощай, Хант. Удачи.

Она дала отбой, а Хант еще долго смотрел на молчащий аппарат в своей руке. До подписания договора о сотрудничестве с Накамурой оставалось всего несколько дней, но, похоже, дело срывалось. Такова была цена, которую ему предстояло заплатить за то, что он сделал. Талли Хант не винил — он знал, что поступил с ней нечестно и жестоко, и она была совершенно права, когда выгнала его из своего дома. Не понимал он другого: почему она отказывается с ним работать? Из-за ее глупого упрямства и каких-то дурацких, почти средневековых принципов они наверняка потеряют самого крупного инвестора из всех, что у них когда-либо был, поскольку — а Хант очень хорошо это сознавал — основной приманкой для богатого японца было имя Талли Джонс. Не будет ее — не будет и денег, и, соответственно, не будет фильма, который обещал стать одной из самых громких премьер десятилетия. Талли была ему необходима — без нее Хант мало что мог предложить потенциальным инвесторам, но и вернуться к ней он тоже не мог, потому что не хотел бросать Анджелу и ребенка. Положение казалось безвыходным, и Хант с грустью подумал, что вся его жизнь пошла наперекосяк. И во всем, считал он, была виновата Бриджит. Это она заставила его изменить Талли, а потом рассказала ей о его романе с Анджелой. Если бы не она, Талли не обратилась бы к детективам, и тогда история его измен не всплыла бы в столь неподходящий момент. Разумеется, Хант не собирался вечно скрывать свое увлечение другой женщиной; в конце концов он признался бы Талли в своей связи с Анджелой, но сделал бы это максимально деликатно. И тогда, быть может, ей было бы не так больно.

Так Хант успокаивал себя, но в глубине души знал, что во всем виноват только он один. Знал и ненавидел себя за то, что причинил Талли такие страдания. И спрятаться от этого знания ему никак не удавалось.

А Талли тем временем позвонила отцу в надежде, что разговор с ним немного ее подбодрит и отвлечет от грустных мыслей. Когда она сказала, что отказалась работать с Хантом над следующим фильмом, Сэм навострил уши.

— И как Хант это воспринял? — поинтересовался он.

— Попытался уговорить меня. Такие инвесторы, как Накамура, на дороге не валяются, и Хант очень не хочет его терять.

— А ты?

— А я его послала. — Талли рассмеялась.

— Молодец. Так и надо, — одобрил отец. — Характер у тебя что надо, дочка.

— Спасибо, па. Думаю, я знаю, от кого я его унаследовала. Ну а если серьезно, я просто не представляю, как бы я работала с ним после всего.

— Как ты себя чувствуешь, Талли? Тебе не полегче?

— Так, самую малость. Откровенно говоря, как только я подумаю о Ханте или о Бриджит, мне сразу хочется оказаться где-нибудь за тысячу миль от этой парочки. Надеюсь, на следующей неделе мы закончим съемки на натуре и вернемся в Лос-Анджелес. Нам нужно еще кое-что доснять в городе, но пока утрясутся согласования с местными властями, пройдет несколько дней. Я думаю объявить на это время перерыв в съемках и слетать в Нью-Йорк к Макс.

— Думаю, тебе это пойдет на пользу, — поддержал ее решение отец. — Тебе нужно сменить обстановку. Жаль, я не смогу поехать с тобой, — грустно добавил он.

Сэм никуда не выезжал уже лет десять, и ему очень не хватало свежих впечатлений. Увы, из-за болезни он вынужден был сидеть в четырех стенах: в последние несколько месяцев он и вовсе выбирался из дома только в сад или в клинику.

— Мне тоже жаль, — сказала Талли. — Как бы мне хотелось съездить в Нью-Йорк вместе с тобой!

Они еще немного поговорили о погоде, о здоровье Сэма, об Амелии, которая очень много для него делала, а потом попрощались. На обратном пути Талли размышляла обо всем, что с ней случилось, и о предательстве Бриджит и Ханта.

Она уже подъезжала к своему особняку, когда зазвонил ее телефон. Это была Бриджит, и Талли не стала отвечать. Дни, когда она могла беззаботно смеяться и болтать с подругой о пустяках, остались в прошлом и не вернутся уже никогда. Талли знала это и оплакивала еще одну свою потерю.

Она вошла в дом, в нем было тихо и темно. Никто ее не ждал, никто не готовил в кухне вкусный ужин и не открывал бутылку с ее любимым вином. Наверное, подумала она, Хант теперь готовит для своей Анджелы. Эта мысль поразила ее словно удар грома, и Талли некоторое время просто стояла в прихожей, пытаясь унять острую боль в груди. Наконец она прошла на кухню и заглянула в холодильник, но решила, что есть ей не хочется. Вместо этого она поднялась наверх, чтобы принять ванну. Когда она уже вытиралась мягким мохнатым полотенцем (подарок Ханта — вспомнила Талли), ей позвонил Джим Кингстон.

— Я хотел узнать, как у вас дела, — сказал он приветливо, и Талли пришлось напомнить ему, что они перешли на «ты». — Хорошо, — легко согласился Джим. — Ты разговаривала с Бриджит? Что ты ей сказала? Как она отреагировала?

— Я сказала, что выгнала Ханта, потому что он изменял мне со своей секретаршей. Он, дескать, сам в этом признался. О том, что мне известно об их с Хантом трехлетнем романе, я ей не говорила, как вы и велели... — Тут уже Джиму пришлось напомнить, что они теперь на «ты», и Талли невольно рассмеялась. — Постараюсь исправиться, Джим, — пообещала она. — Так вот, Бриджит очень интересовалась, сознался ли Хант в том, что он присваивал мои деньги. Я ответила, что он, конечно, все отрицал, но я, мол, все равно не сомневаюсь, что это его рук дело. Кажется, Бриджит мне поверила, а когда я сказала, что денег все равно не вернуть и ни в какую полицию я по этому поводу обращаться не собираюсь, она, похоже, совершенно успокоилась. Еще я заверила ее, что больше на нее не сержусь, так что теперь Бриджит думает, что мы снова лучшие подруги. В общем, Джим, за все время, пока мы таким образом разговаривали, мой нос вырос дюйма на четыре, так что отныне можешь называть меня Пинокkио[1].

На этот раз рассмеялся уже Джим. Ему показалось, что сегодня Талли чувствует себя заметно бодрее, чем в воскресенье. Во всяком случае, она пыталась шутить, хотя за последние три дня ей пришлось пройти через очень тяжелые испытания. Сам Джим вовсе не был уверен, что на ее месте сумел бы сохранить чувство юмора.

— А у тебя есть какие-нибудь новости? — в свою очередь спросила его Талли.

— Я написал рапорт и открыл дело, — сказал Джим. — Правда, расследование еще должен санкционировать один из заместителей окружного прокурора, но это просто формальность. Если я скажу, что считаю это дело достаточно серьезным, мне дадут зеленую улицу. Единственное, что от меня требуется, — это собрать побольше доказательств, чтобы дело не развалилось в суде, но я надеюсь, что за уликами дело не станет. Короче говоря, начало положено, и мне кажется, что отныне мы будем двигаться вперед достаточно быстро, — закончил он оптимистично.

— Сколько времени обычно нужно, чтобы дело попало в суд? — поинтересовалась Талли.

Джим ответил не сразу.

— Боюсь, мой ответ тебе не понравится, — сказал он после короткой паузы. — В среднем от девяти месяцев до года. Мельницы правосудия мелют медленно, но в конце концов все будет так, как мы планируем.

— А когда ты собираешься арестовать Бриджит?

Теперь, по прошествии нескольких дней, Талли уже не сомневалась, что ее обкрадывала именно помощница. Быть может, Бриджит и не особенно нуждалась в деньгах, но у

---

[1] Талли имеет в виду Пинокkио из американского мультфильма-пародии «Шрек». Этому персонажу очень сложно врать — от небылиц у него вытягивается деревянный нос.

нее был доступ к счетам, была возможность снимать и обналичивать крупные суммы, к тому же Талли убедилась, что бывшая подруга обманывала ее с Хантом. Почему бы ей в таком случае не оказаться воровкой? Джим, когда она поделилась с ним своими соображениями, сказал, что он с ней вполне согласен и что интуиция подсказывает ему то же самое, но сначала ему необходимо собрать доказательства, которые устроят суд. И он надеялся, что сумеет это сделать.

— Мы арестуем ее, когда прокурор решит, что у нас достаточно неопровержимых улик, — сказал он. — Улик, которые позволят доказать вину «при полном отсутствии оснований для сомнения», как говорят юристы. Для нас, для следствия, это основной фактор. Мы никогда не передаем дело в суд, если не уверены, что сможем выиграть. Впрочем, большинство наших дел в суд все-таки *не* попадает, но по другой причине. Как правило, мы собираем столько веских доказательств, что подозреваемому выгоднее признать себя виновным до суда, что сберегает нам немало сил и времени.

— Похоже, все будет не так просто, как я воображала, — разочарованно протянула Талли.

— Это действительно будет непросто, но мы своего добьемся, — уверенно возразил Джим. — В конце концов, это моя работа, и поверь, я справляюсь с ней очень даже неплохо. Я не пропущу ни одной улики, ни одного доказательства, какие только есть в этом деле, и тогда...

Джим не стал говорить ей, что завтра намерен увидеться с Виктором Карсоном. Он позвонил бухгалтеру еще утром и договорился о встрече, так как хотел исключить всех второстепенных подозреваемых до того, как вплотную займется Бриджит. Специальный эксперт уже был готов ознакомиться с бухгалтерскими документами Виктора. Правда, услуги эксперта Талли должна была оплатить, поэтому Джим решил сначала посоветоваться с ней, но она не возражала. В конце недели он планировал побеседовать с Хантером Ллойдом. После всего, чтó он узнал о нем от Мег и Талли, Джиму хотелось посмотреть на этого субъекта вблизи. При заочном знакомстве Хант не произвел на него впечатления «отличного парня», но Джим решил, что ему следует, по крайней мере, выслушать, что́ он скажет.

— Я позвоню тебе в конце недели, — пообещал он. — А если у меня появятся новости или дополнительные вопросы, то и раньше. Ты будешь в Лос-Анджелесе или опять уедешь?

— Скорее всего, я буду приезжать домой каждый вечер, а если нет, ты всегда можешь связаться со мной по мобильному. Номер у тебя есть, — сказала Талли.

Она уже решила, что ответит на его звонок, даже если Джим позвонит в самый разгар рабочего дня. Что касалось ее решения ночевать дома, то оно объяснялось довольно просто. В Палм-Спрингс, в номере отеля, она чувствовала себя слишком одиноко. До́ма ей было лучше, и хотя теперь там стало пусто, все же это был ее дом, ее нора, в которую она могла забиться, словно раненое животное, и с головой накрыться одеялом, спрятавшись от бед и тревожных мыслей. Вдали от дома Талли чувствовала себя настолько несчастной, что Джим без труда угадал это по ее голосу.

— Как только появятся новости, я сразу позвоню, — повторил он. — А ты постарайся успокоиться и жить как обычно. Дело будет долгое, но тебе не нужно из-за этого беспокоиться. Беспокойство оставь мне, о'кей?

Твоими бы устами да мед пить, подумала Талли расстроенно. Она просто не могла не думать о том, как обошлись с ней Хант и Бриджит, о своей доверчивости и наивности и об их коварстве. Раны, которые они ей нанесли, были еще слишком свежи, поэтому каждый раз, когда она видела Бриджит или разговаривала с ней по телефону, Талли стоило огромного труда притворяться, что все идет более или менее нормально. Со временем боль успокоится, но не пройдет совсем, раны затянутся, но от них останутся шрамы, которые будут ныть и тревожить ее — особенно по ночам, когда не спится, а душу наполняют одиночество и тоска. Впрочем, это будет еще не скоро, пока же Талли чувствовала себя так, словно у нее болит и кровоточит каждая жилка, каждая клеточка ее тела.

— Хорошо, я попробую, — проговорила она уныло, и Джим почувствовал, как от жалости у него сжимается сердце. Ему очень хотелось как-то поддержать ее, подать надежду, но он пока мог сделать это только на словах. Он даже не мог приступить к поискам улик и доказательств — ведь ему еще нужно было установить, кто является главным подозреваемым в начатом им расследовании.

Ночью Талли долго лежала без сна, размышляя обо всем, что произошло за день. Она вспоминала вопросы Бриджит, ее поведение, брошенные исподтишка взгляды и все больше убеждалась, что это она воровала у нее деньги. Начинало светать, когда Талли наконец заснула, а еще через полчаса зазвонил будильник. Пора было вставать, чтобы снова ехать в Палм-Спрингс.

Глава 11

В кабинет Виктора Карсона Джима ввела секретарша — высокая молодая блондинка в короткой юбке и джемпере, который заметно натягивался на округлившемся животе. Джим как раз гадал, спит с ней Карсон или нет, когда внутренняя дверь отворилась и в кабинет вошел сам хозяин. Он был одет в темно-серый консервативный костюм и белую рубашку с галстуком, который стоил по меньшей мере тысячу долларов, и походил на преуспевающего банкира или адвоката. Джим уже знал: фирма Карсона обслуживает состоятельных людей и существует на проценты, которые взимает с их дохода. Талли, впрочем, платила Виктору только фиксированный предварительный гонорар и почасовые, так как ее доходы были слишком высоки, чтобы соглашаться на отчисление процентов. В телефонном разговоре Виктор сказал, что Талли Джонс — одна из самых важных его клиентов. Звонок из ФБР поначалу его напугал, но Джим успокоил бухгалтера, сказав, что его интересуют только пропавшие деньги Талли.

— Я понятия не имел, что Талли обратилась в ФБР, — сказал Виктор при встрече, нервным жестом сплетая и расплетая пальцы.

Он явно чувствовал себя не в своей тарелке и заметно вздрогнул, когда Джим окинул его кабинет быстрым взглядом. Можно было подумать, что он прячет в шкафу труп, но дело, скорее всего, было в чем-то другом. Во всяком случае, он почти не колебался, когда Джим и эксперт по финансам, которого он привел с собой, захотели взглянуть не только на документы Талли, но и на бухгалтерские отчеты фирмы. Джиму очень хотелось узнать, каково финансовое положение самого́ мистера Карсона, так как он по опыту знал, что именно растратившие собственные средства бухгалтеры частенько запускают руку в карман клиента.

Сначала, впрочем, Виктор показал ему сводные ведомости Талли, которые он приготовил для аудиторов и которые Джим уже видел, а потом продемонстрировал электронную версию ее общего гроссбуха, из которого, собственно, и брались данные для ведомостей.

— Для чего вам мои документы и какое отношение они имеют к счетам мисс Талли? — осторожно спросил Виктор, когда Джим попросил показать эксперту и его собственную отчетность, а также бухгалтерию фирмы.

— Нас интересует общая картина, — туманно ответил Джим. — Ну а пока эксперт знакомится с документами, не могли бы вы ответить на пару вопросов... Скажите, мистер Карсон, давно ли вы знаете мисс Паркер, помощницу мисс Джонс?

— С тех пор как она начала заниматься финансовыми делами Талли, — тотчас ответил Виктор. — То есть уже лет пятнадцать или около того.

— Как она справлялась со своими обязанностями? Была ли предоставляемая ею информация исчерпывающей и точной?

— О да, Бриджит всегда была очень аккуратна и не упускала ни одной мелочи, — сказал Виктор задумчиво. — Со своими обязанностями она справлялась просто прекрасно. Во всяком случае, так мне казалось до тех пор, пока во время аудиторской проверки я не заметил отсутствия крупной суммы наличных — расходов, не подтвержденных никакими чеками, квитанциями или расписками. Тогда я подумал, что, возможно, Бриджит оплачивала наличными какие-то счета мисс Талли, а поскольку мне не хотелось терять полагающиеся ей профессиональные налоговые льготы, я упомянул об этом в разговоре с моей клиенткой. Но Талли уверенно ответила мне, что никакие счета она наличными не оплачивала.

— А вы задавали тот же вопрос мисс Паркер?

— Да, разумеется, но она ответила, что именно названную мною сумму наличными они расходуют каждый месяц и что мисс Талли на самом деле тратит больше, чем ей кажется.

— Или мисс Паркер тратит больше, чем думает мисс Джонс, — заметил Джим. — Как вы думаете, мистер Карсон, на что были израсходованы эти деньги? На что их вообще можно израсходовать?

Виктор пожал плечами.

— Трудно сказать. На рестораны, одежду, подарки... Все зависит от человека, мистер Кингстон. Мисс Талли, к примеру, весьма обеспеченная женщина, поэтому если ей что-то нужно, она это покупает, однако, насколько мне известно, она никогда не тратит деньги на пустяки, на всякие прихоти. Вы видели, как она... как она одевается? Я уверен, что у нее есть и более прилич... в общем, одежда для официальных выходов, но я не могу себе представить, чтобы Талли тратила по двадцать пять тысяч в месяц на одежду и украшения. Правда, когда с ней жил мистер Ллойд, разобраться, кто из них за что платит, было непросто. Он тоже человек состоятельный и тратил довольно много.

— Вы ведете бухгалтерию и для мистера Ллойда? — уточнил Джим, мимоходом заметив, что по мере того, как он задавал свои вопросы, лысина Виктора все сильнее блестит от проступившей испарины. Он явно нервничал, но вот отчего?..

— Да, но только учет. У него есть персональный бухгалтер, который оплачивает крупные покупки и сделки. Кроме того, я уже несколько лет рассчитываю налоги для мисс Паркер.

— Стало быть, все трое являются вашими клиентами? — спросил Джим, и Виктор кивнул. — Ну и как обстоят дела у вашей фирмы? Год был удачным?

Прежде чем ответить, Виктор вытер лысину носовым платком.

— Боюсь, что бывало и получше, — ответил он. — Впрочем, сейчас всем приходится нелегко. Даже в нашем бизнесе.

— А вы сами тратите много денег? Я имею в виды — вы лично?

Это был неожиданный вопрос, и Виктор заметно растерялся. Пот выступил у него на лбу крупными каплями, но он даже не попытался их смахнуть. Он понятия не имел, почему фэбээровца интересуют его личные расходы, но ему это очень не нравилось.

— Да, в последнее время у меня были довольно большие... расходы. — Подняв голову, он растерянно посмотрел в потолок, потом снова повернулся к Джиму. — Видите ли, у меня молодая жена, и у нее есть, гм-м... определенные потребности. Между тем на сегодняшний день экономическая ситуация заметно ухудшилась по сравнению с тем, что было три года назад, когда я женился на Брианне. Она, видите ли, мечтала стать киноактрисой, но из этого ничего... в общем, ее карьера не сложилась, и.. Ну, вы понимаете... — Виктор начал путаться, мямлить, но Джим только смотрел на него, не говоря ни слова. — Недавно Брианна... В общем, она потребовала, чтобы мы подписали семейный контракт! — выпалил Виктор.

— Вот как?! — Джим слегка приподнял брови. — И сколько она хочет?

— Она потребовала пять миллионов, но я сказал, что это невозможно. У меня просто нет таких денег. Тогда она снизила сумму до трех миллионов, но и это мне не по карману. Три года назад, сразу после свадьбы, я положил ей на счет семьсот тысяч, но сейчас мне и такая сумма не по силам. Я надеялся, этого хватит, чтобы она была довольна, но Брианна хочет большего. — Он бросил на Джима взгляд, в котором ясно читались растерянность и паника.

— Как по-вашему, что она предпримет, если вы не выполните ее требования? — спросил Джим.

— Как это — что?! Разведется со мной, естественно. А она... она такая красивая! — воскликнул Виктор. Казалось, он готов был заплакать. — И ей всего двадцать девять лет. Поверьте, мужчине в моем возрасте нелегко угодить молодой жене, особенно если ее требования... превышают все разумные пределы. Я уже дважды был женат, и обеим женам я выплачивал алименты и прочее. Кроме того, у меня есть дети, которых я тоже обязан поддерживать, но она... она не понимает. Когда Брианна хотела стать актрисой, она сделала несколько пластических операций, а это очень, очень дорого! Она не понимает, что в наши дни деньги даются нелегко. У меня по нынешним временам очень неплохие доходы, но, несмотря на это, я не могу позволить себе заплатить несколько миллионов единовременно. Боюсь, что и развод я тоже не могу себе позволить, поскольку это повлечет за собой такие алименты, компенсации и отступные, что я просто разорюсь.

Слушая его, Джим невольно задумался. Ему было очевидно, что Виктор Карсон остро нуждался в деньгах, больше того — он был близок к отчаянию, однако Джим не верил, что этот человек способен обкрадывать своих клиентов. Да, у него были серьезные проблемы, но он их нисколько не скрывал, напротив, Виктор рассказывал о них Джиму со всей откровенностью, словно перед ним сидел не специальный агент ФБР, а исполненный сочувствия близкий друг или родственник. Джиму оставалось только пожалеть старого бухгалтера, который по недомыслию женился на алчной молодой «золотоискательнице», способной обобрать его до нитки. Ее требования и запросы действительно были непомерно велики: для такой, как Брианна, двадцать пять тысяч в месяц были пустячной суммой, да и сам Виктор, похоже, не был настолько безрассуден, чтобы ради жены щипать по мелочи клиентские счета, рискуя раз и навсегда погубить свою репутацию. В каких-то вопросах он, возможно, был человеком недостаточно проницательным и дальновидным, однако в нем чувствовался и некий нравственный стержень, который Джим назвал для себя «профессиональной этикой».

Это, правда, не отменяло необходимости заглянуть в персональные бухгалтерские записи Виктора Карсона, однако Джим думал, что ничего предосудительного они в них не найдут... Если, разумеется, не считать предосудительным наличие многочисленных закладных и кредитных обязательств, выданных человеком, который стремится выжать из оставшихся у него активов максимальную прибыль, дабы помешать чересчур жадной жене с ним развестись. И все же Карсон скорее обьявил бы себя банкротом, чем решился на растрату доверенных ему чужих денег, что неизбежно привело бы его в тюрьму. После получасового разговора с ним Джим убедился, что бухгалтер был не просто честным, а скрупулезно честным человеком, который аккуратно платит все налоги и ведет дела свои и клиентов строго по инструкции. Возможно, впрочем, что нарушать закон Карсон попросту боялся — для этого ведь тоже нужно иметь какое-никакое мужество или кураж, а у него не было ни того, ни другого. Безвыходное положение, в котором он очутился по собственной слабохарактерности и недальновидности, могло вынудить его просто опустить руки и сдаться. На какой-то решительный, безрассудный поступок он был попросту не способен. Джиму, во всяком случае, казалось, что Виктор скорее окончил бы свои дни в приюте для бедных, чем за решеткой, поэтому он с легким сердцем вычеркнул бухгалтера из списка наиболее вероятных подозреваемых.

О том, кто мог похитить деньги Талли, Джим Кингстон размышлял довольно много и пришел к выводу, что это должен быть человек хитрый, осторожный и умный и к тому же — прекрасный лицедей. В чертах же Виктора Карсона вина проступала столь отчетливо, что даже дилетанту было видно: он, скорее всего, ни в чем не виноват.

Джим еще долго слушал его печальный рассказ и от души сочувствовал старому бухгалтеру. Ему даже захотелось посоветовать Виктору развестись с Брианной, пока она и в самом деле не довела его до банкротства, но он промолчал — в конце концов, он был при исполнении, и личные дела Карсона его не касались. Он только слушал и с каждой минутой все больше утверждался в своем первоначальном мнении, что Виктор Карсон не тот, кто ему нужен. Перед ним был не коварный злоумышленник, а несчастный пожилой мужчина, сделавшийся добычей наглой авантюристки, которая не успокоится, пока не вытрясет из него все до последнего цента, после чего она, разумеется, бросит его без особых раздумий и без всякого сожаления. И, судя по всему, ждать этого момента оставалось совсем недолго.

— Давайте все же взглянем на *ваши* финансовые документы, мистер Карсон, — предложил Джим, и они перешли в конференц-зал, где уже сидели эксперт, а также только что подъехавший напарник Джима Джек Спрэг.

Виктор выложил на стол несколько приходно-расходных книг и включил компьютер, где хранился его собственный общий гроссбух. Эксперту понадобилось не слишком много времени, чтобы ознакомиться с записями, после чего он заявил, что не нашел никаких нарушений. Платежный баланс Карсона не вызвал у него подозрений, что же касалось финансовых отчетов Талли, то в них обнаружилась та же проблема, что и в сводных ведомостях, которые Джим уже видел: каждый месяц она теряла по двадцать пять тысяч долларов наличными. Все остальные ее расходы и доходы были должным образом учтены и подтверждены. Эксперт даже сказал, что давно не видел столь аккуратных и подробных записей, и Виктор слегка порозовел — похвала пришлась ему по душе.

Потом настал черед отчетности фирмы. Работа с ней потребовала куда больше времени, чем анализ личных финансов Виктора и Талли. Наконец эксперт сказал, что он удовлетворен и что никаких дополнительных вопросов у него нет. Поглядев на часы, Джим увидел, что уже пять, и поспешно поднялся. Поблагодарив Виктора за сотрудничество, он стал прощаться, но предупредил, что они, возможно, свяжутся с ним еще раз. Слушая его, Виктор вытирал лоб уже совершенно мокрым носовым платком и часто кивал. Он выглядел усталым и изможденным — на мгновение ему казалось, что фэбээровцы вот-вот арестуют его за то, что он украл деньги Талли.

Увы, как бы ни хотелось Джиму, чтобы дело обстояло так просто, реальная жизнь, по обыкновению, оказалась куда сложнее. Пожалуй, его радовало только одно: он больше не сомневался, что Виктор Карсон не тот, кого они ищут. Теперь Джим был уверен в этом даже не на сто, а на двести процентов, да и эксперт подтвердил его выводы. Виктора он искренне жалел, но арестовывать его было абсолютно не за что. Даже неосмотрительность, с которой этот пожилой шестидесятипятилетний мужчина позволил алчной молодой женщине запустить коготки в его деньги, представлялась Джиму вполне понятной и простительной.

— Жалко мужика, — сказал и Джек Спрэг, когда они уже вышли на улицу и Виктор не мог их слышать. — Эта красотка Брианна разорит его как пить дать. Я просматривал расходы Виктора вместе с экспертом и видел своими глазами, что только в прошлом году она ухнула двести пятьдесят тысяч на пластические операции и четыреста тысяч — на тряпки и украшения. Похоже, миссис Карсон — та еще штучка.

— Может, ты и прав, — кивнул Джим. — Но Виктор в ней души не чает. В этом-то и проблема. Терпеть не могу, когда женщины подобным образом присасываются к мужчинам. Как тебе показались его отчеты?

— По-моему, все чисто. Эксперт тоже так считает. — Эксперт кивком подтвердил слова Джека. — Думаю, если мы станем разрабатывать Карсона дальше, то просто потеряем время.

— Согласен. Вряд ли мистер Карсон сфабриковал специально для нас фальшивую отчетность. По-моему, сейчас он думает исключительно о том, как свести концы с концами, чтобы еще больше не рассердить свою красотку.

— По-моему, она просто авантюристка, — сказал Джек, когда они садились в автомобиль в служебном гараже под офисом фирмы Карсона. Эксперт уже уехал на своей машине, предварительно попрощавшись с обоими агентами.

— Миссис Карсон пытается развести мужа на пять лимонов, — отозвался Джим. — Уговаривает его подписать семейный контракт.

— У бедняги нет столько денег, — с сочувствием отозвался Джек.

— Я знаю, он мне сказал. В общем, дружище, сдается мне, что такую акулу, как Брианна, не накормишь жалкими двадцатью пятью тысячами в месяц. Ей нужны миллионы! Виктор это тоже понимает, к тому же, запустив руку в денежки клиента, он рискует потерять все.

— Миссис Карсон тратит двадцать пять кусков в месяц на одни только туфли, — хмыкнул Джек, качая головой.

Джим запустил двигатель и медленно выехал из гаража.

— Теперь у нас на очереди мистер Ллойд, — сказал он.

Визит к Виктору Карсону почти ничего им не дал, но он не считал, что день пропал зря. Правда, Джим рассчитывал в скором времени снова взглянуть на приходно-расходные книги Виктора, но это было уже чистой формальностью. В глубине души он уже вычеркнул старого бухгалтера из списков подозреваемых.

Если бы вором оказался он, это было бы слишком просто, а в жизни так не бывает. Джим знал это по собственному богатому опыту.

* * *

С Хантом Джим планировал встретиться через два дня, но тот оказался занят, и встречу пришлось перенести на следующую неделю. Секретарша, с которой разговаривал Джим, сказала, что он ведет ответственные переговоры с инвесторами. Переговоры, как видно, действительно были непростыми, поскольку, когда Джим и Джек наконец попали в его кабинет, он выглядел озабоченным и даже слегка удрученным.

Ханту визитеры показались типичными фэбээровцами. Высокие, крепкие, аккуратно одетые, с умными внимательными лицами, они были чем-то неуловимо похожи друг на друга, словно патроны из одной обоймы. Именно таких агентов Хант видел (и снимал) в кино, и, когда он сказал об этом гостям, Джим рассмеялся.

— Быть может, нам есть смысл попробоваться на роль в очередном детективном сериале, — сказал он, широко улыбаясь. Одновременно он внимательно разглядывал и оценивал сидящего перед ним человека, стараясь делать это по возможности объективно. То, что он *уже* знал о Хантере Ллойде от Талли, ему не особенно нравилось.

— Подыскиваете себе новых инвесторов? — спросил он, когда Хант извинился за то, что не смог встретиться с ними раньше, и тот кивнул.

— Да. К сожалению, инвестор, которого мы нашли для съемок очередного проекта, отказался от сделки, когда... когда возникли кое-какие проблемы, — ответил Хант, огорченно качая головой.

— Какие именно? — поинтересовался Джим с самым невинным видом. Служба в ФБР нравилась ему еще и тем, что во время разговоров с подозреваемыми и свидетелями он мог задавать любые, даже самые неудобные вопросы. Этот вопрос был для Ханта *очень* неудобным — он сразу занервничал, и это было заметно.

— Да так... — начал он неопределенно. — Незадолго до начала работы над проектом режиссер, на которого мы рассчитывали, отказался от сотрудничества.

— А как зовут этого режиссера?

— Талли Джонс, — ответил Хант сквозь зубы, потом бросил на Джима быстрый взгляд и слегка расслабился, откинувшись на спинку кресла. — Впрочем, вы, наверное, и без меня это знали? — спросил он.

Джим покачал головой.

— Я знаю только, что вы сейчас снимаете с ней какой-то фильм, — сказал он.

— Это так, — подтвердил Хант. — Но обстоятельства несколько изменились, — добавил он, и Джим вопросительно приподнял бровь, ожидая, что его собеседник пояснит свои слова. Ему было очень интересно узнать, *как именно* Хант собирается это сделать и упомянет ли он о своих изменах.

— Мы с Талли некоторое время жили вместе, но потом расстались. Вероятно, она решила таким способом со мной посчитаться. Вы же знаете женщин, они бывают непредсказуемы и довольно мстительны, когда задето их самолюбие.

Его ответ прозвучал на редкость уклончиво; больше того, он не соответствовал истине. Тем не менее Джим кивнул, тем более что сам Хант пытался делать вид, будто речь идет о каком-то незначительном эпизоде, об обыкновенной размолвке, какие сплошь и рядом случаются между любовниками.

— Да-да, я понимаю, — сказал Джим.

Джек пока молчал и только внимательно следил за разговором и за выражением лица Ханта. Напарник знал всю историю не хуже Джима, но благоразумно оставил выбор стратегии за своим старшим товарищем. Старший агент Кингстон был известен всему управлению как мастер психологической интриги, который проводит все свои допросы с неизменным блеском.

— Сколько времени вы и мисс Джонс прожили вместе? — спросил Джим, притворившись, будто и это ему неизвестно. Прозвучало это, впрочем, довольно убедительно.

— Четыре года плюс-минус месяц или два.

— Это довольно много. Жаль, что из этого так ничего и не вышло.

— Мне тоже жаль, — сказал Хант и снова заерзал в кресле. — Хотя... В общем, это довольно сложно. Мы оба много работали, оба постоянно в разъездах... В таких условиях нелегко поддерживать нормальную семейную жизнь.

«Особенно если трахаться с другими женщинами», — хотелось добавить Джиму, но он только сочувственно кивнул.

— Я вас понимаю, — сказал он. — Впрочем, нас интересует кое-что другое. Скажите, мистер Ллойд, пока вы были вместе, у вас не возникало ощущения, что кто-то злоупотребляет доверием мисс Джонс и обкрадывает ее?

— Нет, не возникало, — сказал Хант и задумался.

— Была ли мисс Джонс расточительна в своих расходах? Тратила ли она больше, чем могла себе позволить? — продолжал расспрашивать Джим. — Или, может быть, она тратила на что-то большие суммы, а потом об этом забывала?

— Нет, Талли никогда не была небрежна или забывчива. Напротив, она была весьма аккуратна и никогда не расходовала деньги, так сказать, под влиянием внезапного импульса. С другой стороны, Талли много работала, поэтому ей приходилось доверять финансовые вопросы другим людям. Возможно, с ее стороны это было ошибкой, но...

— Каким другим людям? Вам?

— Нет. Я имею в виду ее бухгалтера и личную помощницу. Талли натура творческая, увлекающаяся. Когда она работает, то забывает обо всем на свете, поэтому ей необходим кто-то, кто занимался бы деловыми и бытовыми вопросами. При этом Талли уверена, что все, кто ее окружают, отличаются кристальной честностью.

Джим кивнул, на этот раз без всякой задней мысли. Он подозревал, что в данном случае Хант нарисовал совершенно точную картину.

— Как вам кажется, мог ли бухгалтер мисс Джонс присваивать ее средства? — снова спросил Джим.

— Нет. Я уверен, что Виктор Карсон человек честный и глубоко порядочный. Он ведет и некоторые мои финансовые дела, и я ему полностью доверяю. Правда, Виктор — человек в достаточной степени консервативный, но для бухгалтера это скорее положительное качество.

— А что вы скажете о помощнице мисс Джонс?

Последовала продолжительная пауза, наконец Хант медленно сказал:

— Я... я не знаю. Бриджит и Талли работают вместе очень давно, у них свои отношения, своя система решения вопросов. Я в подробности не вдавался и вообще старался не вмешиваться. По-моему, Талли считала работу Бриджит вполне удовлетворительной.

— Вы прожили с мисс Джонс четыре года и за все это время ни разу не поинтересовались, как ее личная помощница справляется со своими обязанностями? — изобразил удивление Джим.

— Не забывайте, мы не были женаты официально, поэтому я считал, что финансовые дела Талли меня не касаются. Она, во всяком случае, ни разу не просила у меня совета или помощи. Ни разу!

— Но у вас не могло не сформироваться собственное мнение, не так ли? Как вам казалось, была ли помощница мисс Джонс человеком, достойным полного доверия? Быть может, какие-то слова или поступки мисс Паркер вызвали у вас сомнение в ее порядочности?

Вопрос был непростым, с двойным дном; Джим специально задал его, чтобы посмотреть, как Хант будет выкручиваться. По идее, он просто не мог на него ответить, поскольку сам поступал с Талли непорядочно — лгал и изменял ей с упомянутой Бриджит.

— Талли считала, что на нее можно положиться, — ответил наконец Хант. — Бриджит проработала у нее семнадцать лет, и Талли ей... доверяла.

— Вы употребили прошедшее время. А теперь? Теперь мисс Джонс ей доверяет?

— Незадолго до того, как мы расстались, Талли обнаружила, что у нее пропадают деньги. По-видимому, Бриджит что-то ей сказала или намекнула, что эти деньги мог украсть я. Во всяком случае, Талли меня об этом спрашивала. Но я не имею к пропаже денег никакого отношения. Мне не нужны деньги Талли, я никогда не брал у нее ни цента, ни на какие цели. Даже взаймы. Кроме того, пропала крупная сумма наличных, а я всегда пользуюсь только кредитной карточкой. Вы ведь пришли ко мне именно по поводу этих денег, правильно?

— Не только. Нас интересует любая противоправная деятельность, которая может вскрыться в ходе основного расследования. — Джим широко улыбнулся. — Давайте вернемся к помощнице, к мисс Паркер. Быть может, вы заметили в ее поведении еще что-то, что вас насторожило или обеспокоило?

И снова Хант ответил не сразу. Похоже, он глубоко задумался, и Джиму очень захотелось узнать, что у него на уме.

— Не знаю, поймете ли вы меня... — проговорил Хант наконец. — Но... Вкратце говоря, у меня сложилось впечатление, что Бриджит мечтает занять место Талли. Я бы даже сказал — *стать* ею. Подобные вещи довольно часто случаются в кино и вообще в шоу-бизнесе. Понимаете, есть кинозвезды и знаменитости, а есть люди, которые на них работают, обслуживают их и так далее. Сначала они благоговеют перед кумирами, но потом начинают ставить между собой и ими знак равенства, так сказать, перевоплощаются в них. Чаще всего это происходит только в их воображении, но бывает, что люди, близкие к той или иной знаменитости, начинают считать, что и они заслуживают не меньших почестей и преклонения, забывая, кто они такие на самом деле и какова их роль. Некоторые начинают вести себя как звезды, одеваться как звезды, даже капризничать как звезды, а некоторые переходят и эту грань. Взять ту же Талли... Она человек очень скромный, я бы даже сказал — застенчивый, чуждый показному блеску и шумихе. Талли ничего не делает на публику и не требует особого к себе отношения, хотя — можете мне поверить — ее слава как режиссера превосходит известность большинства наших разрекламированных актеров. Ее помощница Бриджит в этом отношении — полная противоположность Талли. Сравните, как одевается она и как в большинстве случаев одета Талли. Бриджит ездит на «Астон Мартине», а у Талли уже лет пять нет собственной машины. Бриджит носит бриллианты и платину, останавливается в дорогих отелях, делает дорогостоящие косметические подтяжки и так далее... С моей точки зрения, это классические симптомы, которые указывают на человека, который не просто подражает кумиру, а отождествляет себя с ним. Заметьте, что при этом Бриджит не копирует стиль и манеру Талли, а ведет себя так, *как, по ее мнению, должна вести себя* звезда ее уровня. А такое отождествление требует значительных расходов, хотя я не сомневаюсь, что зарплата, которую платит ей Талли, очень велика. Кроме того, персональная помощница любой знаменитости имеет возможность пользоваться дополнительными привилегиями...

— Это какими же? — уточнил Джим. То, что сообщил Хант, весьма его заинтересовало, хотя рассуждения об «отождествлении» показались ему довольно-таки общими и расплывчатыми.

— Бесплатные путешествия, бесплатная одежда, солидные скидки на дорогие машины и ювелирные украшения, другие подарки.

— И много таких подарков получила мисс Джонс, пока вы жили вместе? — поинтересовался Джим.

— Честно говоря, я что-то не припоминаю ни одного такого случая, — признался Хант. — Но я много слышал о подобных вещах. Это довольно распространенная практика.

— Вы слышали об этом от мисс Джонс?

— Нет, от Бриджит. Не думаю, чтобы Талли когда-либо стремилась... Она просто не такой человек, понимаете?

— То есть все подарки, предназначавшиеся для мисс Джонс, попадали к ее помощнице?

— Понятия не имею. — Хант пожал плечами. Похоже, под градом вопросов он чувствовал себя на редкость неуютно.

— Вы когда-нибудь бывали дома у мисс Паркер?

— Нет.

— Встречались ли вы с ней где-либо помимо работы?

Хант бросил на Джима затравленный взгляд, но врать фэбээровцам не решился. Не зная точно, что именно им известно, Хант попытался облечь свой ответ в наиболее обтекаемую форму.

— Какое это имеет значение? Впрочем, да, мы виделись... время от времени, — признался он.

— Мисс Джонс знала о ваших встречах?

— Тогда — нет. Теперь — знает.

— Это вы ей сказали?

— Нет.

— Значит, мисс Паркер?

— Точно не скажу. Возможно, это был частный детектив, которого наняла Талли, а может, Бриджит тоже ей кое-что рассказала... Говорю вам, я не знаю! — С каждой минутой Хант нервничал все больше, должно быть, поэтому он сказал больше, чем хотел: — У нас с Бриджит был роман. С моей стороны это было довольно глупо, но так уж получилось... Бриджит шантажировала меня, грозила, что все расскажет Талли, а я не хотел ее терять. Мы встречались почти три года, но потом... В общем, это была одна из причин, по которой мы с Талли расстались.

— Вы продолжаете встречаться с мисс Паркер? — негромко спросил Джим.

— Черт побери, нет! Конечно, нет! От этой женщины... от нее только и жди неприятностей. В конце концов я сумел положить конец нашим отношениям и... и начал встречаться с другой женщиной. Наверное, Бриджит захотела со мной поквитаться и рассказала об этом Талли. — Хант посмотрел на Джима. В его глазах застыло страдание. — Вы, наверное, думаете, что я — дважды дурак, и вы, скорее всего, правы. Я, во всяком случае, нисколько не горжусь тем, что́ сделал. Когда... когда буквально на днях правда выплыла наружу, Талли очень расстроилась. Для нее это был жестокий удар. Я сам хотел ей сказать, но Бриджит меня опередила, и в результате мы расстались. Сейчас я живу с другой женщиной, скоро у нас родится ребенок... — Хант тяжело вздохнул и снова откинулся на спинку кресла. Говорить правду ему было нелегко, но он подумал, что фэбээровцы все равно докопаются до истины.

— Мои поздравления, мистер Ллойд, — сказал Джим, имея в виду рождение ребенка, и Хант передернулся.

— Д-да... благодарю... — Он беспомощно пожал плечами. — Как видите, все это действительно очень непросто.

— Вы когда-нибудь брали деньги у мисс Джонс?

— Нет, никогда. Я не стеснен в средствах, так что в этом не было необходимости. Мы с Талли вели раздельное хозяйство, хотя иногда я оплачивал продукты и другие расходы. Ведь я все-таки жил в ее доме, и мне хотелось как-то компенсировать... — Он посмотрел в потолок и печально добавил: — Поверьте, у нас все было нормально.

— Если не считать того, что в то же самое время вы встречались с двумя другими женщинами, а одной из них даже сделали ребенка, — сказал Джим с легкой усмешкой, и Хант отвернулся.

Он знал, что поступил плохо, но слышать это из чужих уст было стократ тяжелее. Сейчас он почувствовал себя полным мерзавцем, который думает только о себе, о своих удовольствиях. Джим в свою очередь смотрел на него и пытался понять, кто перед ним: нормальный человек, который по слабости характера совершил подлость, или просто подонок. Отличить одно от другого подчас было нелегко. По аналогии он подумал о Викторе Карсоне, который ради молодой жены готов был довести себя до банкротства. Похоже, и он, и Хант были просто слабохарактерными глупцами, разве что последний был помоложе и имел более светский вид. С другой стороны, Виктор, скорее всего, был верен своей «золотоискательнице», тогда как Хант на протяжении всех четырех лет изменял женщине, которая его любила. Джим не в первый раз сталкивался с аналогичными ситуациями и каждый раз гадал: каким местом думают некоторые, что совершают подобные поступки?

— Что еще вы могли бы сообщить мне о мисс Паркер?

— Пожалуй, ничего. Могу только повторить, что она очень хитрая женщина и себе на уме. И никакая она Талли не подруга хотя бы потому, что спала со мной. Сейчас мне кажется — я оказался в ее постели только потому, что Бриджит специально это подстроила. Она все спланировала, выбрала момент, когда Талли уехала на съемки, и... Вероятно, Бриджит просто захотелось иметь то же, что имела ее знаменитая нанимательница, — это, кстати, было бы вполне в духе ее стремления отождествлять себя с Талли. Ну а потом мне было уже не вырваться — Бриджит грозила, что расскажет все Талли, если мы перестанем встречаться. Так все и тянулось, пока не появилась Анджела...

— Мисс Паркер когда-либо требовала у вас деньги? Скажем, за молчание?

Хант отрицательно покачал головой.

— Ей нужно было только одно — чтобы мы продолжали видеться. Иначе, мол, она меня разоблачит... Впрочем, я бы не стал утверждать, что во всем остальном она заботилась исключительно об интересах Талли. Бриджит только делает вид, будто Талли для нее на первом месте, но на самом деле это далеко не так. Она хочет *быть* Талли, а вовсе не работать на нее или быть ее близкой подругой. К сожалению, сама Талли не вполне отдает себе отчет, насколько она знаменита, поэтому и относится к окружающим с излишним доверием, словно они — такие же, как она. Талли не представляет, какая это страшная вещь — зависть. Страшная и опасная. Она просто работает, снимает талантливые картины, ведет тихую, скромную жизнь и не замечает ничего вокруг. Такому человеку очень легко причинить зло.

Слушая его, Джим подумал, что Хант, наверное, все еще любит Талли и сожалеет о том, что причинил ей боль. Впрочем, изменить Хант все равно ничего не мог — он жил теперь с другой женщиной, которая ждала от него ребенка, поэтому любовь к Талли не могла принести ему ничего, кроме страданий.

— Что ж, мистер Ллойд, у нас пока все, — сказал Джим и поднялся. — Если у нас возникнут другие вопросы или в деле наметится новый поворот, мы вам позвоним.

— А вы уже знаете, кто украл деньги? — спросил Хант с неожиданным интересом.

— Догадываемся. — Джим улыбнулся в ответ. — Спасибо, что нашли время встретиться с нами.

Они обменялись рукопожатиями, потом Джим и Джек вышли из кабинета. Хант проводил их обеспокоенным взглядом. Он очень надеялся, что фэбээровцы не подозревают в краже денег его.

Джим и Джек не обменялись ни словом, пока не оказались в своей машине.

— Ну, какие у тебя впечатления? — поинтересовался Джим.

— Похоже, этот парень ничего от нас не скрывает, — отозвался его напарник. — Конечно, он поступил с мисс

Джонс как последняя свинья, но во всем остальном мистер Ллойд производит впечатление человека достаточно честного.

Джим только головой покачал. Мужчину, который в течение четырех лет жил с женщиной в фактическом браке и который все это время ей изменял, он не мог считать ни честным, ни порядочным. Правда, в том, что сейчас Хант сказал им правду, Джим не сомневался, и все-таки честность никогда не была для него чем-то таким, что можно снять и снова надеть, словно пальто или шляпу.

— Нет, это не наш клиент, — сказал Джим твердо.

— У меня тоже сложилось такое ощущение, но я никак не пойму твоих резонов. У меня-то, кроме интуиции, и нет ничего.

Джим и Джек всегда старались обменяться впечатлениями, что называется, по горячим следам. И это часто приносило пользу. Кроме того, младший агент очень уважал своего старшего напарника и считался с его мнением.

— Мистер Ллойд говорил с нами в достаточной степени откровенно и не пытался выглядеть лучше, чем он есть на самом деле. Он не пытался отвлечь наше внимание и не стал наговаривать на Бриджит, чтобы отвести подозрения от себя. Я специально задал ему несколько вопросов, ответы на которые были мне заранее известны, и каждый раз он отвечал правду — насколько он ее понимает, конечно. Кроме того, этот парень действительно не нуждается в деньгах.

— Согласен по всем пунктам. Правда, мне показалось, что он все еще влюблен в мисс Джонс.

— Возможно, но это его трудности, — холодно согласился Джим.

Хантер Ллойд ему не нравился, однако он был уверен, что деньги у Талли украл не он. Таким образом, у них оставалась одна только Бриджит, но встречаться с ней было пока рано. Сначала им нужно было собрать как можно больше сведений об этой женщине.

Глава 12

Заканчивая съемки в окрестностях Палм-Спрингс, Талли рассчитывала, что в Лос-Анджелесе она будет свободнее, но ошиблась. Срочных дел оказалось неожиданно много, поэтому после возвращения в город она крутилась как белка в колесе и очень уставала. Впрочем, усталость была для нее благословением, она не давала Талли слишком задумываться о том, что она теперь одна, и даже тихий и пустой дом, в который она возвращалась каждый вечер, почти не вызывал у нее чувства одиночества. Шок, который она пережила, еще не прошел, но мало-помалу Талли приспосабливалась к жизни без Ханта. Работа отнимала все ее время и силы, поэтому у нее почти не было возможности слишком задумываться о том, что́ она потеряла. Между тем адвокаты Ханта продолжали названивать Грегу Томасу — они сулили ей золотые горы, лишь бы она передумала и согласилась снимать с ним следующий фильм, но Талли так и не изменила своего решения. С Хантом она не виделась и не разговаривала уже несколько недель — ей не хотелось даже слышать его голос. Предательство, которое он совершил, продолжало лежать у нее на сердце, словно бетонная плита.

Макс она так пока ничего не рассказала, твердо решив, что сделает это только при встрече. К счастью, наступили весенние каникулы, Макс уехала к друзьям во Флориду, и Талли могла не бояться, что дочь вдруг позвонит Ханту сама. Макс и ей-то звонила нечасто, зная, что мать очень занята, работая над фильмом, который нужно было доснять и смонтировать как можно скорее. Впрочем, когда дочь все-таки до нее дозванивалась, она непременно спрашивала о Ханте, на что Талли отвечала, что у него все хорошо и что он тоже много работает. Она еще не настолько успокоилась сама, чтобы успокаивать еще и Макс, поэтому, узнав, что дочь не приедет к ней на каникулах, вздохнула с облегчением. Уж лучше она сама слетает в Нью-Йорк, когда в колледже возобновятся занятия.

С тех пор как Талли вернулась из Палм-Спрингс, прошло больше двух недель, но Джим Кингстон так ей и не позвонил. Он, правда, обещал связаться с ней, только когда появятся какие-то результаты, из чего Талли заключила, что ничего конкретного он пока не узнал. Сама она тоже ему не звонила — и не только потому, что не хотела лишний раз его беспокоить, но и потому, что работать ей приходилось не покладая рук. Она давно собиралась устроить своей группе недельный перерыв, и теперь им всем приходилось работать вдвое против прежнего, чтобы не выбиться из графика.

Одновременно Талли занималась организацией новой съемочной площадки, которая по плану должна была находиться в Лос-Анджелесе под одной из многополосных эстакад. Городские власти, правда, пока не дали своего разрешения на съемки в этом месте, но Талли не теряла зря времени и распорядилась начать сборку декораций на дополнительных съемочных площадках, на которых можно было работать без разрешения городской службы охраны памятников, дорожной и пожарной инспекции, а также других многочисленных инстанций, каждая из которых должна была завизировать выданные муниципалитетом документы. За всем этим Талли следила сама — а заодно приглядывала за растущим животиком актрисы, которая исполняла роль главной героини. Сценарий никакой беременности не предусматривал, следовательно, большинство сцен приходилось снимать с дублершей. Это была еще одна забота, но Талли не возражала: работа спасала ее от мыслей о собственных несчастьях. Кроме того, почти каждый вечер, за исключением дней, когда съемки слишком затягивались и она приходила домой очень поздно, Талли ухитрялась звонить отцу и подолгу с ним разговаривала. Как-то Сэм обмолвился — он, мол, ожидал, что Хант ему все-таки позвонит. Все четыре года они были очень дружны, и ему казалось, что это просто неуважение со стороны несостоявшегося зятя. Талли, впрочем, догадывалась, в чем дело: Хант боялся разговаривать с ее отцом точно так же, как он боялся сказать правду ей. Сама она была о нем более высокого мнения, но он в итоге оказался самым обыкновенным малодушным трусом.

Несколько раз Талли беседовала по телефону с Виктором Карсоном, и тот сообщил ей, что после ухода Ханта исчезновение денег с ее счетов прекратилось. Ему это совпадение казалось знаменательным, но Талли продолжала считать, что Хант денег не брал. Скорее всего, решила она, человек, который хотел, чтобы она считала Ханта вором, лишился своего прикрытия и на время затаился. Кто этот человек, Талли знала почти наверняка. Бриджит, больше некому... Она уже не доверяла своей помощнице как прежде, но по совету Джима старалась это скрывать: болтала с ней о всяких пустяках, давала различные поручения, однако эта игра давалась ей нелегко. Казалось, само присутствие Бриджит угнетает ее физически, а поскольку на съемках помощница постоянно была рядом с ней, Талли испытывала серьезный стресс, который отпускал ее, только когда она возвращалась домой. Теперь она даже не знала, кто причинил ей бóльшие страдания: Хант своей изменой или Бриджит своей ложью. Она много думала над этим, но никак не могла найти однозначный ответ. Иными словами, теперь для Талли все было непросто, и это продолжалось уже почти два месяца — именно столько времени прошло с тех пор, как она попросила Ханта покинуть ее дом.

Однажды в выходные Талли отправилась в супермаркет за продуктами и там, на стойке у кассы, увидела таблоид, а в нем — размещенную на первой полосе фотографию Ханта и Анджелы, большой живот которой было уже не скрыть никакими ухищрениями. На снимке Хант улыбался счастливой улыбкой и обнимал Анджелу за плечи. При виде этого фото Талли испытала столь сильное потрясение, что бросила тележку с продуктами в проходе и выбежала из магазина. В последнее время, впрочем, она ела очень мало, питаясь в основном салатами и тем, что удавалось купить в магазине готовых продуктов по дороге домой.

Вскоре ей попался еще один снимок Ханта и Анджелы. Он был сделан на церемонии вручения наград американской кинокритики, и Талли порадовалась, что не пошла туда, хотя ее и приглашали. Всем, кто спрашивал, почему она отсутствовала на церемонии (а в числе этих людей была и Макс), Талли отвечала, что у нее летят все графики и она должна спешить, чтобы не выйти из бюджета, но на самом деле она просто боялась встречи с Хантом. То, что Макс *не* видела этой фотографии, которую напечатали почти все газеты, было настоящим чудом. Талли предполагала, что дочь либо готовится к экзаменам, либо проводит время с друзьями, к тому же на таблоиды Макс никогда не обращала внимания. Как бы там ни было, Талли испытывала облегчение, что случай избавил ее от необходимости обьясняться с дочерью по телефону.

Пожалуй, единственным, чего Талли ожидала с нетерпением, был перерыв в сьемках, во время которого она собиралась слетать к Макс. Они не виделись уже довольно давно, и Талли успела соскучиться по дочери. К счастью, когда они перезванивались, голос Макс звучал бодро; похоже, в Нью-Йорке ей нравилось. Талли знала, что у нее много друзей и новый бойфренд, и тихо радовалась за дочь. Свое решение рассказать ей о Ханте только при личной встрече она менять не собиралась: для Макс случившееся тоже означало серьезный жизненный кризис. Так она и сказала отцу, который настаивал на том, чтобы она сообщила все дочери как можно скорее. Иначе, говорил Сэм, она узнает новости из каких-то других источников и может рассердиться на мать за то, что она так долго от нее это скрывала. Но вот наконец Талли собралась в Нью-Йорк, и старый юрист вздохнул с облегчением. За внучку он переживал не меньше, чем за дочь.

* * *

Шла последняя неделя перед перерывом в съемках, когда Джим Кингстон решил наконец позвонить Бриджит и договориться о встрече. Как ни странно, на нее не произвело ни малейшего впечатления то, что Джим представился сотрудником ФБР: Бриджит без колебаний заявила, что у нее много работы и она не может уделить ему ни минутки. Она помнила, как Талли говорила, что обращалась в ФБР по поводу пропавших денег, которые, по ее мнению, присвоил Хант. По ее словам, впрочем, выходило, что она сделала это только для того, чтобы лишний раз припугнуть неверного любовника, поэтому звонок агента Бриджит не удивил и не насторожил, однако и выкроить время для встречи с ним она тоже не спешила. В конце концов Талли сама сказала, что это пустая формальность и что в первую очередь им обеим следует сосредоточиться на финальных съемках.

— Через несколько дней у нас перерыв, — сказала Бриджит Джиму. — Поэтому в ближайшее время я буду очень занята. Мне приходится постоянно быть с мисс Джонс на площадке.

— Тогда давайте встретимся на будущей неделе, как раз во время перерыва. Вы ведь будете посвободнее? — невозмутимо предложил Джим.

Он умел заставить собеседника почувствовать себя раскованно, а потом захватывал врасплох неожиданным вопросом. Впрочем, чаще бывало и так, что расслабившийся свидетель или даже подозреваемый сам выдавал ему ценную информацию.

— Мне очень жаль, но как раз на будущей неделе я собираюсь отправиться в небольшое путешествие, — отрезала Бриджит. — Попробуйте позвонить мне, когда я вернусь.

Услышав эти слова, Джим едва не рассмеялся. Насколько он знал, очень немногим хватало мужества — или наглости — сказать агенту ФБР «попробуйте позвонить мне, когда я буду свободен». Сам Джим привык, что большинство людей старается ему не возражать, но Бриджит, как видно, к этому большинству не относилась.

— Я, конечно, могу позвонить, когда вы скажете, — сказал Джим со смехом. — Но поскольку речь идет о пропавших или украденных деньгах мисс Джонс, давайте *попробуем* встретиться завтра... — Его слова звучали непринужденно, но на самом деле они не оставляли Бриджит никакого выбора. Был, правда, еще один вариант, и Джим не преминул его озвучить: —...Или сегодня. Я уверен, что мисс Джонс будет очень рада, когда узнает, что вы пошли нам навстречу. Если хотите, я могу сам ей позвонить.

Последовала короткая пауза, потом Бриджит сказала сквозь зубы:

— Нет, лучше завтра.

По ее интонации Джим догадался: она изо всех сил старается дать ему понять, что предпочла бы заняться более интересными делами.

— Значит, завтра в полдень на площадке, — подвел он итог. — Или мне лучше подъехать к вам?

— Подъезжайте ко мне домой в семь, — решительно сказала Бриджит.

Ей очень хотелось оставить последнее слово за собой, к тому же в ее планы не входило встречаться с фэбээровцем на съемочной площадке, где было слишком много посторонних глаз. Что, если кто-то из съемочной группы решит, что ФБР явилось по ее душу?

А Джим был очень доволен тем, как ему удалось повернуть дело. Бриджит только воображала, что командует здесь она. На самом деле Джим очень ловко заставил ее действовать так, как ему хотелось. В конце концов, надо же ему взглянуть, как живет главная подозреваемая.

На следующий день, ровно в семь часов вечера, Джим и Джек Спрэг были у ворот особняка Бриджит на Малхолланд-драйв. Это был очень красивый старинный особняк, перестроенный в соответствии с требованиями современной моды — с большим садом и бассейном. На подъездной дорожке стоял сверкающий «Астон Мартин».

Джим нажал кнопку звонка. Он был в темном костюме, который надевал на работу, и даже при галстуке, что для Лос-Анджелеса было довольно необычно. Бобби всегда говорил, что костюм и галстук делают его похожим на хрестоматийного полицейского-неудачника, но Джим считал, что костюм придает ему солидности. Сыну он отвечал, что сотрудник ФБР не должен допрашивать подозреваемых в цветастых «бермудах» и в футболке, иначе преступники не будут испытывать никакого уважения ни к нему самому, ни к организации, которую он представляет.

Когда Бриджит открыла дверь, на ней было коротенькое платье от Баленсиага. Джим, правда, не мог бы с ходу определить производителя, зато он сразу понял, что платье стоит недешево, к тому же оно ей очень шло. На руке Бриджит поблескивал массивный золотой браслет с россыпью мелких бриллиантов, а в ушах — небольшие серьги-«гвоздики» с бриллиантами, которые она любила больше других. Длинные светлые волосы Бриджит были распущены и падали на плечи тяжелой волной, на ногтях рук и ног поблескивал яркий лак. Умело наложенный макияж нисколько не бросался в глаза, подчеркивая ее высокие, безупречной формы скулы, бедра были длинными и стройными, а пышный бюст невольно притягивал взгляд. Казалось, Бриджит только что сошла с обложки журнала «Вог» — такой она была ухоженной и сексуальной. Для любого мужчины она выглядела как вожделенный приз, хотя ей и было уже под сорок. Впрочем, в это все равно никто бы не поверил — на вид ей было двадцать пять и ни минутой больше.

Бриджит сумела произвести впечатление даже на Джима. Что касалось Джека Спрэга, то он вовсю глотал слюнки.

Когда агенты представились и предъявили документы, Бриджит отступила в сторону, давая им пройти. Уже в прихожей Джиму бросились в глаза изящные сводчатые потолки и старинные хрустальные светильники. Вдоль стен стояла антикварная мебель, но на полу лежал модерновый круглый ковер, а над лестницей висела современная картина, написанная в абстракционистской манере. Обставленная с не меньшей роскошью гостиная, куда Бриджит провела гостей, выходила окнами в сад. За стеклами поблескивал на солнце небольшой декоративный пруд, который Джим разглядел не сразу.

В целом дом производил сногсшибательное впечатление. Здесь, правда, было не так уютно, как у Талли, однако между двумя особняками, несомненно, было некое сходство. Джим даже подумал, что так мог бы выглядеть дом Талли, если бы она дала себе труд его обставить и озаботилась покупкой старинной мебели, картин и предметов роскоши.

Закончив рассматривать шикарную обстановку, Джим перевел взгляд на хозяйку всего этого великолепия, которая присела напротив него на элегантный, обтянутый белой кожей диван. Сейчас он ясно видел, что она далеко не так красива, как ее нанимательница, однако следовало отдать Бриджит должное — свои достоинства она умело подчеркивала с помощью грима, одежды, прически и даже хирургического вмешательства, благодаря чему ей удавалось выглядеть весьма и весьма привлекательно. Тем не менее именно Талли Джим назвал бы настоящей красавицей, несмотря на ее вечно растрепанные волосы, полное отсутствие макияжа и манеру небрежно одеваться. Бриджит природа одарила куда менее щедро, просто она сумела лучше распорядиться своей внешностью, благодаря чему выглядела как настоящая суперзвезда.

Жила Бриджит, как видно, тоже на широкую ногу. Интерьеры ее особняка выглядели так, словно здесь вот-вот появятся фотографы из специализированного журнала и начнут сьемку репортажа под названием «Каким должен быть модный современный дом». Все здесь было безупречно, элегантно и изысканно. Сад за окнами и вовсе напоминал уголок Версаля, что Джим не преминул отметить.

— Вот это да! — воскликнул он, не скрывая своего восхищения. — Прекрасный дом, прекрасный сад. Вам можно только позавидовать, мисс Паркер. Давно вы здесь живете?

Он говорил так искренне, что Бриджит было невдомек, что допрос уже начался. Она расцвела, как роза на заре, и только с удовольствием кивала, слушая похвалы роскошному дому и тонкому вкусу хозяйки. Говорил, правда, в основном Джим, что касалось Джека, то он не сводил глаз с Бриджит. С такими роскошными женщинами он еще никогда не сталкивался, хотя работал в ФБР достаточно давно.

— Уже несколько лет, — с гордостью ответила Бриджит. — Раньше я жила в Санта-Монике, на побережье, но старый дом, признаться, был для меня маловат. Когда я унаследовала кое-какие средства от матери, то решила перебраться сюда. Правда, потребовалась кое-какая перестройка, и она еще не закончена — я успела переоборудовать по своему вкусу только верхние комнаты и ванную, а также привести сад в порядок.

— Мне бы хотелось взглянуть на результаты вашей работы, — улыбнулся Джим. — Если вы, конечно, не против. Я как раз сейчас тоже перестраиваю свой дом. Он, конечно, поменьше, чем ваш, но я никак не могу закончить — меня постоянно что-то не устраивает, так что несколько свежих идей мне бы не помешало.

— Хорошо, идемте.

Бриджит кивнула и пригласила обоих агентов наверх. Поднимаясь по широкой лестнице, она как ни в чем не бывало беседовала с Джимом о подрядчиках и о том, как трудно бывает объяснить им, что на самом деле от них требуется.

Спальня Бриджит поражала размерами и роскошью. Можно было подумать, что она предназначалась для самой Марии-Антуанетты[1] — так много в ней было обтянутой голубым атласом антикварной мебели на резных позолоченных ножках. Глядя на все это великолепие, Джим невольно вспомнил аскетичную спальню Талли, где не было почти никакой мебели, кроме огромного плазменно-

---

[1] Мария-Антуанетта — французская королева, супруга Людовика XVI.

го телевизора на стене и незаправленной кровати. Бриджит, разумеется, не могла допустить ничего подобного: в ее спальне все было безупречно, в том числе и старинная кровать с четырьмя столбиками, поддерживавшими полог из тончайшего бледно-желтого шелка.

— Фамильная вещь? — спросил Джим, указывая на кровать, и Бриджит кивнула.

— Она принадлежала еще моей прабабке, — пояснила она. — Я хранила ее много лет, пока не перебралась в этот особняк. К счастью, моя алчная мачеха на нее не позарилась.

Бриджит вообще много и охотно рассказывала о своей мачехе, из-за которой ей пришлось уехать из родного Сан-Франциско в Лос-Анджелес, где она жила последние восемнадцать лет. Она упомянула, правда, что время от времени ездит домой, чтобы навестить отца, но каждая поездка, по ее словам, оборачивалась новым столкновением с мачехой, о злобном и завистливом нраве которой Бриджит, казалось, могла говорить без конца.

Потом Бриджит показала агентам три просторные гостевые спальни — несколько более скромные, чем ее собственная, однако же и здесь стояли антикварные кровати, а также свою главную гордость — перестроенную ванную размером с гараж на три машины.

— Ух ты!.. — не удержался Джим, с завистью и восхищением разглядывая огромную круглую ванну в центре комнаты, многорежимное джакузи и двухместную душевую кабину. Пол и стены в ванной были выложены розовым и белым мрамором, отдельная дверца вела в сауну, а из окон открывался вид в сад. Отсюда он был даже лучше, чем из гостиной.

— Чтобы построить нечто подобное, моему подрядчику понадобится года два, не меньше! — добавил Джим.

— Мой подрядчик провозился год, — призналась Бриджит. — Да и то мне пришлось постоянно его подгонять, но результатом я довольна, хотя работа и обошлась мне в кругленькую сумму.

По всему было видно, что она очень гордится своим домом. Талли тоже нравился ее особняк, однако, по большому счету, ей было все равно, где жить, и это чувствовалось. Весь ее талант, весь ее творческий потенциал были направлены исключительно на работу, но для Бриджит дизайн интерьеров собственного дома был единственной возможностью для самореализации. И она отдавалась этому занятию самозабвенно и со страстью, получая изрядное удовольствие от процесса. Ни детей, ни мужа у нее не было, поэтому она могла побаловать себя и мраморной ванной комнатой, и антикварными безделушками, и садом, в котором она, по собственному признанию, заменила почти все прежние деревья новыми.

Почему бы нет, ведь, кроме себя, любимой, ей больше не о ком было заботиться.

После осмотра верхнего этажа они вернулись в гостиную. Там Бриджит предложила агентам выпить, но они отказались. Вместо виски Джим попросил стакан воды, и они втроем отправились в кухню, которая, как и следовало ожидать, тоже оказалась произведением дизайнерского искусства, да и оборудована была по последнему слову техники.

— Вот это да! — в очередной раз восхитился Джим, опуская на рабочую поверхность из черного гранита хрустальный стакан, который он только что осушил одним глотком. — Вот это я понимаю!.. В таком доме, наверное, очень приятно жить?

Бриджит просияла. В голосе Джима слышалась неподдельная зависть, и это льстило ее самолюбию.

— Конечно! Если б вы знали, как приятно вернуться сюда после долгого рабочего дня или после выезда на натуру! Особенно если снимаешь в какой-нибудь глуши... Однажды мы даже работали в Африке и жили в самых настоящих тростниковых хижинах, вокруг которых кишели змеи, скорпионы и прочая гадость, представляете?

— Думаю, вы были рады вернуться домой даже после того, как проработали месяц в Палм-Спрингс, хотя там нет скорпионов и прочего, — пошутил Джим.

— Конечно, я была рада. «Нет ничего милее дома», — процитировала она из «Волшебника страны Оз».

Они снова вернулись в гостиную.

— Итак, — со вздохом сказал Джим, всем своим видом показывая, как ему не хочется возвращаться к скучным и изрядно поднадоевшим формальностям, — насколько я понял, деньги, которые мистер Ллойд украл у мисс Джонс, он получал от вас. Это так?

— Да, к сожалению, — ответила Бриджит и нахмурилась. — Наверное, я не должна была ничего ему давать... Мне, конечно, следовало сразу сказать Талли, но я боялась, что это испортит их отношения. А я хотела, чтобы Талли была счастлива. Ей, знаете ли, всегда очень не везло с мужчинами.

Джим кивнул с таким видом, словно он не просто понимал, что́ побудило ее к молчанию, но и одобрял ее решение.

— Насколько мне известно, мистер Ллойд имел близкие отношения не только с мисс Джонс, но и с вами.

Удар был неожиданным. Бриджит едва не свалилась с дивана, но сумела быстро взять себя в руки.

— Н-нет, не совсем так... То есть совсем не так! — возразила она. — Он меня шантажировал, понимаете? Однажды мы вместе работали над какими-то документами, ну и засиделись допоздна. Я очень устала, и мне захотелось немножко выпить, а Хант... он этим воспользовался. Он меня напоил, затащил в постель и заставил заниматься с ним сексом. С этого дня он регулярно вынуждал меня спать с ним. Я, конечно, не хотела, но он грозил, что все расскажет Талли про тот, первый раз, только представит дело так, будто это я его соблазнила. В общем... мне приходилось подчиняться, чтобы сохранить нашу с Талли дружбу и свою работу.

— Да-а, в непростом положении вы оказались, — сочувственно протянул Джим. — Вам, наверное, было очень тяжело морально?

— Еще как тяжело! — с жаром подтвердила Бриджит.

— И как долго это продолжалось?

— Почти три года, — проговорила Бриджит, напуская на себя вид мученицы, добровольно принявшей страдания за ближнего своего.

— Почему вы прекратили встречаться?

— Хант увлекся секретаршей из своего офиса.

— Для вас, вероятно, это стало большим облегчением, — заметил Джим, внимательно глядя на Бриджит.

— Да. — Она кивнула, стыдливо опуская глаза. — Иначе я даже не знаю, как долго это могло бы продолжаться. А так все сложилось действительно... удачно. Теперь меня волнует только одно — Талли в курсе? Я ведь так ни в чем ей и не призналась.

— Нет, Талли ничего не знает, — сказал Джим, напуская на себя заговорщический вид. — Мне стало известно о вашей интрижке из других источников, и я решил обсудить это с вами, чтобы, так сказать, иметь перед глазами полную картину.

— Да-да, я понимаю. Честно говоря, это большое облегчение — знать, что больше не нужно хранить в тайне это... эту историю. Но Талли я все равно ничего не скажу. И вы не говорите, хорошо? Это разобьет ей сердце!

— Пожалуй, мисс Джонс действительно очень расстроится. С нее хватило и той, другой девушки, к которой ушел мистер Ллойд. Анджела Морисси, кажется? Я слышал, она ждет от него ребенка.

— С его стороны это было низко! — с горячностью воскликнула Бриджит. — Я имею в виду то, как он поступил с Талли.

— Вам известно, кто сообщил мисс Джонс о романе мистера Ллойда и миссис Морисси?

— Да. Это я ей сказала. Мне показалось — она должна знать... То есть я просто не могла смотреть, как Хант ее обманывает. Конечно, рано или поздно Талли все равно бы обо всем узнала — не от него самого, так от кого-то другого, но... Хант обманывал ее все четыре года, что они были вместе, и все четыре года ложь сходила ему с рук. Вот я и подумала — хватит! Талли очень хороший человек, она не заслуживает, чтобы с ней так обращались! — добавила Бриджит, гневно сверкая глазами. — В конце концов, для чего же существуют подруги? А мы с Талли настоящие подруги и знаем друг друга очень давно — с тех пор как семнадцать лет назад вместе учились в киноколледже.

— Кажется, мисс Джонс начинала как актриса? — с интересом спросил Джим. Он сидел в кресле, слегка подавшись вперед, с жадностью впитывая каждое произнесенное ею слово, и это не могло не польстить Бриджит. Джек в соседнем кресле, напротив, откровенно скучал, казалось, он почти задремал, но на самом деле внимательно следил за разговором.

— Да, она снималась в одной картине, но, к сожалению, только как актриса второго плана. Я говорю — к сожалению, потому что даже с этой ролью она справилась блестяще. В ней пропадает настоящий актерский талант. Увы, сама Талли больше не хотела сниматься, хотя после той, самой первой картины ей поступило несколько довольно заманчивых предложений. Она хотела заниматься только режиссурой. В конце концов ей удалось снять на одной из независимых студий малобюджетную ленту, которая и принесла ей первый успех. С тех пор карьера Талли пошла в гору, а кем она является сейчас — вы знаете. Думаю, что и весь мир знает.

— Ну а вы? — спросил Джим, и Бриджит рассмеялась, демонстрируя безупречные зубы.

У нее была очень привлекательная улыбка, и Джим не мог не признать, что Бриджит достаточно красива, чтобы быть актрисой. Единственное, чего ей недоставало, — это индивидуальности, своеобразия облика и характера. И это было едва ли не главным, что отличало ее от Талли.

— Вы когда-нибудь снимались в кино? Странно, если нет... Я бы на вашем месте обязательно попробовал.

— Я снялась в нескольких небольших ролях, но продолжать не захотела... Видите ли, на самом деле я пошла в актерскую школу просто для развлечения. Мне никогда не хотелось становиться ни режиссером, как Талли, ни киноактрисой. Одно время я была моделью, но и эта работа меня не увлекла. Ну а потом Талли стала снимать свой первый фильм, а я ей помогала — правда, в основном в качестве... администратора, что ли... Понимаете, Талли ловит кайф от самого процесса сьемок, а меня он оставляет равнодушной. Зато работать *с* Талли мне понравилось, и когда она пригласила меня на место своей помощницы, я не стала отказываться.

Бриджит не сказала этого впрямую, но вся ее речь подразумевала, что она могла позволить себе вообще не работать и что ее помощь подруге — исключительно жест доброй воли.

— Ну а если говорить начистоту, — скромно добавила Бриджит, — если у меня и есть какие-то способности, то они гораздо скромнее, чем у Талли. У нее талант, самый настоящий, большой талант!

Что ж, по крайней мере, это она признает, подумал Джим.

— Вот увидите, — продолжала Бриджит, — Талли непременно станет одним из лучших режиссеров нашего времени. И «Оскар» она получит — Талли давно заслуживает высшей награды, какая только существует в кинематографе. Известность, слава, карьера — никакой Хант ей для этого не нужен. Она стала знаменитой еще до того, как этот субьект появился на ее горизонте.

Бриджит явно гордилась подругой, и Джим одобрительно улыбнулся.

— Вам известно, что́ делал мистер Ллойд с деньгами, которые вымогал у вас? — спросил он, снова возвращаясь к главной теме разговора.

— Понятия не имею. — Бриджит пожала плечами. — Возможно, тратил на других женщин.

— Вы хотите сказать, что, кроме вас и мисс Джонс, у него был кто-то еще? — притворился удивленным Джим.

— Точно не знаю, но не исключаю. — Бриджит недобро прищурилась.

— Но зачем ему могли понадобиться деньги мисс Джонс? Ведь мистер Ллойд — известный продюсер и, по нашим сведениям, человек весьма состоятельный. Двадцать пять тысяч для него — пустяк.

— Кто знает?.. — Бриджит снова пожала плечами. — Я читала в газете, что полиция регулярно задерживает за мелкие магазинные кражи десятки «домохозяек с Беверли-Хиллз», у которых денег куры не клюют, и даже настоящих знаменитостей. Говорят, некоторые люди получают удовольствие от самого процесса кражи. Может, и с Хантом та же история?

Джим с сомнением пожал плечами.

— Вы встречались с мистером Ллойдом на протяжении трех лет. Делал ли он вам какие-то ценные подарки?

— Мы не *встречались*! — возмутилась Бриджит. — Он меня вынудил!..

— Пусть так, — покладисто согласился Джим. — И все-таки, он что-нибудь вам дарил или нет?

— Нет. — Бриджит покачала головой. — Правда, несколько раз он водил меня в хорошие рестораны. Время от времени мы проводили уик-энды в дорогих отелях, один раз съездили на Гавайи и пару раз слетали в Нью-Йорк. Это было, когда Талли ездила на натуру без меня, — пояснила она.

— Ну а Талли... мисс Джонс? Ей он делал какие-то подарки? Каковы вообще были их финансовые взаимоотношения?

— Насколько мне известно, Хант оплачивал кое-какие счета, в том числе услуги приходящей домработницы, покупал продукты и прочее. Что-то они вместе покупали для дома — домашний кинотеатр или что-то в этом роде.

— И вы считаете, что он мог украсть у нее деньги, чтобы за это заплатить? — с невинным видом заметил Джим. — Какая мерзость!

Бриджит промолчала. Она считала, что сказала достаточно.

— Еще один вопрос, мисс Паркер. Скажите, Талли когда-нибудь изменяла мистеру Ллойду?

— Нет, насколько я знаю. Талли вообще не из таких... Она человек открытый и прямой и никогда не лжет.

«В отличие от своей помощницы», — подумал Джим, но вслух ничего не сказал. С каждой минутой Бриджит нравилась ему все меньше, но он старался никак этого не показывать. Напротив, Джим демонстрировал искреннюю заинтересованность, щедро разбавленную замаскированной лестью, благодаря чему у Бриджит неизбежно должно было сложиться впечатление, будто они разделяют схожие взгляды и она может не опасаться человека, который явился к ней, чтобы задавать, как она думала сначала, неудобные вопросы. В результате Бриджит расслабилась, утратила бдительность, и это было именно то, чего добивался Джим.

— Кто еще, по вашему мнению, мог бы обкрадывать мисс Джонс? — проговорил он таким тоном, словно спрашивал у нее совета.

— Может, Виктор Карсон, бухгалтер? — предположила Бриджит. — Он уже старик, но у него молодая жена. Слишком молодая!.. Я как-то столкнулась с ней в дорогом ресторане, и мне показалось — она не прочь приодеться и вообще любит денежки.

— Да-да, все верно! — рассмеялся Джим. — Вы очень тонко это подметили. Мы уже побеседовали с Виктором Карсоном и Хантером Ллойдом, так что все подтверждается.

Бриджит удивленно вскинула брови, но лесть подействовала: она тоже улыбнулась. А Джим делал все, чтобы она решила, будто он с ней заигрывает; он не сомневался, что это ей тоже должно понравиться.

— Насколько я знаю, после того как Талли выгнала Ханта, деньги больше не пропадают? — спросила Бриджит.

— Похоже на то, — подтвердил Джим. — Но если это был не мистер Ллойд, то, я думаю, через какое-то время все начнется снова. И если вы что-то заметите — немедленно сообщите нам, договорились?

— Конечно, сообщу. — Бриджит виновато потупилась. — Честно говоря, я понятия не имела, что речь идет о таких серьезных суммах — ведь Хант брал у меня по две — по три тысячи за раз. Мне и в голову не пришло их сложить, и... В общем, тут я, конечно, виновата.

— Не так уж вы и виноваты. Мистер Ллойд действовал очень умно, к тому же он вас шантажировал, следовательно, вы находились в состоянии стресса. Тут уж не до подсчетов... — с сочувствием сказал Джим. — А скажите, мисс Джонс действительно никогда не оплачивает свои счета сама?

— У Талли просто нет на это времени, мистер... Кингстон. — Бриджит ослепительно улыбнулась. — Особенно если она уезжает на натурные сьемки.

— И даже ее чеки подписываете вы? — уточнил Джим.

— Да, — с гордостью ответила она. — Талли мне доверяет.

— И она никогда не просматривает банковские выписки со счета?

— Нет, конечно. Иначе зачем я ей нужна? Я занимаюсь всей текущей бухгалтерией Талли, а отчеты и квитанции отправляю Виктору. И до сих пор все было в полном порядке.

— Я вижу, у вас довольно сложные обязанности, — заметил Джим. — Признаться, раньше мне казалось, что должность личного помощника — настоящая синекура...

— Синяя что?.. Впрочем, я, кажется, понимаю, что вы имеете в виду. Нет, мистер Кингстон, это далеко не так.

Мне приходится довольно много работать, но мне нравится помогать Талли. Я работаю у нее семнадцать лет, и она никогда не жаловалась.

— Да, — кивнул Джим, — мисс Джонс говорила, что без вас она как без рук и что она полностью вам доверяет. И похоже, ей действительно повезло с помощницей, — добавил он, и Бриджит буквально расцвела от этих слов.

— А мне повезло с нанимательницей, — все же сочла она нужным сказать. — Впрочем, мы не просто работодатель и наемный работник, мы — близкие подруги, и уже довольно давно.

— Что ж, тем лучше. А теперь нам пора, — сказал Джим и встал.

Джек, сделав вид, будто только что очнулся от дремоты, тоже поднялся, и все трое вышли в прихожую.

— Спасибо, что показали ваш дом, — поблагодарил Джим. — Это было действительно интересно. Вы отлично поработали, мисс Паркер. Думаю, если рынок услуг персональных помощников прекратит свое существование, вы всегда сможете устроиться художником-декоратором, — пошутил он.

— Надеюсь, этого никогда не произойдет, — отозвалась Бриджит, открывая им входную дверь.

Когда агенты ушли, Бриджит быстро поднялась к себе в спальню и сбросила платье. Вечером к ней должен был приехать Томми, и она хотела немного отдохнуть перед его визитом. Фэбээровцы просидели у нее почти два часа; Бриджит уже не чаяла, как от них избавиться. К счастью, вопросы, которые они задавали, были совершенно обычными — чего-то в этом роде Бриджит и ожидала. Сейчас ей казалось — она держалась совершенно естественно и сумела ответить на все вопросы совершенно правильно. Бриджит, впрочем, надеялась, что агенты больше у нее не появятся. В конце концов, после того как Талли рассталась с Хантом, деньги с ее счетов больше не пропадали, а раз так, то и расследовать тут нечего. Она преподнесла им

Ханта буквально на блюдечке, и пусть теперь фэбээровцы считают, будто разгадали эту загадку.

Бриджит как раз успела наполнить ванну и погрузиться в теплую, ароматизированную воду, когда зазвонил ее мобильник. Это был Томми — он сказал, что задерживается и будет у нее только через час.

— Вот и отлично, мышонок, — проворковала Бриджит. — Этого времени мне как раз хватит, чтобы подготовиться к нашей с тобой встрече, — добавила она голосом, от которого мог расплавиться камень, и Томми понял, что настроение у нее преотличное.

Они провели вместе уже несколько ночей, и он знал, что забудет их не скоро. Кроме того, во время перерыва в съемках они с Бриджит собирались в Мексику — в Кабо-Сан-Лукас на побережье. Номер в «Пальмилле» — одном из самых роскошных отелей мира — был уже заказан, и Томми предвкушал жаркую неделю. Бриджит сама пригласила его в эту поездку, и молодой актер был в восторге. Таких женщин, как она, ему встречать не доводилось.

* * *

— Ну, что скажешь, босс? — спросил Джек, когда после визита к Бриджит они ехали обратно.

Особняк и сад произвели на обоих сильное впечатление, да и сама хозяйка была на редкость красивой женщиной, одевавшейся не только дорого, но и со вкусом. По-видимому, Бриджит была человеком обеспеченным, и Джек считал, что такой, как она, нет необходимости красть и обманывать. У нее и без этого было все, о чем можно мечтать.

— Что скажу?.. — негромко отозвался Джим, мрачно нахмурив брови. — По-моему, она пыталась навешать нам лапши на уши.

Самому Джиму больше всего понравилась сказочная повесть о том, как Хант напоил и изнасиловал Бриджит, а потом шантажом и угрозами заставлял бывать с ним на курортах, в дорогих ресторанах и роскошных отелях. Почему-то Джиму казалось, что все это вряд ли причиняло Бриджит невыносимые страдания.

— Значит, ты считаешь, она нам лгала? — уточнил Джек. — Но даже если так, с чем ты пойдешь к окружному прокурору? Мы уже давно опрашиваем свидетелей и всех, кто причастен к этому делу, но доказательств я пока что-то не вижу.

Они действительно допросили приходящую домработницу Талли и ее садовника, которые подтвердили, что Хант часто давал им на чай и вообще был человеком достаточно щедрым. Приходящая прислуга Бриджит тоже была допрошена. Все эти люди показали, что хозяйка регулярно встречается у себя в особняке с разными молодыми людьми, но по предъявленной им фотографии Ханта никто из них не опознал. Зато сотрудники отелей «Шато Мормон» и «Сансет Маркис» хорошо запомнили Ханта и Бриджит, которые в течение трех лет частенько проводили в этих отелях уик-энды и, изредка, будни. Они пили только шампанское и заказывали обслуживание в номер, из которого почти не выходили. Коридорные и горничные в один голос утверждали, что Хант и Бриджит вели себя как типичные «воскресные любовники». Никакой напряженности в их отношениях никто из них не заметил.

— Надо дождаться материалов из Сан-Франциско, — серьезно ответил Джим. — Думаю, ответ на наш запрос придет уже завтра. Посмотрим, может быть, мы и узнаем о мисс Паркер что-нибудь новенькое.

— Мне кажется, это маловероятно, — возразил Джек. — Что интересного можно узнать о богатенькой дочке богатеньких родителей? Ну, разве что полиция Фриско регулярно задерживала ее за магазинные кражи...

— Кстати о магазинах — хорошо, что напомнил, — встрепенулся Джим. — Нужно пройтись по бутикам и ювелирным салонам, где пасется наша мисс Паркер. Талли дала мне кое-какие адреса, хотя ей и кажется, что ничего особенного мы там не узнаем. Ведь почти все, что надето на Бриджит, — подарки, которые дизайнеры и магазины эксклюзивной одежды преподнесли ей в надежде, что она убедит свою нанимательницу пользоваться их услугами. И тем не менее проверить нужно обязательно.

Он собирался сделать это еще недели две назад, но у них с Джеком были и другие важные расследования, от которых их никто не освобождал.

— Если и это ничего не принесет, — добавил Джим недовольно, — нам придется на этом закончить. Я, конечно, внесу в прокурорскую службу письменное представление о возбуждении дела, но, к сожалению, все, что у нас есть, — это косвенные улики и наша интуиция, плюс тот неоспоримый факт, что за три года жертва потеряла почти миллион долларов, который испарился с ее личного счета. Теоретически этого достаточно, чтобы следствие продолжалось, но с практической точки зрения оно может растянуться на годы.

Джиму очень хотелось как можно скорее произвести арест, и он знал, что Талли хочет того же. Она с нетерпением ждала, когда же Джим наконец разрешит ей уволить Бриджит: день ото дня ей становилось все тяжелее видеть помощницу, разговаривать с ней как ни в чем не бывало. Ну что ж, решил Джим, пожалуй, сейчас это уже можно сделать. Все равно в ближайшее время они вряд ли сумеют откопать неопровержимые доказательства вины Бриджит, а вот неожиданное увольнение могло спровоцировать ее на какие-то необдуманные действия и поступки. Он уже познакомился с документами о движении средств на счетах Бриджит, которые ФБР получило в банке в соответствии с Законом о приостановлении конституционных гарантий в чрезвычайных случаях. Из этих документов Джим узнал, что за последние годы Бриджит часто пополняла свой счет, внося крупные суммы наличными. Расходовались деньги тоже довольно быстро, но на что — этого из документов понять было нельзя. Оставалось надеяться, что предъявленное обвинение настолько напугает Бриджит, что она предпочтет чистосердечное признание аресту с последующим судебным разбирательством. Для всех заинтересованных сторон это был наиболее предпочтительный вариант, к тому же Джим был почти уверен: Бриджит попытается избежать суда, способного нанести ущерб и ее репутации, и ее кошельку, так как в подобных случаях судебные издержки могли оказаться весьма значительными. Впрочем, она, похоже, могла позволить себе и более значительные расходы: зарплату у Талли она получала очень хорошую, и на ее счетах скопилась внушительная сумма.

Высадив напарника возле городского управления ФБР, Джим поехал домой. Бобби был уже там — сидя перед телевизором, он и двое его приятелей с аппетитом уплетали пиццу.

— Что, на дом ничего не задано? — спросил Джим, слегка приподнимая брови.

— Я все сделал, — отрапортовал сын.

О том, чтобы сыновья сделали домашнее задание, всегда заботилась Дженни, но теперь это была обязанность Джима. Равно как и завтрак, обед, ужин, стирка, продукты, тренировки младшей лиги, соревнования, автопул[1], покупка одежды, прогулки в парке, болезни, врачи, школьная и спортивная форма, родительские собрания, рождественские открытки, поездки к ветеринару с их заболевшим хомяком и так далее, и так далее... Со всем этим Джим должен был справляться один, и он справлялся, но ему по-прежнему очень не хватало Дженни. Порой тоска по покойной жене становилась просто невыносимой. Джим влюбился в нее еще в старших классах; с тех пор прошло двадцать семь лет, пять из которых ее с ним не было, но он продолжал любить свою Дженни и никак не мог поверить в то, что она умерла. Каждый раз при мысли о том, что они больше никогда не

---

[1] Автомобильный пул — договоренность между автовладельцами — друзьями или соседями — о том, чтобы по очереди использовать свои автомобили для общих нужд (развозить всех на работу, детей в школу и проч.).

увидятся, Джим чувствовал себя так, словно у него вот-вот разорвется или остановится сердце.

Бобби и его гости все еще были в спортивной форме; они сидели, положив ноги на журнальный столик, и громко хохотали, следя за приключениями какого-то мультипликационного персонажа. Коробка из-под пиццы валялась на ковре, а на столике теснились жестянки с колой, которые каждую секунду готовы были опрокинуться, что в прошлом случалось уже не раз.

— Добро пожаловать, парни, — сказал Джим спокойно. — Только постарайтесь не разнести дом, о'кей?

— Извини, па, — сказал Бобби с виноватым видом, и все трое тотчас принялись пихаться и толкаться, сражаясь за лучшее место перед экраном.

Джим давно знал, что говорить что-либо подросткам, особенно если их больше двух человек, совершенно бесполезно, и все же ему нравилось, когда к Бобби приходили друзья и в доме становилось шумно и весело. Вот и сейчас он не стал ни хмуриться, ни сердиться — только демонстративно закатил глаза и поднялся в свой кабинет на втором этаже, чтобы немного поработать.

Усевшись перед компьютером и дожидаясь соединения с Интернетом, Джим неожиданно задумался о Бриджит Паркер, точнее — о ее роскошном особняке, в котором все было очень дорого и стильно. В этом отношении дом Бриджит разительно отличался от жилища Талли, которое он мог бы назвать спартанским, если бы там присутствовал хотя бы намек на порядок. И все же именно особняк Талли производил впечатление настоящего дома, удобного и обжитого, тогда как Бриджит жила в окружении безупречных, но безликих интерьеров, словно сошедших со страниц глянцевого журнала.

В этом, впрочем, не было никакого преступления. Бриджит могла себе это позволить — Джим видел ее счета и ее налоговые декларации. Зарплата у нее была такая, что мог бы позавидовать и вице-президент банка средней руки. Кроме того, повсюду, где было известно имя Талли Джонс, Бриджит получала значительные скидки, а также многочисленные подарки, бонусы и льготы. И за все это она отплатила Талли, переспав с ее любовником.

Должно быть, это было очень больно. Джим уже не удивлялся тому, что в их самую первую встречу Талли выглядела совершенно раздавленной — ведь считаные часы прошли с тех пор, как она побывала в офисе Мег и узнала правду о Хантере Ллойде и о своей «лучшей подруге». Неудивительно, что Талли готова была уволить Бриджит — вышвырнуть ее из своей жизни вслед за Хантом. Простить предательницу было выше ее сил, и не имело особого значения, обкрадывала ее помощница или нет. И все же Талли в точности исполнила то, о чем просил ее Джим, — Бриджит по-прежнему не догадывалась, что находится под подозрением. На это была способна только прирожденная актриса, и он невольно подумал о том, как щедро одарила природа эту тихую скромную женщину, на которую несчастья обрушивались одно за другим.

Было уже около одиннадцати вечера, когда друзья Бобби разошлись по домам. По дороге в спальню сын заглянул к отцу в кабинет.

— Все еще работаешь, па?

— Да. Надо кое-что проверить... — Джим повернулся вместе с креслом и с улыбкой посмотрел на Бобби. В глубине души он очень боялся того момента, когда младший сын окончит школу и тоже отправится в колледж или в университет. К счастью, до этого дня оставалось еще порядочно времени.

— А завтра нельзя? Ты совсем не отдыхаешь.

Бобби шагнул вперед и, встав за спинкой кресла, помассировал отцу плечи. Несмотря на возраст, пальцы у него были сильными, и Джим подумал о том, что спорт пошел Бобби на пользу — он стал крепким и ловким. Кроме того, спортивная стипендия могла открыть ему дорогу в любое или почти в любое учебное заведение страны.

Потом ему вдруг пришло в голову, что за последние пять лет никто, кроме сыновей, не демонстрировал ему свою любовь и расположение вот так — через физический контакт. После смерти жены Джим даже не глядел на женщин, не говоря уже о том, чтобы пригласить кого-то на свидание. Он просто не мог, да ему и не хотелось. В первое время друзья и коллеги по работе грубовато подшучивали над ним; некоторые — из лучших побуждений — пытались знакомить Джима со своими незамужними родственницами, но из этого так ничего и не вышло, и в конце концов его оставили в покое. Джим был просто не готов строить новые отношения. Ему вполне хватало воспоминаний о счастливых годах, прожитых с Дженни, которую не могла заменить ни одна женщина в мире. Воспоминания и сыновья — вот все, что у него осталось.

— Завтра нельзя, — терпеливо ответил он, и Бобби хмыкнул:

— Знаю я тебя! Небось дело попалось интересное, вот ты и не можешь от него оторваться. — С этими словами юноша отступил назад и с размаху плюхнулся на кровать.

— Дело действительно непростое, — уклончиво ответил Джим.

Он никогда не рассказывал дома о делах, которые расследовал, не называл никаких имен, пока следствие не заканчивалось, а собранные материалы не отправлялись в архив. Несмотря на это, оба сына частенько пытались его расспрашивать, ожидая захватывающих рассказов о погонях, перестрелках и горах трупов. В послужном списке Джима действительно было несколько таких «героических» эпизодов, однако в последнее время он старался держаться подальше от заданий, связанных с чрезмерным риском. Пистолет, правда, он носил постоянно, но не пользовался им уже много лет. Среди коллег Джим славился как непревзойденный мастёр по расследованию «интеллектуальных» преступлений, которых на его счету действительно было немало. Распутывать хитроумные преступные замыслы, побеждать злоумышленников силой ума нравилось ему куда больше, чем стрелять или наносить сокрушительные удары кулаком или ногой. Нет, он, разумеется, все это умел, и умел неплохо; трусом Джим тоже никогда не был, однако после смерти Дженни ему нужно было заботиться о сыновьях, и он старался не рисковать собой без крайней необходимости.

— Опять кто-нибудь что-нибудь спер? — ухмыльнулся Бобби, подпрыгивая на краю двуспальной кровати, которая после смерти Дженни казалась Джиму слишком большой.

— Совершенно верно. Выбирай, что тебе больше нравится: электронное мошенничество, затронувшее держателей кредитных карт в тринадцати штатах, широкомасштабный промышленный шпионаж или присвоение чужих денег на сумму один миллион долларов, — улыбнулся Джим. Бобби был отличным парнем, и он всем сердцем любил и его, и Джоша. Надо бы ему позвонить, подумал Джим. Они давно не разговаривали, и он очень соскучился по старшему сыну.

— Скукотища! — с отвращением заметил Бобби и поднялся. — Похоже, на этой неделе ты так и не подстрелишь ни одного негодяя.

— Надеюсь, что нет, — рассмеялся Джим, и Бобби отправился к себе в комнату, чтобы переодеться в пижаму.

Джим тоже решил лечь спать. Он ни минуты не сомневался, что сын и его приятели оставили в гостиной настоящий свинарник, но решил, что успеет прибрать завтра утром, перед уходом на работу. Прислуги у них не было. Точнее, была женщина, которая приходила раз в неделю, чтобы сделать генеральную уборку, но в остальные дни Джиму и Бобби приходилось все делать самим.

Перед сном он заглянул к сыну, чтобы пожелать ему спокойной ночи. Бобби, который, лежа в постели, смотрел по телевизору какой-то боевик, помахал ему рукой, и Джим вернулся к себе. Завтра с утра он планировал отправиться на Родео-драйв, чтобы проверить магазины, которые регулярно посещала Бриджит. Список, составленный Талли по его просьбе, был довольно длинным, и Джим внутренне приготовился к долгой и кропотливой работе, которую его сын, несомненно, назвал бы самым нудным занятием в мире. И он был вполне согласен с Бобби, но сделать эту работу было необходимо. Джим прекрасно знал: чтобы добиться успеха даже в самом сложном расследовании, мало метко стрелять или виртуозно водить машину. «Хороший детектив — терпеливый детектив», — часто говорил он своему напарнику Джеку и сам всегда старался следовать этому нехитрому правилу.

Уже засыпая, Джим снова подумал о Дженни. Она была бы рада провести утро на Родео-драйв. Увы, завтра ему придется отправиться туда одному.

Глава 13

«Гуччи», «Фенди», «Прада», «Джимми Чу», «Дольче энд Габбана», «Роберто Кавалли», «Картье», «Ван Клиф», «Гарри Уинстон» и так далее — от множества названий у Джима уже начинало рябить в глазах. Он переходил из магазина в магазин, из салона в салон, мысленно кляня себя за то, что не побывал на Родео-драйв раньше. На это, впрочем, требовалось время, которого хронически не хватало, поэтому расследование Джим решил начать с допроса подозреваемых, а также с подробной бухгалтерской экспертизы их финансов. Но, как это часто бывало, неопровержимые улики, без которых идти в суд было, скорее всего, бесполезно, обнаружились в самом неожиданном месте.

В каждом из магазинов Джим просил вызвать управляющего, потом предъявлял свое удостоверение сотрудника ФБР и задавал вопрос относительно подарков, которые дирекция когда-либо делала мисс Бриджит Паркер, личной помощнице мисс Джонс. Сама Талли утверждала, что даже самые дорогостоящие товары — меха, ювелирные украшения, дизайнерские платья и прочее — Бриджит получает бесплатно или приобретает по себестоимости. Она, однако, только повторяла то, что говорила ей сама Бриджит, и Джим решил это проверить, а заодно поближе познакомиться со столь странной рекламной стратегией. Ни о чем подобном ему прежде слышать не приходилось.

В каждом магазине или салоне, который посещал Джим, он получал один и тот же ответ. Да, говорил ему старший менеджер или управляющий, раз в году — как правило, на Рождество — магазин действительно рассылает своим постоянным клиентам небольшие подарки. Какие именно?.. О, ничего особенного!.. Шарф, свитер, галстук, пеньюар, набор бокалов, чернильный прибор и тому подобное. В отдельных случаях высокопоставленным клиентам предоставлялась также ВИП-скидка, но к Бриджит это не относилось. Саму Бриджит, впрочем, в магазинах хорошо знали и считали одной из лучших клиенток, однако за все, что она покупала, ей приходилось платить сполна, и лишь изредка — с небольшой скидкой. Вещи она приобретала самые дорогие, например несколько меховых жакетов разной расцветки (в том числе жакет из золотистого соболя от Диора за пятьдесят тысяч долларов), несколько дамских сумочек по четыре тысячи долларов каждая, бриллиантовый гарнитур за двадцать тысяч, а также туфли, платья, свитера, белье и прочее. Работники магазинов и ювелирных салонов были, однако, совершенно уверены, что в каждом случае Бриджит сама оплачивала свои покупки и что никто не делал ей подарков на сколько-нибудь значительную сумму.

Иными словами, Бриджит лгала, когда утверждала, что все ее обновы — подарки от фирм и торговых представителей, и Джим поинтересовался, как она расплачивалась за покупки. Чтобы ответить на этот вопрос, магазинам пришлось поднять кое-какие архивные документы, однако дело того стоило: довольно скоро Джим убедился, что во всех случаях Бриджит расплачивалась наличными и только за соболий жакет рассчиталась банковским чеком.

Тогда Джим стал спрашивать старших менеджеров, не могли ли сотрудники отделов продаж делать Бриджит подарки без их ведома, однако его заверили, что это совершенно исключено. Управляющий фирменного бутика «Прада» даже рассмеялся, когда услышал этот вопрос.

— Никто, если только он не хочет потерять свое место, не стал бы делать ничего подобного, — заявил он. — С точки зрения дирекции магазина, это будет не что иное, как самая обыкновенная кража. Я уверен, что мисс Паркер регулярно получает от нас небольшие сувениры к Рождеству и на День благодарения, однако я ни секунды не сомневаюсь, что это были именно сувениры — брелок для ключей, платок, кошелек с фирменной символикой или еще какая-нибудь приятная мелочь. Мы здесь, знаете ли, занимаемся бизнесом, а не благотворительностью, — добавил менеджер. — То есть мы, конечно, перечисляем определенные суммы благотворительным организациям, но к нашим клиентам это не относится. Среди них, видите ли, нет людей, которые нуждались бы по-настоящему.

— Поня-ятно, — протянул Джим.

За два часа, проведенных на Родео-драйв, он узнал о Бриджит Паркер немало интересного. Во-первых, ничто из того, что было на ней надето, не являлось подарком и не было приобретено по себестоимости, хотя она и уверяла Талли в обратном. А во-вторых, покупая для себя эксклюзивную одежду и украшения, Бриджит расплачивалась исключительно наличными. Кредитной карточкой, насколько ему удалось установить, она никогда не пользовалась. В большинстве магазинов Бриджит была постоянным покупателем, а это значило, что, регулярно посещая Родео-драйв, она истратила одно-два небольших состояния. Вывод, как говорится, напрашивался сам собой: деньги, которые она швыряла направо и налево, принадлежали вовсе не ей, а ее нанимательнице.

То же самое Джим услышал и в ювелирных салонах. Даже по самым грубым подсчетам получалось, что только на одежду и украшения Бриджит тратила куда больше, чем позволяли ее доходы. А ведь она оплачивала также перестройку особняка, приобретала антикварную мебель и картины, которые он видел у нее дома. Да, подумал Джим, похоже, он свалял дурака, не побывав на Родео-драйв раньше. Именно здесь и находились те самые неопровержимые улики, которые он искал. Взять, к примеру, хотя бы перстень с бриллиантом, который Бриджит приобрела около года назад и который обошелся ей в сотню тысяч долларов... Если только семья не присылала Бриджит денег, о которых Джим ничего не знал (а на ее счетах ничего подобного не появлялось), значит, она должна была взять эти наличные где-то в другом месте, а в каком — он уже догадывался. Правда, когда Талли прогнала Ханта, Бриджит перестала снимать деньги с их общего счета, но, учитывая ее дорогостоящие привычки, можно было не сомневаться, что эта передышка продлится недолго. Кроме того, Джим знал, что в магазинах, в которых он только что побывал, ему смогут предоставить копии квитанций и чеков, где будет точно отражено, что, когда и за сколько покупала Бриджит. В его списке было десять бутиков и три ювелирных салона, и он был уверен, что документы оттуда произведут должное впечатление на прокурора.

Вполне удовлетворенный, Джим приехал в свой офис. Вскоре там появился и Джек. Увидев довольную улыбку на лице напарника, он не удержался и спросил:

— Хотел бы я знать, что такого приятного случилось с тобой по пути на работу?

— Много всего, — откликнулся Джим, не переставая улыбаться.

Он только что заново связался с руководством расположенных на Родео-драйв магазинов и договорился, чтобы ему как можно скорее прислали все выписки о покупках, сделанных Бриджит за последние четыре года. Кроме того, Джим успел приготовить официальное отношение для помощника окружного прокурора, с которым предварительно поговорил по телефону, и обосновал необходимость не только официально возбудить дело против Бриджит Паркер, но и выписать ордер на ее арест.

— Мне крупно повезло, — добавил Джим, и Джек кивнул:

— Я так и понял.

— *Нам* повезло, — уточнил напарник. — Я все утро провел на Родео-драйв и узнал там много интересного. Благодари бога, что ты *не* женат на Бриджит Паркер: эта женщина каждый месяц тратит на одежду и украшения больше, чем мы с тобой зарабатываем за год.

Если Джим и преувеличивал, то не слишком.

— Я думал, все эти тряпки и побрякушки — подарки, которые магазины сделали ее нанимательнице, — удивился Джек.

— Ничего подобного, — ухмыльнулся Джим. — За последние три года мисс Паркер потратила на все эти роскошные вещи больше миллиона *наличными*. В общем, нам придется снова проверить бухгалтерские документы Талли, только теперь мы знаем, что искать. Похоже, Бриджит крадет у хозяйки больше, чем мы думали.

— Знаешь, что я тебе скажу, дружище? — проговорил Джек, бросая на стол компьютерную распечатку. — У тебя сегодня действительно удачный день. Посмотри-ка, что тебе прислали из нашего сан-францисского управления... — Он тоже улыбался, не скрывая своего торжества. — Наши парни во Фриско побеседовали с ее отцом, с мачехой и *с сестрой*. Все, что Бриджит рассказывала нам о своей приемной матери, — правда: они действительно ненавидят друг друга, но вот остальное...

Похоже, мисс Паркер обманывала не только нас, но и свою нанимательницу. Никаких денег она от матери не наследовала, и никакого доверительного фонда у нее нет. Ее семью вообще не назовешь ни богатой, ни даже обеспеченной. Отец мисс Паркер ушел на пенсию после того, как всю жизнь проработал в городской телефонной компании. Ее мать умерла, когда она была еще ребенком, а мачеха утверждает, что Бриджит с детства была патологической лгуньей — и осталась таковой по сию пору. Еще в подростковом возрасте Бриджит клянчила, а то и воровала деньги у своих ближайших родственников. Став постарше, она переспала с мужем сестры, а потом, угрожая ему разоблачением, вымогала у него деньги до тех пор, пока основательно не «подчистила» семейные сбережения.

В конце концов мисс Паркер перебралась в Лос-Анджелес; в Сан-Франциско она не ездит, а если и ездит, то к родственникам не заходит и не звонит. Они, впрочем, и сами не горят желанием ее видеть. Барни из нашей сан-францисской конторы утверждает, что отец мисс Паркер — довольно приятный и очень порядочный старик. Каждый раз, когда речь заходит о Бриджит, он начинает плакать. Что случилось с его дочерью, как она стала такой, он не знает и не понимает. Впрочем, по нашим сведениям, сразу после смерти матери Бриджит почти год провела в психиатрической больнице, однако лечение, похоже, не особенно помогло, поскольку впоследствии ее много раз задерживали за магазинные кражи. Была также какая-то темная история с кредитными карточками, к которой Бриджит вроде бы была причастна, но ущерб был невелик, поэтому суд не стал привлекать ее к ответственности. Тем не менее родственники продолжают считать, что Бриджит их опозорила. К настоящему моменту они не видели ее уже лет пятнадцать и, кажется, не слишком расстроятся, если не увидят и впредь. За отца не ручаюсь, но мачеха и сестра настроены весьма решительно. Да, кстати, — добавил Джек, — в высшем обществе Сан-Франциско о богатой наследнице Бриджит Паркер тоже никто никогда не слышал.

— Вот это да! — воскликнул Джим. — Ну, Джек, мы с тобой попали в десятку. Теперь она не вывернется. — Он нахмурился. — Как ты думаешь, ее родственники... или хотя бы отец могут предупредить Бриджит, что мы собираем на нее материалы?

— Вряд ли. По сведениям наших коллег из Фриско, родственники с ней не общаются. Даже отец. Сестра и вовсе заявила, мол, она надеется, что Бриджит надолго отправится в тюрьму, где ей самое место, и, если нам еще немножечко повезет, мы вполне сможем сделать так, чтобы ее мечта сбылась. В общем, я не думаю, что они ее предупредят, — закончил он, театральным жестом показывая на лежащие на столе распечатки. — Это все вам, маэстро. Действуйте!

— Ты лучше выматывайся отсюда, иначе я тебя расцелую, — проворчал Джим, и Джек сделал вид, будто бросается к двери.

— Не смей, иначе я подам на тебя в суд за сексуальные домогательства!

Джек ушел к себе в кабинет, а Джим еще раз внимательно перечитал отчет сан-францисского управления. Теперь у него действительно было все, что нужно, для передачи дела в суд. Единственный вопрос, который, как он знал, непременно задаст ему помощник прокурора, заключался в том, кому, по его мнению, было подведомственно совершенное Бриджит Паркер преступление: ФБР или полиции. Джим считал, что у него есть все шансы оставить дело за собой. Как ему удалось выяснить, Бриджит несколько раз использовала накопленные Талли «авиамили»[1] без ее разрешения, что считалось федеральным преступлением. Кроме того, Виктор Карсон обнаружил, что Бриджит сделала несколько несанкционированных онлайновых переводов со счета Талли, что квалифицировалось как электронное мошенничество и также находилось в компетенции ФБР. Для прокурора, считал Джим, этого будет достаточно.

Он от души сочувствовал Талли и не хотел передавать дело в полицию. Ему казалось — он должен не только отправить за решетку ее вороватую помощницу, но и постараться

[1] «Авиамили» — популярный рекламный ход некоторых торговых компаний или банков. Например, покупая товары в магазинах данной компании, клиент накапливает бесплатные мили, которые, суммируясь, обеспечивают ему скидки при покупке авиабилетов.

компенсировать ей хотя бы часть украденного если не деньгами, то имуществом — драгоценностями, одеждой, которые можно продать. Существовали также особняк, мебель, картины, антиквариат, которые тоже стоили немало, и суд вполне мог принять решение об их конфискации. Из того, что́ Джим успел узнать, следовало, что Бриджит тратит украденные наличные буквально с космической скоростью. Теперь ему следовало выяснить, из каких источников она заплатила за особняк, поскольку никаких денег Бриджит не наследовала и никакого траст-фонда не имела. С самого начала она лгала, лгала вдохновенно и правдоподобно, и доверчивая Талли попалась на эту ложь.

Джим не исключал даже, что Бриджит обворовывала свою нанимательницу не три-четыре последних года, а все время, что она работала у нее помощницей, или, по крайней мере, с тех самых пор, как Талли начала зарабатывать по-настоящему большие деньги. Этот вариант казался Джиму наиболее правдоподобным. Бриджит была единственным человеком, который точно знал, какие гонорары и роялти причитались ее работодательнице как режиссеру многих успешных фильмов, и ей ничего не стоило утаить от нее сотню-другую тысяч, тем более что сама Талли безоговорочно ей доверяла. Она, во всяком случае, никогда не проверяла свои доходы и расходы, поручив эту работу своей личной помощнице, которая, на ее несчастье, оказалась нечиста на руку.

Конечно, со стороны Талли было глупо довериться фактически постороннему человеку. Джим знал немало примеров, когда даже изначально честные, но слабохарактерные люди, поставленные распоряжаться чужими деньгами, не выдерживали и начинали обкрадывать своих нанимателей. Следовало, впрочем, отдать должное и Бриджит, которая сумела внушить Талли полное доверие и навязать ей свою дружбу. С другой стороны, людям честным и открытым часто кажется, будто все вокруг — такие же, так что было вовсе не удивительно, что Бриджит сумела без труда завоевать расположение Талли. Джим, однако, был убежден, что доверчивость и открытость не являются преступлением и не заслуживают того, чтобы на них отвечали ложью и беззастенчивым воровством. Бриджит, считал он, непременно должна понести наказание.

И, сложив все материалы в папку, Джим отправился в офис окружного прокурора, чтобы побеседовать с одним из его заместителей, с которым он работал чаще других. Ему повезло — когда Джим поднялся на нужный этаж, Генри Лу был на месте. Увидев входящего в кабинет приятеля, он широко улыбнулся, и Джим приветливо кивнул в ответ. Генри ему нравился — он был достаточно строгим и принципиальным, но умел прислушиваться к голосу логики и здравого смысла. Вместе Джим и Генри довели до успешного конца уже немало важных дел.

— Ты похож на кота, который нализался сметаны, — сказал Генри, указывая Джиму на кресло для посетителей. — Отчего рожа такая довольная? Есть перспективное дельце?

— Есть, и как раз для тебя, — кивнул Джим. — Все доказательства, считай, на месте, так что можешь работать.

Расследовать дело о краже наличных было гораздо труднее, чем мошенничество с кредитными картами или махинации со счетами, поскольку живые деньги почти не оставляли следов, однако в данном случае все складывалось на редкость удачно. Бриджит действовала слишком прямолинейно, расходуя наличные без особых затей; ее траты во много раз превышали доходы, а ложь, которой она прикрывалась, могла обмануть только такого доверчивого человека, как Талли. Первая же серьезная проверка показала, что, кроме зарплаты, никаких источников дохода у Бриджит просто нет. Все это Джим и изложил Гарри, а закончив — придвинул к нему папку с документами.

— Здесь все, — сказал он. — Дело раскрыто, и всего за два с небольшим месяца. Теперь твоя очередь, Гарри.

Два месяца было сравнительно небольшим сроком, и Джим мог бы гордиться своим успехом, если бы не мысль о том, что, сообрази он с самого начала отправиться на Родео-драйв, и преступление Бриджит можно было бы раскрыть не за два месяца, а за две недели. Как бы там ни было, все необходимые документы, включая отчет коллег из Сан-Франциско, он представил; теперь дело было за прокуратурой. Да и Гарри полностью согласился с ним, когда Джим объяснил, почему дело должно оставаться в ведении ФБР, так что свою цель он мог считать достигнутой.

— Мисс Паркер пыталась обвинить в краже бывшего бойфренда потерпевшей, с которым она, кстати, спала, — сказал Джим. — Но он очень неплохо зарабатывает, к тому же в его финансовых отчетах мы не обнаружили ничего подозрительного. Я считаю — он ни при чем. То же самое можно сказать о личном бухгалтере мисс Джонс; поначалу я подозревал его на том основании, что он-то как раз остро нуждается в деньгах. Бедняга находится на грани банкротства, и все потому, что женился на молодой авантюристке, которая не успокоится, пока не вытрясет из него все до последнего цента, но денег мисс Джонс он точно не брал. Остается мисс Паркер, а против нее, как видишь, улик вполне достаточно. В общем, я считаю, дело очень хорошее. У нас есть все, что нужно, и я не сомневаюсь — в суде мы добьемся обвинительного приговора.

— Похоже на то, — с довольным видом согласился молодой заместитель прокурора. — А эта мисс Паркер не склонна признать свою вину до суда?

— Трудно сказать. Думаю, все будет зависеть от того, насколько туго мы сумеем затянуть петлю на ее шее, а также от того, насколько умный адвокат ей попадется. Вряд ли мисс Паркер хочется за решетку, хотя, если учесть размеры ущерба, тюрьмы ей не миновать. Вряд ли суд окажет ей снисхождение на основании того, что это первое правонарушение, поскольку деньги со счета она воровала регулярно, на протяжении довольно продолжительного срока. Кроме того, налицо злоупотребление доверием, а многие судьи считают это отягчающим обстоятельством.

Генри кивнул. Он, разумеется, хорошо знал законы.

— Ты говоришь, потерпевшая доверяла мисс Паркер, они даже были дружны. Вдруг она попросит суд о снисхождении к своей лучшей подруге?

— Маловероятно. Ведь Бриджит Паркер в течение трех лет спала с ее бойфрендом, — напомнил Джим.

— Надеюсь, она уволила ее без выходного пособия? — мрачно пошутил Генри.

— Пока нет. Я просил мисс Джонс немного с этим повременить, поскольку не знал, как пойдет расследование. Бриджит Паркер могла что-то заподозрить и скрыться — ищи ее потом... Но сейчас, я уверен, мисс Джонс не станет медлить с увольнением. Находиться с Бриджит Паркер в постоянном контакте ей тяжело чисто психологически, поэтому, как только я скажу, что она может ее выгнать, она тотчас это сделает. Я, кстати, думаю — сейчас самое время известить мисс Джонс о результатах нашей работы.

— А ты уже допрашивал саму мисс Паркер? — Прежде чем выходить на Большое жюри[1] и просить федерального судью выдать ордер на арест обвиняемой, Генри Лу хотел убедиться, что Джим ничего не упустил. Тот, однако, был уверен, что предусмотрел все возможности.

— Я разговаривал с ней вчера.

— И что она сказала?

— То же, что она говорила мисс Джонс в течение всех семнадцати лет знакомства: про свою богатую семью, про наследство, про подарки и подношения от фирменных магазинов и ювелирных салонов. Кроме того, она устроила нам с Джеком экскурсию по дому. Мисс Паркер владеет роскошным особняком в престижном районе, причем я почти уверен, что этот дом тоже приобретен ею на деньги потерпевшей. С этим вопросом, кстати, надо будет разо-

---

[1] Большое (следственное) жюри — коллегия из присяжных, решающая вопрос о предании обвиняемого суду присяжных.

браться поподробнее. Будет только справедливо, если особняк достанется мисс Джонс в качестве компенсации. В крайнем случае она сможет его продать.

— Ну, об этом тебе лучше побеседовать с судьей и с парнями из налогового управления, — хмыкнул Генри.

Оба отлично знали, что коль скоро Бриджит и в голову не могло прийти платить налоги с украденных денег, в суде ее наверняка обвинят и в нарушении налогового законодательства. Это было абсурдно само по себе, но преступление есть преступление, закон есть закон, следовательно, налоговики тоже захотят получить свой клок шерсти (недоимки плюс проценты и штрафные санкции), который мог оказаться настолько велик, что на компенсацию ущерба не останется практически ничего. Споры между Налоговым управлением и жертвами мошенничеств из-за собственности, приобретенной на краденые деньги, приходилось решать путем долгих и трудных переговоров, но до этого пока было далеко. Джим поднял эту тему сейчас только потому, что хотел добиться для Талли максимальной компенсации ущерба, и прокурор мог ему в этом помочь, однако окончательное решение принимал судья. Многое зависело и от того, выступит ли Бриджит с чистосердечным признанием, или ее виновность придется устанавливать суду. Между тем ее пока не только не арестовали, но даже не предъявили ей обвинение.

— Когда ты сможешь выдать ордер на арест Паркер? — спросил Джим.

Ему не терпелось действовать дальше, к тому же он не сомневался, что арест помощницы будет для Талли большим облегчением. Она не была человеком мстительным, и только врожденное чувство справедливости заставляло ее желать, чтобы Бриджит понесла наказание — не за кражу денег, а за ложь, которая причинила Талли куда больше страданий, чем потеря миллиона. Предательство — вот в чем состояло ее главное преступление.

— Не торопи меня. — Генри даже ладони поднял, словно отгораживаясь от слишком настойчивого агента. — Сначала нужно убедить Большое жюри предъявить мисс Паркер обвинение. Я, впрочем, постараюсь сделать это как можно скорее, после чего пойду к судье за ордером. А ты тем временем напиши мне полный отчет.

— Завтра утром он будет у тебя, — пообещал Джим, и зампрокурора кивнул.

— Наши судьи сейчас перегружены, но я обещаю, что, как только Большое жюри даст «добро», я постараюсь протолкнуть твое дело. Только не забудь отчет, о'кей?

— Отлично.

Джим знал, что даже несмотря на обещание сделать все как можно скорее, Генри понадобится не меньше недели, чтобы получить ордер на арест. Судьи никогда не торопились, рассматривая прокурорское представление, к тому же в первую очередь санкцию на арест они давали в случаях, когда обвиняемый представлял опасность для общества, что к Бриджит, конечно, не относилось. Но Джим уже решил, что, как только ордер будет у него на руках, он сразу ее задержит. Быть может, он даже предварительно известит ее адвоката, если, конечно, таковой у нее имеется, чтобы Бриджит не пришлось забирать из дома или с рабочего места в наручниках. Впрочем, адвоката у нее наверняка не было, поскольку Бриджит пока даже не догадывалась, что ее в чем-то подозревают.

— Боюсь, значительную часть наличных проследить будет трудно, — напомнил Генри. — Это тебе не банковские переводы.

— Зато у нас есть схема ее расходов, которая подтверждается копиями контрольно-кассовых чеков. Похоже, украв деньги, мисс Паркер прямиком бежала на Родео-драйв, а потом рассказывала нанимательнице сказки о том, как ей подарили очередное бриллиантовое колье или меховой жакет. Лгать мисс Паркер умеет и делает это виртуозно, к тому же мисс Джонс пребывала в уверенности, что у ее помощницы есть собственный капитал. Вот почему ни она, ни кто-либо другой ни разу не заподозрили обмана. Пропажа наличных всплыла только во время неожиданной аудиторской проверки, но мисс Паркер попыталась свалить кражу на бойфренда мисс Джонс. Собственно, отчасти из-за этого мисс Джонс с ним и рассталась. Главной же причиной было то, что он изменил ей сначала с мисс Паркер, а потом — с другой женщиной.

— Как мисс Джонс узнала, что ее любовник спал с Бриджит? — уточнил Генри.

— Все это есть в документах. — Джим кивком показал на папку, которая лежала на столе перед Генри. — Пытаясь отвлечь от себя подозрения, мисс Паркер сообщила нанимательнице, что ее любовник встречается с другой женщиной. Тогда мисс Джонс обратилась в частное детективное агентство Маргерит Симпсон. Ты ведь помнишь Мег?.. — Генри кивнул. — Так вот, ее детективы раскопали гораздо больше, чем мисс Джонс, возможно, хотелось. Так она и узнала, что первой любовницей ее бойфренда была ее собственная помощница. В ФБР мисс Джонс обратилась по поводу исчезновения денег — ей хотелось знать, кто же на самом деле ее обкрадывает, а Мег порекомендовала ей меня. Ну а я посоветовал мисс Джонс ничего не показывать мисс Паркер. Я надеялся, что она совершит ошибку и мы возьмем ее с поличным, но этого не случилось.

— Быть может, теперь, когда Талли Джонс узнает, что любовник ее *не* обкрадывал, они снова сойдутся, — усмехнулся Грег. Он был очень доволен собранными Джимом уликами и не сомневался, что в суде дело пройдет без сучка без задоринки. Джим Кингстон поработал на славу — как и всегда, впрочем.

— Ну, это вряд ли, — покачал головой Джим. — Женщина, с которой бойфренд мисс Джонс изменил ей после Бриджит, ждет от него ребенка.

Генри рассмеялся.

— Ты, как я погляжу, живешь куда более интересной и насыщенной жизнью, чем я. Одна твоя мисс Паркер чего стоит, а тут еще этот любовник-сожитель... Где ты выкапываешь столь любопытные экземпляры?

— В Голливуде, Генри, в Голливуде... — Джим криво усмехнулся. — Правда, мисс Джонс тоже принадлежит к киноэлите, но она скорее исключение из правил. Она — совершенно нормальная, глубоко порядочная женщина, которая нисколько не увлекается тряпками, побрякушками и тому подобной ерундой. Именно поэтому, я думаю, Талли Джонс столько времени не замечала, что пока она работает не покладая рук, помощница тратит ее деньги в свое удовольствие. Что касается Бриджит Паркер... Как говорила моя теща, кто хорошо устраивается — плохо кончает.

Мужчины рассмеялись, а еще через несколько минут Джим вышел из кабинета заместителя прокурора и вернулся в управление, благо идти было недалеко. Машина завертелась, и теперь он чувствовал себя спокойнее.

Талли он позвонил, как только оказался в своем кабинете. Она была на сьемочной площадке и поначалу отвечала несколько рассеянным тоном.

— Если ты занята, я могу перезвонить позже, — предложил Джим.

— Нет, ничего... — откликнулась она. — К тому же сегодня я, наверное, закончу очень поздно. Что-нибудь случилось?

— Нет, ничего. То есть ничего плохого. Мы собрали все необходимые доказательства, так что теперь ты можешь уволить Бриджит. Сегодня я напишу полный отчет, а уже завтра заместитель окружного прокурора выйдет с нашими документами на Большое жюри. Как только жюри примет решение о предьявлении обвинения, судья выдаст ордер на арест. Я только что встречался с заместителем окружного прокурора, и он обещал сделать все как можно скорее.

Услышав эти слова, Талли некоторое время молчала. Новость застала ее врасплох. В последний раз она разговаривала с Джимом несколько недель назад, и ей уже начинало казаться, что он забыл о ней или потерял к делу всякий интерес, — и вот он звонит и говорит, что она может уволить предательницу. По правде говоря, Талли часто думала, что этот день никогда не настанет. Ожидание тянулось и тянулось, хотя Джим и уверял, что расследование продвигается на редкость быстрыми темпами. Возможно, помог и тот факт, что она как-никак была знаменита, и представители власти не решались ее игнорировать, хотя, с другой стороны, сумма, которую она потеряла, была довольно крупной, а значит, и преступление не было рядовым.

— Когда, по-твоему, все это случится? — спросила Талли. По-видимому, рядом с ней кто-то был, и она не решалась называть вещи своими именами, но Джим отлично ее понял.

— Ордер я получу через неделю, может быть, дней через десять. И сразу начну действовать.

— В это время я, наверное, буду в Нью-Йорке, у дочери, — несколько разочарованно проговорила Талли.

— Тебе вовсе не обязательно присутствовать при аресте, — сказал Джим. — Думаю, я сам с этим справлюсь. Можешь не сомневаться — мне уже приходилось арестовывать людей, и я знаю, как это делается.

Услышав эти слова, Талли неожиданно рассмеялась — до того сильным было облегчение, которое она испытала. Джим сделал все, что обещал, и это каким-то образом внушало уверенность, что все будет хорошо и дальше. То есть не так чтобы совсем хорошо, но, по крайней мере, ситуация постепенно придет в норму. Ей оставалось только решить, когда уволить Бриджит — и как. Талли казалось, что это тоже принесет ей некоторое удовлетворение. Доверие, дружба, привязанность — все, что она когда-либо испытывала к помощнице, все было уничтожено, и тот факт, что ей почти два месяца приходилось притворяться, будто все осталось по-прежнему, очень ее тяготил. Ей очень хотелось раз и навсегда оставить происшедшее позади, чтобы никогда больше не видеть и не вспоминать о Бриджит. Уже сейчас Талли старалась не думать о том зле, которое причинила ей бывшая подруга, но покуда Бриджит постоянно находилась поблизости, сделать это было нелегко. Когда же они навсегда расстанутся, она, быть может, даже сумеет забыть о ее предательстве.

— Если хочешь поговорить обо всем подробнее, я мог бы подьехать к тебе, — предложил Джим. — Скажем, после работы...

Талли немного подумала. У нее оставались к нему коекакие вопросы, но обсуждать их, находясь на сьемочной площадке, в окружении других людей, ей было крайне неудобно. Откладывать разговор она тоже не могла — завтра утром Талли вылетала в Нью-Йорк, к Макс.

— Сегодня я непременно должна закончить сьемки, — сказала она. — После работы я собиралась навестить отца, к тому же мне еще нужно уложить вещи. Думаю, я освобожусь не раньше девяти часов. Для тебя это не слишком поздно?

— Нормально, — ответил Джим, моментально прикинув, что до поездки к ней успеет покормить Бобби ужином. Работа работой, но и его отцовские обязанности тоже никто не отменял.

— Тогда до вечера, — сказала Талли. — И... спасибо. — Она дала отбой, и вовремя: к ней как раз подошла Бриджит.

— Кто это был? — поинтересовалась она, и Талли машинально отметила, что в последнее время ее помощница стала особенно любопытной. А может, она всегда была такой, просто теперь Талли стала гораздо чувствительнее в отношении всего, что касалось Бриджит.

— Грег Томас, — ответила она. — Я обещала отцу помочь привести в порядок кое-какие его бумаги. Ты же знаешь, старые люди часто не могут разобраться в самых обычных вещах.

На самом деле ее отец по-прежнему обладал острым и цепким умом, даже несмотря на солидный возраст, однако как предлог это годилось. Бриджит, во всяком случае, не усомнилась в ее словах.

— Как он себя чувствует? — спросила она. — Я давно его не видела за всеми этими... делами.

— Не слишком хорошо, к сожалению, — грустно ответила Талли и на этот раз совсем не лукавила.

Если с точки зрения здравого смысла и умения соображать Сэм был в полном порядке, то физически он чувствовал себя все хуже и хуже. Силы покидали изношенное тело, и Талли порой казалось — отец медленно угасает прямо у нее на глазах. Она со своей стороны делала все возможное, чтобы как-то его поддержать или чем-то заинтересовать, но бывали дни, когда Сэм чувствовал себя слишком слабым, чтобы даже подняться с кровати.

Потом Бриджит и Талли пошли в офис, чтобы перед ее отъездом в Нью-Йорк решить последние оставшиеся вопросы. Бриджит что-то говорила, Талли кивала, соглашаясь, а сама гадала, увидит ли она еще свою помощницу или нет. Наверное, только на суде, подумала она, да и то если Бриджит не признает себя виновной до начала процесса.

— Тебе что-нибудь нужно? — с улыбкой спросила Бриджит, когда они уже вышли на служебную парковку, где стояли ее «Астон Мартин» и студийный джип, на котором ездила Талли.

— Нет. — Талли покачала головой. — Сейчас я еду к отцу, потом буду собирать вещи в дорогу. Мне так хочется поскорее увидеть Макс — я ужасно по ней соскучилась. — Она, разумеется, соскучилась, но и волновалась при этом: ей нужно было так много сказать дочери. Макс до сих пор ничего не знала ни о Ханте, ни о Бриджит — ни о чем, что случилось за последние два с небольшим месяца. Похоже, за ту короткую неделю, что они с дочерью проведут вместе, им будет о чем поговорить.

— Я могла бы помочь тебе укладываться, — предложила Бриджит.

В эти минуты она выглядела просто идеальной секретаршей, и Талли пришлось напомнить себе, что Бриджит спала с Хантом, да еще и обкрадывала ее на голубом глазу. Ничто из этого она не могла, да и не хотела ей прощать. Единственным ее желанием было, чтобы Бриджит исчезла из ее жизни как можно скорее и навсегда. Талли плохо представляла себе, каково это — быть арестованным и какой будет дальнейшая жизнь ее бывшей подруги и бывшей помощницы. Джим утверждал, что она наверняка отправится в тюрьму, так как украденная ею сумма была значительной. К тому же он считал, что кражей наличных прегрешения Бриджит не исчерпываются.

— Я могла бы привезти тебе ужин из какого-нибудь ресторана. Что бы ты хотела? — не успокаивалась Бриджит.

— Нет, ничего не надо. Я постараюсь побыстрее уложиться и лягу спать. Ненавижу утренние рейсы, — улыбнулась Талли.

И, как и всегда в подобных случаях, сразу подумала о том, что улыбка ее была фальшивой. Она сделала это только потому, что Джим просил ее вести себя с Бриджит как обычно. На самом деле Талли вовсе не хотелось улыбаться помощнице, да и слова ее не соответствовали истине: на самом деле она привыкла вставать рано, чтобы как можно раньше оказаться на съемочной площадке. Впрочем, в последнее время все, что бы Талли ни говорила Бриджит, сколько бы ни улыбалась — все было игрой, притворством. Порой Талли даже казалось, что ложь пропитала ее саму насквозь и скоро она станет ничем не лучше Бриджит, но это, конечно, было не так. То, что сделала Бриджит, было во сто крат хуже, чем просто ложь.

На прощание Бриджит обняла ее, и Талли вынуждена была ответить тем же, хотя все внутри ее восставало против подобной имитации дружбы.

— Передавай Макс привет, — сказала Бриджит.

— А тебе приятно провести время в Мексике, — отозвалась Талли, поспешно трогая машину с места.

Бриджит упоминала, что во время перерыва в съемках отправится в «Пальмиллу», но не говорила с кем. Впрочем, Талли было наплевать. Единственное, о чем она могла думать, — это о том, когда же она наконец отделается от Бриджит и как это лучше сделать. В конце концов она не выдержала и уже из машины позвонила Грегу Томасу.

— Я не увольняла ее потому, что мне велели подождать, — объяснила она своему адвокату. — Но сегодня специальный агент ФБР, который занимается моим делом, позвонил мне и сказал, что теперь я могу ее выгнать. Через пару часов я с ним встречаюсь, и он расскажет мне все подробности. Как мне уволить Бриджит, Грег?

— Если хотите, я могу уведомить ее о том, что вы больше не нуждаетесь в ее услугах, заказным письмом или даже по электронной почте, — спокойно ответил адвокат. — Вам вовсе не обязательно делать это лично. Некоторые люди воспринимают подобные известия довольно, гм-м... болезненно, а это может оказаться небезопасно для вас. Как вам кажется, способна мисс Паркер на насилие?

— Не думаю. Надеюсь, что нет...

Талли была так озабочена тем, чтобы помочь Джиму собрать улики и доказательства, что совершенно не задумывалась о том, что будет, когда она уволит Бриджит. Вариант, о котором упомянул Грег, ей в голову точно не приходил.

— Мне кажется, — добавила она, — после того как ФБР ее арестует, у Бриджит появится слишком много собственных проблем, чтобы задумываться о мести. Кстати, что вы хотите написать в письме?.. — Ей все еще не верилось, что Бриджит может так на нее разозлиться, что попытается дать волю рукам или придумает еще что-нибудь подобное.

Сворачивая к дому отца, Талли решила, что спросит и его совета, хотя ей не хотелось слишком нагружать Сэма своими проблемами. В последнее время он очень ослабел, и лишний раз его расстраивать определенно не стоило.

— Я думаю, все должно быть четко и по-деловому. Например, можно написать, что в бухгалтерских документах обнаружились неточности, которые подорвали вашу уверенность в способности мисс Паркер должным образом выполнять свои обязанности, поэтому ее дальнейшее пребывание в должности вашей личной помощницы вы считаете нежелательным. С наилучшими пожеланиями, желаю удачи — и проваливай, не то хуже будет. Ну как, вам нравится? — Грег рассмеялся.

— Все нормально — за исключением последней строчки.

Талли снова задумалась. Умом она понимала, что Бриджит *должна* уйти, но привыкнуть к этой мысли ей было трудно. В конце концов, они были вместе семнадцать лет, почти всю свою взрослую жизнь. И тем не менее Грег был прав: как выяснилось, Талли совсем не знала свою подругу и не могла с уверенностью сказать, какой будет ее реакция на увольнение. Разозлится она или, наоборот, будет на грани отчаяния? Впрочем, даже если она позвонит Талли и, рыдая, станет все отрицать, это тоже будет ложью.

Как и все, что Бриджит говорила и делала до сих пор.

— Не беспокойтесь, я позабочусь, чтобы все было цивилизованно, к тому же письмо пойдет за моей подписью — не за вашей. Мне кажется, будет только разумно, так сказать, вывести вас из-под огня, по крайней мере — на первое время. В крайнем случае можете все валить на меня. Кстати, мне тоже нужно кое-что с вами обсудить. Как только мисс Паркер арестуют, нам необходимо подать гражданский иск, чтобы постараться вернуть как можно больше из украденных у вас денег. Мисс Паркер владеет дорогой недвижимостью, автомобилем, ювелирными изделиями и другим ценным имуществом, к тому же у нее наверняка есть счет в банке. Я уверен, что все это было куплено на ваши деньги, так что гражданский иск о возмещении ущерба будет более чем уместен. И главное, я могу начать действовать, пока вы будете в Нью-Йорке. Что скажете, Талли?

И снова Талли ответила не сразу. Она думала о том, что теперь уже жизнь Бриджит рухнет, но Талли ее не жалела или почти не жалела, хотя сама пережила нечто подобное. Разница между ней и ее помощницей заключалась в том, что Бриджит была сама виновата в том, что вот-вот должно было с ней случиться.

— Хорошо, — с трудом сглотнув, сказала Талли.

— Тогда я начну прямо завтра, — пообещал Грег. — Утром я позвоню от вашего имени в банк и распоряжусь, чтобы мисс Паркер исключили из списков доверенных лиц и изменили пароли и коды доступа ко всем счетам. Кроме того, необходимо поменять в вашем доме замки, причем сделать все это необходимо до того, как мисс Паркер получит уведомление об увольнении. Вы могли бы попросить кого-нибудь побыть завтра у вас дома, чтобы дождаться слесаря?

Талли вздохнула. Обычно она поручала такие дела Бриджит, но теперь об этом нечего было и думать.

— Нет, у меня никого нет, а сама я не смогу. Всю неделю я пробуду в Нью-Йорке, — напомнила она, — так что, если я понадоблюсь, звоните мне туда.

— Надеюсь, такой необходимости не возникнет, — успокоил ее Грег. — Ладно, я сам обо всем позабочусь. Отдыхайте, общайтесь с дочерью. К вам домой я пошлю своего секретаря и с банком разберусь. Не волнуйтесь, Талли, я сделаю все, что нужно.

— Спасибо, Грег. Кстати, всю будущую неделю Бриджит тоже не будет, так что я не знаю, когда она получит ваше письмо.

— Я пошлю копию по электронной почте, так что задержки не будет. Не должно быть.

— Я надеюсь, что, когда она вернется, ее сразу же арестуют.

— Это компетенция ФБР. Моя задача — подготовка гражданского иска и все остальное. Счастливо вам отдохнуть, Талли.

— Огромное спасибо, — снова поблагодарила она. — Даже не знаю, что бы я без вас делала.

Талли действительно не сомневалась, что Грег обо всем позаботится, и эта мысль заставила ее почувствовать себя не такой одинокой, как в самом начале, когда Хант только что ушел. Те времена она не могла вспоминать без содрогания. За считаные дни или даже часы Талли потеряла многое, почти все, однако ни тогда, ни сейчас она не считала себя жертвой. Это было как минимум унизительно, однако в глубине души она понимала, что и Хант, и Бриджит воспользовались ее доверчивостью, обманули и использовали каждый в своих целях. Это было как изнасилование, а во многих отношениях даже хуже: Талли пережила сильнейшее потрясение, когда поняла, кем на самом деле были ее самые близкие люди.

Только сейчас, по прошествии двух с лишним месяцев, она начала понемногу приходить в себя. Это было как нельзя кстати: через несколько недель Талли планировала завершить съемки; следующим этапом производства были монтаж и редактура, после чего фильм можно было сдавать в прокат. В нормальных условиях она тотчас взялась бы за съемки следующей ленты, но в этот раз Талли собиралась взять небольшой тайм-аут. После всего, что́ она испытала и пережила, ей был просто необходим отдых. Прошедшие месяцы стали едва ли не самыми тяжелыми в ее жизни, к тому же Талли не могла сказать, что все уже позади. Она знала, что вряд ли сможет чувствовать себя спокойно, пока не состоится суд, который поставит последнюю точку в истории Бриджит. Но до этого момента оставалось еще довольно много времени — от девяти месяцев до года, как говорил Джим Кингстон, а может быть, и больше.

У отца Талли пробыла почти полтора часа. Она рассказала ему все последние новости, и Сэм был доволен тем, как идут дела, хотя поступок Бриджит по-прежнему его шокировал. Старый юрист считал, что она настоящая преступница — патологическая личность, которая сумела обмануть всех. «Продувная бестия» — так он выразился, и Талли вполне с ним согласилась, хотя ее и позабавил его старомодный стиль.

Попрощавшись с отцом, Талли отправилась домой. До встречи с Джимом еще оставалось время, поэтому она включила на первом этаже весь свет, а сама отправилась в кухню и заглянула в холодильник в поисках еды, надеясь перекусить на скорую руку. В холодильнике, однако, не было ничего, кроме половинки вяленой дыни и куска сыра, и Талли вдруг вспомнила, что за два месяца ни разу не поела как следует, питаясь в основном бутербродами и всем, что удавалось перехватить по дороге домой или из дома. Что-то готовить у нее не было ни времени, ни желания, поэтому она сильно похудела. Любимые старые шорты буквально сваливались с нее, и Талли вынуждена была долго рыться в гардеробе, прежде чем нашла джинсы подходящего размера.

Талли только-только доела дыню, когда раздался звонок в дверь. Это был Джим. Талли открыла ему и пригласила на кухню, не забыв поблагодарить за то, что он смог прийти к ней во внеслужебное время. С собой Джим принес копию отчета сан-францисского управления ФБР, которую и вручил Талли, когда оба уселись за кухонный стол.

— Могу предложить содовую, половинку лимона, диетическую пепси или батончик «Марс»... только он очень старый, — улыбнулась Талли. — Что ты выбираешь?

Джим рассмеялся.

— Даже не знаю, — сказал он. — Может, разделим пепси пополам?

— Я обойдусь и содовой, — ответила Талли и встала, чтобы наполнить его стакан.

— А у тебя неплохая кухня, — заметил Джим, оглядываясь по сторонам. — Оборудовано, можно сказать, по последнему слову техники. Я бы, пожалуй, тоже что-то такое прикупил, если бы не мой сын. Ему скоро шестнадцать, и он питается исключительно пиццей и гамбургерами. Только по выходным я пытаюсь приготовить ему что-то приличное.

И тут Талли решилась наконец задать ему вопрос, который давно ее интересовал:

— Разве ты не женат?

— Моя жена умерла пять лет назад. Рак груди. Врачи ничего не смогли сделать. С тех пор я живу с сыновьями, у меня их двое. Старшему уже двадцать, и он учится в Мичиганском университете, а младший еще при мне.

— Я тебе сочувствую, — искренне сказала Талли. Ей действительно было жаль, что его жизнь сложилась подобным образом.

Джим кивнул.

— Тут уж ничего не поделаешь, — вздохнул он. — Зато сыновья у меня просто отличные. Если бы не они... даже не знаю, как бы я жил все эти годы. Сейчас я, конечно, уже привык, приспособился, но поначалу нам было нелегко. Очень нелегко. Дженни была замечательная, — добавил он, и Талли кивнула. Она внимательно наблюдала за его лицом и поняла, что Джим до сих пор тоскует по своей покойной жене.

— Я тоже воспитывала дочь одна, — сказала она. — Мы с мужем развелись, когда Максина была еще младенцем. Я, наверное, скажу сейчас не совсем правильную вещь, но мне кажется, что, когда ты в разводе, многие вещи становятся проще. По крайней мере, не нужно ни с кем бороться за ребенка — доказывать, что именно твое мнение правильно и что нужно делать так, а не иначе... ну и так далее.

— А твоя дочь... она видится с отцом?

Талли покачала головой и невесело рассмеялась.

— Он исчез из ее и моей жизни сразу после развода. Максине восемнадцать, и за все это время она видела отца считаные разы. Джеффри настоящий ковбой — он живет в Монтане и выступает в родео. Я влюбилась в него, когда училась в колледже, и вскоре забеременела. Мой отец настоял, чтобы мы оформили наши отношения официально, но это не помогло. Когда родилась Макс, мы оба фактически были еще детьми — инфантильными, эгоистичными, безответственными. Когда нашей дочери исполнилось шесть месяцев, Джеффри вернулся в свою Монтану, к бычкам и мустангам, а мне пришлось срочно взрослеть. Развод я оформляла уже без него. К счастью, у меня осталась Макс. Сейчас она вполне взрослая и самостоятельная девушка. — Талли вздохнула. — Я побывала замужем еще раз, — добавила она. — В этот раз моя семейная жизнь длилась чуть дольше — целых одиннадцать месяцев. Моим мужем был знаменитый британский киноактер Саймон Харли. Ты наверняка слышал это имя — его знает весь мир. К сожалению, у кинозвезд свои взгляды на брак. Через три месяца после свадьбы Саймон изменил мне с известной актрисой, с которой он тогда снимался, причем он и не думал это скрывать. Я, впрочем, узнала обо всем не от него, а из газет: таблоиды довольно быстро все разнюхали и опубликовали несколько совершенно недвусмысленных фотографий. Когда я их увидела, то решила, что не стану этого терпеть... — Талли печально улыбнулась. — Хант был в моей жизни всего лишь третьим мужчиной. Немного для голливудской знаменитости, не так ли? На этот раз наши отношения продолжались дольше, чем оба моих брака, вместе взятые, хотя регистрироваться мы не стали. Ну а чем все закончилось, ты и сам знаешь...

Джим кивнул. Хантер Ллойд тоже изменил Талли. Похоже, в жизни ей очень не везло с мужчинами, а может, она просто не слишком хорошо выбирала. Джиму, впрочем, Талли казалась доброй, порядочной женщиной, крепко стоящей на собственных ногах и не лишенной здравого смысла. Проблема была, видимо, в том, что она вращалась в мире, где нельзя было полагаться даже на друзей, где мораль была извращенной, ценности — изменчивыми, а обман не считался грехом. При мысли о том, насколько беззащитной и легкоуязвимой была Талли в подобном окружении, Джиму стало очень жаль ее. Ничего удивительного, что некоторые люди не могли удержаться от того, чтобы не воспользоваться ее добротой и открытостью. Взять ту же Бриджит, которая манипулировала ею столько лет. И тем не менее ее разоблачение причинило Талли сильную боль, хотя, казалось бы, о таких «подругах», как Бриджит, и жалеть-то не стоило.

Пока Джим размышлял об этом, Талли пробежала взглядом отчет сан-францисского управления ФБР и удивленно вскинула брови.

— Неужели это правда? — спросила она, и Джим кивнул.

— В этом нет никаких сомнений, Талли. Бриджит лгала с самого начала, лгала во всем. Она не обманывала тебя, только когда рассказывала о смерти матери. Все остальное она выдумала... Похоже, Бриджит сделала ложь своим главным оружием еще до того, как познакомилась с тобой. Именно поэтому родные питают к ней не слишком теплые чувства.

— И у них есть для этого основания, — согласилась Талли, показывая на распечатку. — Она лгала им, обкрадывала их, как... как меня. Теперь, когда ты показал мне это, я начинаю думать, что Бриджит — просто больная женщина, хотя со стороны этого не скажешь. Недаром она целый год пролежала в психиатрической клинике. — Талли покачала головой. — Но впечатления больной она не производит. Никак не производит, — повторила она.

— Это еще не все, — сказал Джим и рассказал Талли, что́ ему удалось выяснить в магазинах на Родео-драйв.

Эта невероятная история дополнила портрет подлинной Бриджит. Талли было трудно поверить в нее, как и в то, что Бриджит еще в детстве шарила по отцовским карманам, выгребая мелочь. Рассказ Джима, впрочем, только подтвердил то, что она уже знала: ее помощница была совсем не такой, какой представлялась. Бриджит оказалась хитрым, завистливым, корыстным человеком, который присосался к ней точно пиявка и к тому же пытался манипулировать ею к своей выгоде. Сознавать это было унизительно, но Талли по-прежнему отказывалась считать себя жертвой. Жертва, считала она, существо несчастное, а разве она несчастна? Просто сейчас ей тяжело, но ведь совсем недавно было еще тяжелее, однако она справилась — справится и в дальнейшем. По крайней мере, у нее есть любимая работа и Макс. Как она только что говорила Джиму, в сходном положении Талли оказывалась дважды, и оба раза находила в себе силы жить дальше. Найдет она их и в этот раз.

— Когда ты собираешься арестовать Бриджит? — спросила Талли. Она уже рассказала Джиму о том, что ее помощница собирается провести грядущую неделю в Мексике, а он ответил, что этого времени как раз хватит, чтобы получить все необходимые постановления и ордер.

— Как только она вернется из своей увеселительной поездки, я думаю, — сухо ответил он.

— А что будет дальше?

— После ареста Бриджит останется под стражей до тех пор, пока ей не предъявят обвинение. Потом судья определит сумму залога и отпустит Бриджит либо под залог, либо под ее собственную гарантию. В любом случае у нее отберут паспорт, чтобы она не могла сбежать за границу. После этого будем ждать суда.

— И долго его ждать?

— Несколько месяцев как минимум.

— Вот как? — удивилась Талли. — Значит, Бриджит будет несколько месяцев гулять на свободе, словно ничего не случилось?

— Именно так действует наша судебная система, Талли, — терпеливо пояснил Джим. Ему самому не очень нравилось существующее положение, но он ничего не мог поделать. — Исключения составляют только преступления, связанные с насилием. Если же налицо «беловоротничковое преступление»[1], обвиняемый, как правило, продолжает жить обычной жизнью до тех пор, пока суд не возьмется рассмо-

[1] «Беловоротничковые преступления» — преступления, совершаемые так называемыми «белыми воротничками» и непосредственно связанные с их профессиональными знаниями и положением. Включают прежде всего преступления в экономической сфере, например мошенничество с ценными бумагами, нелегальный перевод денег со счета на счет по компьютерным сетям, взяточничество, финансовые махинации и т.п.

треть его дело или пока он сам не заявит о своей виновности. Суд оценивает степень его вины и либо оправдывает, либо выносит приговор... В нашем случае, я думаю, Бриджит получит несколько лет тюремного заключения.

— А если она все-таки попытается скрыться?

— Мы поймаем ее и снова доставим сюда. Впрочем, если судья назначит залог, Бриджит должна будет либо представить поручителей, готовых отвечать за нее своими деньгами, либо подписать акт о передаче права собственности на дом или другой принадлежащий ей объект недвижимости. Судья может отпустить Бриджит и под ее собственную гарантию — то есть фактически под честное слово. В этом случае она будет полностью свободна до суда, однако я не думаю, что до этого дойдет — слишком велик риск, что Бриджит исчезнет в неизвестном направлении. Кстати, как ты думаешь, может она попытаться бежать? — озабоченно спросил Джим. Сам он так не думал — в конце концов, в Лос-Анджелесе у Бриджит был дом, которым она, по всей видимости, очень дорожила. Вряд ли, рассуждал Джим, она решится просто так с ним расстаться, пусть даже речь будет идти о ее свободе.

— Понятия не имею, — честно ответила Талли. — Я... Оказывается, я ее совсем не знаю, — добавила она, показывая на бумаги из Сан-Франциско. — А ведь совсем недавно я думала, что знаю Бриджит очень хорошо. Нет, — она покачала головой, — я не представляю, как поступит Бриджит в подобных обстоятельствах.

— Большинство людей продолжают жить как жили. Они либо ждут судебного заседания, на котором будет рассматриваться их дело, либо делают заявление о признании вины. Лишь немногие пытаются скрыться. За двадцать лет моей работы в ФБР я только однажды имел дело с человеком, который ударился в бега, но мы все равно его разыскали. Правда, он успел уехать аж в Великобританию, но его довольно быстро выдали нашему правосудию, так как этот человек был замешан в крупном — на несколько миллионов долларов — мошенничестве. Но, повторяю, это случилось только один раз, причем сравнительно давно.

Джим внимательно посмотрел на Талли.

— Не волнуйся, — добавил он. — Все будет, как я говорил, но на это потребуется время. Когда все будет позади, ты сможешь вздохнуть свободно, а сейчас... сейчас тебе просто нужно набраться терпения. Я знаю, тебе, наверное, кажется, что этот кошмар никогда не кончится, но это не так. Действительно, такие дела движутся очень медленно, но в конце концов они все равно попадают в суд, судья выносит приговор, и виновный получает по заслугам. Главное, не думай об этом *сейчас*. На данном этапе твоя главная задача — сделать все, чтобы получить максимальную компенсацию за понесенный ущерб. Предупреждаю сразу — все, что ты потеряла, вернуть вряд ли удастся; может, какую-то часть... Бриджит наверняка заявит, что она, мол, истратила все украденные деньги, но ее особняк, я думаю, никуда не денется. И он может достаться тебе. Кстати, очень милый особнячок, — подмигнул он, и Талли рассмеялась.

— Я называла его «Палаццо Паркер», и он действительно очень красив. Ничего не имею против того, чтобы он назывался «Палаццо Джонс», — ответила она.

— Когда все закончится, ты вполне можешь стать его новой хозяйкой, — серьезно сказал Джим. — И по праву, поскольку я подозреваю, что он куплен и переоборудован на твои деньги.

— Бриджит говорила, что заплатила за него из своего трастового фонда или из доставшегося наследства — сейчас я уже не помню точно. И я, разумеется, ей поверила.

Джим Кингстон поднялся и пожелал ей удачной поездки. Он сказал, что они увидятся после ее возвращения и что к этому времени Бриджит, наверное, уже будет арестована, хотя Джим и не был уверен в этом на сто процентов. Сначала решение должно было принять Большое жюри, затем судья выписывает ордер на арест, и только после этого ФБР могло предпринимать какие-то действия.

И все же неделя казалась пустяком по сравнению с теми двумя месяцами, что длилось ожидание Талли. Еще немного, и Бриджит начнет свое путешествие по лабиринтам судебной системы, которое непременно приведет ее за решетку. Думая об этом, Талли чувствовала себя немного виноватой, ей казалось, что желать кому-то лишения свободы не слишком хорошо, однако она понимала: после всего, что натворила Бриджит, это наказание ею более чем заслужено.

Она должна заплатить за все, что сделала.

Иначе Справедливость — просто пустой звук.

Глава 14

Пока Талли укладывала вещи, собираясь в Нью-Йорк, в доме Виктора Карсона разразилась очередная ссора. Все последние недели отношения между супругами оставались до крайности напряженными, и Виктор был близок к тому, чтобы сдаться. Нет, он отнюдь не собирался уступить требованиям Брианны, которая продолжала настаивать на заключении семейного контракта. Напротив, он был почти готов раз и навсегда расплеваться со своей молодой женушкой и хоть немного пожить спокойно. Впрочем, кто с кем расплюется, было еще неизвестно. Брианна так и не дождалась денег, когда же Виктора не пригласили на вручение наград Американской киноакадемии — как, впрочем, и на несколько чуть менее значимых светских событий, — она почувствовала, что с нее хватит.

— Ты же знал, что мне ужасно хочется пойти! — набрасывалась Брианна на мужа. — И ты обещал! Почему ты не сделал так, чтобы нас пригласили? — Она то кричала, то хныкала, и Виктор почувствовал, как в нем понемногу закипает раздражение.

— Я ничего не обещал, Брианна, — возразил он, все еще сдерживаясь. — Меня не пригласили, потому что я не член Академии. Не понимаю, с чего ты взяла, будто я могу это устроить?

— Попросил бы, в конце концов, эту свою Талли, или кто там у тебя есть! Если не на главную церемонию, то хотя бы на приемы с участием звезд она могла бы тебя провести, — отрезала Брианна, обиженно выпятив обколотые ботоксом губы. Зрелище, надо сказать, было устрашающее — во всяком случае, Виктору эта гримаса не сулила ничего хорошего.

— Да, — кивнул он, — я мог бы попросить Талли Джонс или кого-то из моих клиентов. Но это... это просто не принято. Впрочем, ты, наверное, понятия не имеешь, что такое профессиональная этика. Конечно, Талли мне бы не отказала, но я не могу обращаться к ней с такими пустяками. Особенно сейчас, когда у нее хватает своих, более серьезных проблем. — Тут Виктор мимолетно подумал, что Брианна, возможно, удовлетворилась бы приглашением на один-два приема, которые всегда устраивались после церемонии вручения «Оскаров». Один из самых пышных приемов устраивал журнал «Вэнити фэр», но у него, к сожалению, и туда не было доступа.

— У меня тоже есть одна проблема, — огрызнулась Брианна, швыряя в раскрытые чемоданы от Луи Ваттона платья и белье, которые она охапками доставала из шкафов. — А знаешь, в чем она заключается? В том, что моему мужу на меня наплевать. Он не только не хочет, чтобы у меня было немного собственных денег, но и нарушает собственные обещания. Кто говорил, что поможет мне с артистической карьерой? Тебе достаточно было сказать пару слов той же Джонс, но ты не захотел! Или опять профессиональная этика помешала?

— Я сделал все, что мог, — с несчастным видом пробормотал Виктор, глядя, как она ссыпает в очередной чемодан модельные туфли.

На кровати и на диване пушистой горой громоздились дорогие меха, а под трюмо поблескивала растоптанная в спешке пудреница. Похоже, Брианна всерьез собралась уходить, а не просто пугала. «Что же это, неужели — все?» — подумал Виктор и сам удивился, насколько мало это его расстраивает.

— Куда ты собралась? — спросил он.

— Я сняла номер в «Беверли Уилтшир», — заявила Брианна, и Виктор невольно вздрогнул при мысли о том, во сколько ему это обойдется.

А хуже всего было то, что отель этот находился буквально через улицу от ее любимых магазинов и салонов на Родео-драйв. Должно быть, именно поэтому Брианна и остановила свой выбор на «Беверли Уилтшир» — чтобы недалеко было ходить. Сам отель тоже был не из дешевых, но ее ничуть не беспокоило, во сколько обойдутся Виктору снятые ею апартаменты. Повернувшись к нему, Брианна сердито сверкнула глазами, и еще до того, как жена открыла рот, Виктор понял, чтó она собирается ему сказать. Подсознательно он уже давно ждал этого — ждал с тех самых пор, когда его женушка впервые упомянула о брачном договоре. В то, что это посоветовал ей адвокат, он уже не верил — идея была вполне в духе Брианны.

— Я хочу развод, Виктор. Ты оказался совсем не таким, как я думала.

Он ждал этих слов, и все равно они подействовали на него как физический удар. Виктор даже покачнулся, но удивления он не испытывал — только боль. Ему было ясно, что теперь он не сможет удержать ее никакими силами. Вот уже несколько месяцев Виктор старательно скрывал от себя горькую правду: она не любит его, а он... он уже не может оплачивать ее дорогостоящие прихоти и привычки. Сейчас его волновал только один вопрос: каковы будут ее финансовые условия? Какую долю общего имущества и какие алименты она потребует? Виктор не сомневался, что, несмотря на добрачный контракт, развод обойдется ему в кругленькую сумму, а где ее взять? Он и так потратил на жену во много раз больше, чем было допустимо и разумно, и теперь его ожидало вполне заслуженное банкротство. Брианна разорила его, но Виктор понимал, что во многом виноват сам. К сожалению, он прозрел слишком поздно.

Не сказав больше ни слова, старый бухгалтер повернулся и ушел к себе в кабинет, оставив Брианну собирать вещи. Ему оставалось только надеяться, что он как-нибудь переживет развод и его последствия.

Брианна собиралась всю ночь. Когда наутро Виктор проснулся — он так и задремал в большом кожаном кресле в своем кабинете, — ее уже не было. Ни записки, ничего — только распахнутые шкафы зияли пустыми вешалками, и такая же пустота была у него на душе. Виктор чувствовал себя тысячелетним старцем — немощным и смертельно уставшим. Брианна ушла, а он остался, чтобы в одиночестве разгребать тот финансовый хаос, который она оставила после себя.

* * *

Утренний рейс из Лос-Анджелеса приземлился в нью-йоркском аэропорту имени Кеннеди в три пополудни. Из-за разницы часовых поясов Талли потеряла почти полдня, пока же она ждала багаж и ловила такси, прошло еще сколько-то времени, поэтому до квартиры дочери Талли добралась только в начале шестого. Дома, впрочем, никого не было — Макс предупредила, что вернется с занятий только к шести, поэтому Талли отперла дверь своим ключом и вошла.

Она сама выбирала эту большую квартиру на солнечной стороне одного из верхних этажей современного высотного здания в Уэст-Виллидж. Внизу дежурил консьерж, к тому же дом был оборудован электронными системами безопасности, и Талли нравилось думать, что здесь ее дочери ничто не грозит. В самом здании, правда, не было ничего особенного, зато оно стояло в сравнительно безопасном районе, поэтому она настояла, чтобы Макс жила здесь, а не в общежитии. Несмотря на стандартную отделку и скромную обстановку, в квартире было светло и уютно — и даже довольно чисто, хотя Талли сразу заметила разбросанную одежду, кое-как сваленные на столе учебники, а также полные пепельницы, несколько коробок от пиццы и жестянок из-под колы, которые Макс не донесла до мусорного ведра.

До возвращения дочери оставалось еще порядочно времени, и Талли решила слегка прибраться. Она выбросила мусор, застелила постель и наполнила ванну. Когда Макс наконец вошла в квартиру, Талли лежала на ее кровати в розовом махровом халате с какой-то книжкой в руках.

Увидев мать, Макс радостно взвизгнула и одним прыжком оказалась рядом с ней. Одета она была точно так же, как ходила еще в Лос-Анджелесе, — в потертые джинсы и толстовку. Манеру одеваться Макс переняла от матери, благодаря чему сходство между ними еще больше усиливалось. Только волосы она не собирала в хвост, а носила распущенными по плечам.

— Мама! Как я по тебе скучала! — воскликнула Макс, крепко обнимая Талли. — Наконец-то ты приехала!

— Я тоже скучала, — ответила Талли, в свою очередь прижимая дочь к себе.

Сейчас она чувствовала себя так, словно вернулась домой после долгой отлучки. Все тревоги разом улеглись, и даже по телу стало распространяться приятное тепло, словно кто-то укрыл ее пуховым одеялом. Именно в эти минуты Талли окончательно осознала, как тяжело ей было все эти последние месяцы. Пережитые страдания отразились даже на ее внешности, и Макс, конечно, сразу заметила, что мать сильно похудела и выглядит очень усталой, почти изможденной.

— Ты, наверное, много работаешь, — сказала она. — А иногда нужно и отдыхать — после этого любая работа пойдет веселее.

Они уже составили целую программу на всю грядущую неделю, которую Талли планировала провести в Нью-

Йорке. Макс собиралась сводить мать в несколько очень уютных ресторанов, которые она «открыла» в окрестностях, посетить несколько выставок и познакомить со своими друзьями. Кроме того, Талли очень хотелось посмотреть, по крайней мере, одну из новых бродвейских постановок, и Макс уже заказала билеты на лучшие места.

— Я очень рада, что ты приехала, — повторила она. — Я не видела тебя целую вечность. Как твои дела? Как Хант?

Талли невольно вздрогнула. Этого вопроса она ждала и боялась.

— Думаю, у него все хорошо, — сказала она после небольшой паузы.

— Что это значит — «ты думаешь»? — насторожилась Макс, садясь на кровати. — Он куда-то уехал? Или вы поссорились?

И снова Талли ответила не сразу. Некоторое время она молчала, подбирая слова.

— Да, вроде того, — проговорила она наконец и посмотрела Макс прямо в глаза. — Я не хотела ничего говорить тебе по телефону, ждала, пока мы встретимся. В общем, Хант... Он ушел.

— Когда?! — ахнула Макс.

— Уже почти три месяца назад, — негромко ответила Талли.

— И ты молчала? Как ты могла?!! — Макс спрыгнула с кровати. Она не могла понять, почему мать не сообщила ей о случившемся сразу. Макс знала Ханта четыре года — столько же, сколько длились его отношения с Талли, и он в какой-то мере заменил ей отца, которого у нее никогда не было.

— Я... Это довольно трудно объяснить, — проговорила Талли со слезами на глазах. Ей очень не хотелось, чтобы Макс на нее злилась — ей и без этого было тяжело.

— Почему трудно? — требовательно спросила Макс и нахмурилась.

— Так получилось, что я... В общем, я кое-что узнала... И решила, что мы больше не можем жить вместе.

— Что ты узнала? Хватит скрывать от меня правду, мама, я не маленькая, мне уже восемнадцать!

«Восемнадцать — это не так уж много», — хотела сказать Талли, но вовремя вспомнила, что сама она в этом возрасте ощущала себя достаточно взрослой и самостоятельной. Это, правда, не уберегло ее от ошибок, поскольку в двадцать она уже родила, но Макс, к счастью, не пошла по ее пути. Насколько ей было известно, в ближайшее время Макс не собиралась ни выходить замуж, ни рожать ребенка.

— Я и приехала, чтобы тебе все рассказать, — мягко ответила Талли. — Но если честно, я даже не знаю, с чего начать. Это довольно длинная история... Ты, наверное, помнишь, что Хант нашел японца-инвестора для следующего нашего совместного проекта?.. Кстати, раз уж тебе обязательно все знать, никакого совместного проекта не будет — ни сейчас, ни потом, но тогда я еще ничего не подозревала. Японцы — очень педантичный народ, поэтому, прежде чем подписывать договор, инвестор потребовал провести независимую аудиторскую проверку наших финансов. В ходе этой проверки мой бухгалтер Виктор обнаружил значительную недостачу — пропало что-то около миллиона долларов. Судя по документам, кто-то ежемесячно снимал с моего счета по двадцать пять тысяч долларов наличными. Виктор, естественно, забеспокоился и стал выяснять у меня, в чем дело, но я ничего не могла ему объяснить. Бриджит сначала тоже говорила, что ничего не знает и не понимает, как это возможно, хотя именно ей приходится оплачивать мои счета, однако спустя пару дней она неожиданно заявила, что это Хант ворует мои деньги. Точнее, он якобы заставлял ее снимать их со счета и отдавать ему...

— Какая чушь, мама! — возмущенно перебила Макс. — Хант просто не мог воровать у тебя деньги, и ты сама отлично это знаешь! Он просто не такой человек. Бриджит, наверное, сошла с ума, иначе бы она не обвинила его в таком... в такой низости!..

— Ты недалека от истины, — кивнула Талли. — Я имею в виду — насчет Бриджит... Как выяснилось, Хант действительно не брал денег, но они ведь не могли исчезнуть сами. И поначалу Бриджит почти удалось убедить меня, что это он их украл.

— Неужели ты поверила? — Макс презрительно сморщила нос, но все-таки снова легла на кровать рядом с матерью. — Как ты могла! Это же просто бред какой-то!..

Она и в самом деле не понимала, что произошло, но история была долгой, а Талли только начала свой невеселый рассказ.

— Бриджит не просто обвинила Ханта в краже. Она сообщила мне кое-что еще... — Прежде чем продолжить, Талли сглотнула вставший в горле комок. — У Ханта есть другая женщина — вот что она мне сказала.

Макс закатила глаза и яростно затрясла головой.

— Нет, нет и нет! Этого не может быть! Хант никогда бы так не поступил с тобой. Он... он хороший. Не понимаю, что случилось с Бриджит, зачем она наговорила тебе всяких глупостей? Может, она за что-то злится на Ханта?

Макс всегда любила Бриджит — тетю Брит, как она ее называла, но сейчас ей хотелось прежде всего защитить Ханта, которого она считала несправедливо оболганным.

— Да, — подтвердила Талли, — Бриджит была очень зла на Ханта, но она оказалась права. Весь последний год он действительно встречался с другой женщиной. Я, как и ты, не поверила Бриджит, но я должна была знать, что происходит. Поэтому я обратилась в детективное агентство, и спустя всего неделю сыщики предъявили мне фотографии, на которых Хант был с ней — со своей новой... любовницей. — Она поморщилась — последнее слово резануло ее буквально по сердцу, вновь разбудив утихшую было боль. — Как выяснилось, они не просто встречались: Хант ее любит, и у них будет ребенок. Вот такие новости, — закончила Талли печально.

Макс снова вскочила.

— Ты... ты меня обманываешь, да? — спросила она почти жалобно. — Ну скажи, скажи, что это неправда!

— К сожалению, это правда. Мне очень жаль, Макс. Я знаю, что ты его любишь, и я тоже его любила, но он меня предал. Когда я показала ему снимки, он во всем признался — сказал, что любит эту молодую женщину и не может ее бросить. Даже ради меня. Вот тогда я и попросила его уехать.

Невероятным напряжением воли Талли заставила свой голос звучать спокойно и ровно, но события, о которых она рассказывала, не стали от этого менее драматичными, и Макс начала что-то понимать. Порывисто бросившись к матери, она крепко обняла ее и прижала к себе. Для нее это тоже была трагедия, хотя и не такая страшная, как для Талли.

— Я... я просто не понимаю, что с ним случилось... — проговорила Талли дрогнувшим голосом. — Может, он просто оступился... Или у него наступил кризис среднего возраста. В любом случае я рада, что Бриджит мне сказала.

— А откуда узнала Бриджит? — спросила Макс. Она уже позабыла про свои восемнадцать лет и прижалась к матери тесно, как в детстве. То, что она услышала, глубоко ее ранило, и она инстинктивно искала у матери утешения и защиты, хотя Макс и было ясно: Талли пришлось куда хуже, чем ей.

— Кто-то ей сказал — какой-то знакомый... — Талли вздохнула. — Только это еще не все... Не знаю, к добру или к худу, но мне попалась очень хорошая детективная фирма. Они копнули довольно глубоко и выяснили, что Хант изменял мне и раньше. Перед тем как увлечься этой молодой женщиной, он три года встречался с Бриджит, так что злиться на него у нее есть все основания. Ну а если сложить эти три года и последний год, в течение которого Хант изменял мне с Анджелой, получается, что он обманывал меня все время, что мы были вместе. — Она покачала головой. —

С той, давней историей, правда, не все ясно: Хант утверждает, что Бриджит его соблазнила, а потом шантажировала, она клянется, что это он принуждал ее к близости, но я считаю, что три года — это чересчур. Трудно заставить человека делать то, что ему не хочется, на протяжении трех лет кряду. Впрочем, теперь это не так уж важно. Важно то, что они встречались за моей спиной. Хант, конечно, очень приятный человек, но он изменял и лгал мне. Вот почему я не захотела оставаться с ним. Я понимаю, что ты его любишь, но ты — не я, а я не могу...

— Конечно, ма, я все понимаю! — Макс вытерла глаза и обняла Талли. — И все равно это очень печально. Не понимаю, как он мог так поступить с тобой? А Брит?.. Ты сделала ей столько добра, ты столько лет считала ее своей подругой...

— Так и есть, — кивнула Талли. — Я считала обоих своими самыми близкими людьми... после тебя и папы, конечно, поэтому, когда все открылось, мне было очень плохо. Сейчас мне, правда, получше, но... Я ведь еще не все рассказала. Пропавшие деньги — я так и не узнала, кто их взял. Поскольку оба мне лгали, я не могла верить ни Ханту, ни Бриджит. Детективная фирма тоже ничем не могла мне помочь, так как частные компании не имеют доступа к банковским счетам, и я обратилась в ФБР. Агенты Федерального бюро все тщательно расследовали и выяснили, что Бриджит уже давно присваивает мои деньги. Быть может, несколько лет или даже больше... А еще я узнала, что все, что Бриджит о себе рассказывала, — все ложь, от первого до последнего слова. То есть она не только обманывала меня с Хантом, но и лгала мне в других вещах; кроме того, Бриджит оказалась самой настоящей воровкой.

— Какой ужас, ма! Неужели это правда?! — Макс была глубоко потрясена.

— К сожалению, правда, — грустно ответила Талли.

— И что теперь будет? ФБР заставит Бриджит вернуть тебе все, что она взяла?

Талли покачала головой. Для Макс все было просто: раз Бриджит взяла чужое, значит, она должна все вернуть, и точка. Что ж, именно так и должен был рассуждать любой нормальный человек, и не только в восемнадцать лет, но и всегда. К сожалению, Джим говорил, что на раскаяние Бриджит рассчитывать не приходится и что даже суд вряд ли сумеет вернуть Талли все, что она потеряла. Можно надеяться получить назад какую-то часть украденного, причем меньшую часть.

Или вообще ничего.

— Я пока не знаю, — со вздохом ответила Талли. Рассказывая Макс всю историю, она многое упростила, а кое о чем не упомянула вовсе, но даже в таком укороченном виде это была довольно печальная повесть. — ФБР планирует арестовать Бриджит на следующей неделе. В течение года ее должны отдать под суд. Мой адвокат Грег готовит гражданский иск о возмещении ущерба, по которому я могу получить назад деньги, или ее дом, или еще что-нибудь. Что касается самой Бриджит, то она, скорее всего, отправится в тюрьму на несколько лет.

Эти слова окончательно сразили Макс. Мужчина, которого она уважала и который в течение нескольких лет был ее героем, оказался самым обыкновенным обманщиком, изменявшим ее матери с другими женщинами. Подруга матери, которую Макс любила как близкую родственницу, тоже повела себя как пригретая на груди змея. Она лгала и обкрадывала Талли и в результате должна была отправиться за решетку на *годы*... Осознать все это было довольно трудно, поэтому немудрено, что Макс растерялась.

— Ты... ты ее уволила? — спросила она шепотом. Увольнение — это было самое страшное наказание, какое она могла себе представить.

— Грег Томас сделает это в ближайшие дни, — твердо сказала Талли. Она старалась называть вещи своими именами, но это оказалось нелегко. — Кстати, — добавила Талли, — все драгоценности, меха и одежду, которые

Бриджит якобы получала в подарок от магазинов, — все это она на самом деле покупала на деньги, которые брала у меня. Такие вот дела, дочь. А в остальном, прекрасная маркиза, все хорошо... — Талли пыталась шутить и даже улыбнулась через силу, но Макс была слишком потрясена и никак не могла прийти в себя.

— Бедная мама! Не представляю, как ты все это вынесла! Хант... и Бриджит... и все остальное... Должно быть, для тебя это был настоящий кошмар.

— Да, — призналась Талли, — мне было очень, гм-м... нелегко. — Она и сама порой удивлялась, как ей удалось все это *пережить*. Впрочем, до конца было еще далеко, и Талли не сомневалась, что ее еще ждут сюрпризы, но теперь она чувствовала себя более или менее готовой к ним.

— Зря ты ничего мне не сказала... Я бы приехала — взяла академический отпуск и приехала. Вдвоем нам было бы легче, — сочувственно сказала Макс и снова обняла мать.

— Я не хотела говорить такое по телефону... По телефону всего не расскажешь, — ответила Талли. — Теперь ты, наверное, понимаешь почему.

Макс кивнула.

— А Бриджит правда посадят в тюрьму?

Ей все еще не верилось, что дело обстоит настолько серьезно, да и Талли иногда казалось, что Джим что-то напутал. Она знала, что в тюрьму сажают убийц, насильников, террористов, но ведь Бриджит никого не лишила жизни. Тем не менее факт оставался фактом: ее помощница совершила настоящее уголовное преступление, за которое закон предусматривал очень суровое наказание. И все же Талли куда тяжелее было думать не о пропавших деньгах, а о том, что, обкрадывая и обманывая ее с Хантом, Бриджит продолжала изо дня в день улыбаться ей и смотреть прямо в глаза как ни в чем не бывало.

— Фэбээровцы говорят, что да.

— Не завидую я Бриджит, когда за ней явятся полицейские. Она хоть знает, в чем ее подозревают?

— Пока нет, но скоро узнает. Думаю, дальше все пойдет быстрее, — сказала Талли, впрочем, без особой уверенности. До сих пор дело двигалось довольно медленно, если точнее — медленнее, чем ей хотелось. А до того момента, когда она получит обратно свои деньги, если вообще получит, и вовсе оставался почти целый год.

— А ты... ты разговаривала с Хантом после... Ну, после того, как ты его прогнала? — осторожно осведомилась Макс. Она видела, что матери по-прежнему тяжело, и не хотела неосторожным словом сделать ей еще больнее.

— Я стараюсь с ним *не* разговаривать, — сухо ответила Талли. — Мы общаемся только по рабочим вопросам, и то через адвокатов. Да и о чем мне с ним говорить? Все уже сказано.

— А можно мне ему позвонить?

— Если ты этого хочешь... — Талли пожала плечами.

Ей не хотелось запрещать дочери общаться с Хантом, хотя она и не ждала от этого звонка ничего хорошего. Поговорив с ним, Макс могла только сильнее расстроиться. С другой стороны, девочке, вероятно, нужно было, так сказать, поставить окончательную точку, чтобы больше не возвращаться к этой странице своей жизни. Впрочем, Талли не исключала, что Макс будет и дальше поддерживать отношения с Хантом, хотя и не представляла, на какой основе. Разве только ее подсознательное стремление иметь не только мать, но и отца было сильнее, чем она предполагала... Талли, впрочем, не имела ничего против, при условии, естественно, что Макс не станет приглашать Ханта к ней домой. Она физически не могла ни видеть его, ни выносить его присутствие. За прошедшие месяцы Талли много размышляла и поняла, что, как это ни печально, во многом была виновата сама. Главная ее ошибка заключалась в том, что она с самого начала выбрала не того мужчину. Тогда, четыре года назад, Хант представлялся ей сильным и надежным человеком, на деле же он оказался слабохарактерным эгоистом, предпочитающим идти по пути наименьшего сопротивления.

— В общем, решай сама, — добавила Талли. — Только если будешь с ним встречаться, не приглашай его к нам домой, о'кей?

— Что я, не понимаю, что ли?! — возмутилась Макс, которая вдруг снова вспомнила, что ей уже восемнадцать и она совсем взрослая. — Я никогда не поступила бы так с тобой, мама. И потом, я вовсе не собиралась с ним встречаться. Если я ему и позвоню, то только для того, чтобы сказать, что́ я думаю о его поступке. Он просто... просто подлый обманщик! И Бриджит не лучше. То, как они с тобой обошлись, еще хуже, чем воровство!

Талли кивнула. Она и сама так думала, но только сейчас начинала понимать почему. Кража денег была, конечно, бесчестным, но вполне обезличенным поступком. Но роман Бриджит с Хантом — это было уже *личное*. Это было как нож, вонзенный в самое сердце Талли. Именно поэтому сейчас ей не хотелось ни видеть никого из них, ни даже вспоминать, что когда-то у нее были подруга и любовник, которого она считала почти что мужем.

— Я тоже так думаю, — кивнула Талли. — Но... довольно о грустном. Мне очень хорошо здесь, с тобой, и я тоже очень по тебе соскучилась. Давай лучше поговорим о твоих делах и... извини, что мне пришлось начать с таких ужасных новостей.

— О моих делах?.. — растерянно переспросила Макс. — Да какие у меня дела? Все нормально. По сравнению с тобой так все просто отлично. — Она ненадолго замолчала, по-видимому, не в силах не думать о том, что́ ей довелось узнать. — Слушай, мам, как тебе кажется, ты сможешь когда-нибудь, ну... встречаться с кем-то? Я имею в виду — после всего, что случилось?

Самой Макс казалось, что ее мать больше никогда не сможет встречаться с мужчинами. Больше того, пройдет довольно много времени, прежде чем она снова научится просто доверять людям. Талли действительно получила очень жестокий урок, который мог озлобить любого человека.

— Только не сейчас. Не в ближайшее время, — твердо ответила Талли. — Если на то пошло, я не могу об этом даже думать. Может быть, когда-нибудь потом, но... В общем, должно пройти время, о'кей?

Макс кивнула. Она боялась, что мать ответит категорическим «нет» или «никогда». Похоже, Талли уже немного успокоилась... или она была гораздо более сильной женщиной, чем Макс казалось.

— А дедушка знает?

— Знает. И он, как всегда, надавал мне кучу полезных советов.

— Как он себя чувствует?

— В целом нормально, — вздохнула Талли, — хотя в последнее время он сильно ослабел. Впрочем, бывают дни, когда он чувствует себя молодцом. Надеюсь, так будет и дальше.

— Я собираюсь приехать домой перед летней школой[1], так что смогу побыть с ним.

В отличие от большинства сверстников, которые старались растянуть курс обучения на пять или шесть лет, Макс планировала закончить колледж меньше чем за четыре года, после чего сразу поступить на юридический факультет[2]. Именно поэтому после первого же курса в колледже она записалась в летнюю школу, благо ей не нужно было подрабатывать, чтобы платить за обучение. Талли и Сэм одобрили ее решение. Они оба очень гордились Макс, и

---

[1] Летняя школа — курс лекций, семинаров и практических занятий для преподавателей и некоторых категорий студентов в целях повышения их квалификации; проводится в период летних каникул в школах, университетах и т. п.

[2] Юридический факультет (в США) — как правило, автономная единица в составе университета, последипломная школа, которая готовит специалистов в области права. После окончания трехлетнего курса выпускнику присваивается степень доктора права.

не без причины — она оказалась прилежной, старательной студенткой и училась только на «отлично».

— А когда заканчиваются твои съемки? — спросила Макс.

— За месяц, я думаю, управлюсь. *Должна* управиться, иначе полетит бюджет. Потом, как всегда, монтаж, компоновка, перекомпоновка... Надеюсь, это займет не слишком много времени, и к твоему приезду я буду свободна как птичка. Честно говоря, после съемок этого фильма я хотела устроить себе каникулы — мне давно пора отдохнуть... от всего. В том числе и от работы.

Тут Талли немного лукавила. Она не стала говорить дочери, что, поскольку их совместный с Хантом проект прекратил свое существование, ей придется потратить какое-то время на поиски нового сценария. Разумеется, у такого известного режиссера, как Талли, всегда хватало предложений, но среди них было сравнительно мало таких, которые бы ей понравились. А Талли непременно хотела найти хороший сценарий с достойным бюджетом, чтобы работать над ним в свое удовольствие.

Как показывала практика, именно когда она работала с удовольствием, у нее получались самые лучшие фильмы.

Мать и дочь еще некоторое время лежали рядом, болтая о всякой ерунде. Потом Макс, которая все никак не могла успокоиться, сказала:

— Ну и придурок этот Хант! — Она просто не могла выразиться резче. Все уважение и привязанность, которые она когда-то к нему испытывала, куда-то испарились, остались только презрение и обида за мать. — А Брит и вовсе мошенница.

— Ты права, — согласилась Талли. — К сожалению, у них обоих не оказалось ни принципов, ни совести, ни морали. Я уже не говорю о силе характера. Неужели так трудно было удержаться и не... Впрочем, насчет Бриджит я точно не знаю. Похоже, характер-то у нее есть, просто она с самого начала была не той, за кого я ее принимала.

— Ты рада, что она попадет в тюрьму? — осторожно спросила Макс.

— Я рада, что больше ее не увижу, — сказала Талли. — А насчет тюрьмы... Может, это и не совсем правильно, но я считаю, что какое-то наказание она должна понести. Не говоря уже о том, чтобы вернуть украденное.

— А она вернет? Суд может ее заставить?

— Честно говоря, не знаю. Как мне сказали, в подобных случаях никогда не удается вернуть все, поэтому нужно радоваться, если удастся получить хоть что-нибудь.

— Ладно, будем надеяться, что тебе повезет. В конце концов, ты же у меня знаменитость!.. — Макс рассмеялась. — Я буду молиться за тебя, мама, — добавила она гораздо более серьезным тоном, и Талли едва не расплакалась. Похоже, ее дочь действительно выросла; во всяком случае, она знала, что хорошо, а что плохо и чем можно помочь человеку, когда от него самого мало что зависит.

— Ладно, — сказала она, — какие планы на вечер? Куда пойдем?

Макс хотела пойти в свой любимый ресторан неподалеку. Талли не имела ничего против — после того как она столько времени проработала на съемочной площадке в Палм-Спрингс, ей хотелось побывать в каком-нибудь цивилизованном месте. Кроме того, Талли давно научилась дорожить каждой минутой, которую она проводила с дочерью, а где — не имело существенного значения.

Любимый ресторан Макс ей, впрочем, понравился, хотя поначалу она боялась, что там будет только пицца нескольких сортов. Меню, однако, оказалось вполне приличным, и, когда уже поздно вечером они возвращались домой, Талли впервые за много недель почувствовала, что наелась досыта. Она уже забыла, как это бывает, когда полный желудок рождает приятное тепло и расслабленность во всем теле. Погода тоже благоприятствовала — весна в Нью-Йорке была одним из самых лучших времен года, и в теплом вечернем воздухе плыл горьковатый аромат распускающихся почек.

Добравшись до квартиры, мать и дочь легли в одну постель и включили телевизор. Талли вскоре задремала, но Макс долго смотрела на экран и все думала, думала о том, что́ она узнала сегодня.

Глава 15

На следующее утро Талли и Макс отправились завтракать в расположенное на соседней улице кафе «Клуни». Мать заказала яйца-пашот на английском маффине, Макс удовольствовалась омлетом. Ели обе не спеша, и Талли получила наконец возможность как следует расспросить дочь о ее делах. Как выяснилось, бойфренд-медик, о котором Макс рассказывала ей по телефону, уже несколько недель назад ушел в прошлое. Теперь она в основном училась или проводила время с однокурсниками. Самых близких друзей Макс обещала представить матери вечером, и Талли предложила сходить вместе в ресторан.

В семь часов они всей компанией отправились в «Да Сильвано», который был любимым рестораном Талли; здесь подавали очень вкусные итальянские блюда, к тому же они взяли столик под навесом, где можно было дышать свежим воздухом и смотреть на проходящих мимо людей. Оставшиеся дни Талли и Макс бродили вместе по Сохо[1] и

[1] Сохо — район Нью-Йорка в Южном Манхэттене. Здесь бывшие промышленные склады превращены в жилые дома и студии художников. Район некогда носил название «Сотня акров ада» из-за постоянных пожаров. Ныне это рай для туристов, устремляющихся сюда, чтобы побывать в многочисленных художественных лавках и галереях. Фасады домов украшены орнаментами из кремний-углеродистого сплава, создающего эффект чугунного литья. Название произошло от фразы «South of Houston», т. е. «район к югу от улицы Хаустон».

Челси[1], заходили в галереи и магазины, побывали в Музее современного искусства, погуляли в Центральном парке и послушали там шумовой оркестр, исполнявший какие-то мелодии на канистрах, бочках и прочем железном ломе. В один из вечеров они, как и собирались, побывали на Бродвее, и вообще делали все, что любили делать, когда бывали в Нью-Йорке. Талли отдыхала телом и душой, однако не забывала регулярно проверять свой мобильный телефон, нет ли там сообщения от Джима, который известил бы ее об аресте Бриджит. Впрочем, она понимала, что еще слишком рано — сначала нужно было получить решение Большого жюри и ордер, да и Бриджит, скорее всего, все еще была в Мексике. И все же она была не в силах справиться с собственным нетерпением, к тому же ей хотелось, чтобы арест произошел, пока она была в отъезде, хотя умом Талли понимала, что рассчитывать на подобное везение не стоит.

Неделя пролетела незаметно, настало воскресенье. Вечером Талли предстояло возвращаться в Лос-Анджелес. Они с Макс прекрасно провели время, но теперь ей нужно было заканчивать картину, к тому же она подозревала, что ее ждут и другие дела. Перед тем как отправиться в аэропорт, Талли крепко обняла дочь и поблагодарила ее за все, и в первую очередь — за понимание и поддержку.

— Ну что ты, мам, о чем ты говоришь! — воскликнула Макс. — Только если у тебя в следующий раз будут неприятности, не жди — звони мне сразу, договорились?

Пару дней назад она отправила Ханту электронное письмо, в котором написала, что не ожидала от него столь бесчестного поступка и что он ее очень разочаровал. Макс показала письмо матери, и Талли была искренне тронута тем, что дочь думает так же, как и она сама. Кроме того, Макс утверждала, мол, после того как она

[1] Челси — полубогемный жилой район западных 20-х улиц Нью-Йорка между Седьмой и Десятой авеню.

нашла способ высказать Ханту все, что она о нем думает, ей стало немного легче на душе. Бриджит, впрочем, она ничего писать не стала. В конце концов, Хант не украл у ее матери ничего, кроме доверия и времени. Несмотря на это, Макс продолжала считать его поступок ужасным — ведь он оказался просто жалким обманщиком и лжецом, и она больше не хотела его видеть. В этом смысле уход Ханта к другой женщине был потерей и для нее. Ни с новой любовницей Ханта, ни с их ребенком Макс, разумеется, тоже не желала иметь ничего общего. То, что он сделал, было, с ее точки зрения, подлостью, которую нельзя простить и за тысячу лет, и она решительно обрубала все ниточки, связывавшие ее с мужчиной, которого еще недавно Макс любила как отца. Талли, правда, не очень хотелось, чтобы дочь сильно злилась на Ханта, однако она хорошо понимала ее чувства. Общая потеря сблизила их с Макс — теперь мать и дочь понимали и любили друг друга еще крепче, и это было, наверное, самое главное.

* * *

Талли провела в Лос-Анджелесе уже несколько дней, а Джим все не звонил. Сама она звонить ему не решалась, к тому же ей было не до того — с утра до вечера Талли находилась на площадке, стараясь закончить фильм вовремя, и ей пока удавалось выдерживать намеченный график, хотя некоторые члены сьемочной группы начинали роптать из-за того, что им приходится перерабатывать.

К ее большому удивлению, Бриджит тоже не звонила, хотя, получив письмо, в котором Грег Томас извещал ее об увольнении, на площадке не появлялась. Она не прислала своей бывшей нанимательнице ни эсэмэски, ни обычного письма с оправданиями, извинениями или сожалениями по поводу того, что их дружба перестала существовать и что долгие годы близкого знакомства завершились столь печальным образом. Бриджит словно сквозь землю провалилась, но когда Талли, озадаченная ее молчанием, рассказала об этом отцу, он сказал, что ничуть не удивлен.

— Я вообще не уверен, что такие люди, как Бриджит, способны чувствовать сожаление или раскаяние, — сказал Сэм, когда однажды вечером Талли заехала к нему по дороге домой. — Воры и лжецы никогда не сочувствуют своим жертвам. И даже когда их ловят за руку, в них просыпается отнюдь не совесть, а инстинкт самосохранения. Пока вор или обманщик боится, что его могут наказать, он делает вид, что раскаивается, но стоит ему убедиться, что и на этот раз ему все сойдет с рук, он сразу забывает о тех, кого обидел или обокрал. И снова принимается за старое. Так что я отнюдь не удивлен, что Бриджит исчезла, нет, не удивлен. — И он покачал головой.

Несмотря на поздний час — Талли приехала к отцу в начале одиннадцатого вечера, после того как провела на съемочной площадке почти пятнадцать часов, — Сэм Джонс выглядел лучше, чем обычно, и Талли вздохнула с облегчением. Она боялась, что за ту неделю, что она провела в Нью-Йорке, отцу станет хуже, но, к счастью, ошиблась. Сам он объяснял свое хорошее самочувствие неожиданно установившейся в Лос-Анджелесе жарой. «Для кого жара, дочка, а для нас, стариков, просто теплая погода, — говорил он Талли. — Кровь-то уже не греет, не то что в молодости».

— Наверное, ты прав, папа, — печально согласилась она. В глубине души Талли надеялась, что Бриджит все-таки даст о себе знать, но она вела себя так, словно и не было этих семнадцати лет, в течение которых они встречались чуть не каждый день, общаясь тесно, словно близкие люди.

Потом Талли рассказала отцу о своей поездке в Нью-Йорк к дочери. Сэм был рад услышать, что у Макс все хорошо, хотя она звонила ему каждую неделю и он был более или менее в курсе ее дел. Он и сам иногда звонил внучке, если она забывала сделать «контрольный звонок». Но больше всего Сэма обрадовало, что Макс приедет в Лос-Анджелес после летней сессии. Он даже сказал, что хотел бы сделать ей какой-нибудь подарок, и Талли пообещала подумать и сказать, что Макс порадовало бы больше всего.

Прошло почти полторы недели, прежде чем Талли обнаружила на мобильнике послание от Джима Кингстона. Она ожидала вестей давно, поэтому не стала медлить и сразу же перезвонила ему.

— Что, есть какие-нибудь новости? — спросила она, не в силах сдержать эмоции. Джим, напротив, отвечал совершенно спокойно, словно речь шла о самых обычных вещах. Впрочем, для него они, наверное, и впрямь были обычными.

— Есть. Мы с Джеком арестовали ее сегодня во второй половине дня. Ночь она проведет под стражей, а завтра утром ей предъявят обвинение.

Талли резко выдохнула воздух. Она ждала этих слов несколько месяцев, и теперь ее сердце невольно сбилось с ритма. Конечно, думала она, радоваться чужому несчастью нехорошо, и все-таки она была рада. Нет, не тому, что Бриджит предстанет перед судом и, быть может, отправится в тюрьму на годы, а тому, что проблема, которая мучила ее столько времени, будет наконец решена. Это было как болезнь — Талли еще не выздоровела, но кризис миновал, и она могла надеяться, что рано или поздно пережитая боль останется для нее в прошлом. До этого момента, впрочем, было еще довольно далеко. Сначала ей придется пройти через многочисленные официальные процедуры — судебные заседания, дачу показаний и прочее, но Талли готова была терпеть.

— Как все прошло? Она очень испугалась?

— Совсем нет. Она держалась на редкость спокойно, хотя очень возмущалась. Она сказала, что это произвол, и обещала подать на нас с Джеком в суд. — По обоюдному молчаливому соглашению оба называли Бриджит просто «она».

— Вот как?.. — задумчиво проговорила Талли. Такой реакции она не ожидала. Она была уверена, что Бриджит испугается, когда поймет, что попалась, может быть, даже устроит истерику. Но грозить агентам ФБР?.. — Ты думаешь, она была готова к чему-то подобному?

— Вряд ли. Просто она убедила себя, что сумеет выйти сухой из воды, и, похоже, продолжает так считать, несмотря на арест. Насколько я успел заметить, она очень высоко оценивает свои умственные способности и надеется, что ей удастся обмануть следствие и суд, как она обманывала тебя.

— Как ты думаешь, судья оставит ее под стражей? — с надеждой спросила Талли.

— Нет, — сразу же развеял ее надежды Джим. — Уже завтра она выйдет на свободу под залог или под собственную гарантию — для этого ей достаточно сделать заявление о своей невиновности.

В том, что Бриджит именно так и поступит, Джим не сомневался. Преступники почти никогда не признавали себя виновными на первом же заседании, благо чистосердечное признание в рамках сделки с правосудием всегда можно было оформить потом.

— Как ты съездила в Нью-Йорк? — спросил он. — Как дочь, в порядке?

— Спасибо, у нее все нормально. Мы прекрасно провели время вдвоем. — Талли произнесла эти слова совсем другим, значительно более бодрым голосом, и Джим сразу это заметил. Похоже, поездка к дочери пошла Талли на пользу.

— А как она восприняла новости?

— Конечно, Макс очень расстроилась. Она была привязана к Ханту. Бриджит Макс и вовсе знала с детства, поэтому услышать о них такое... В общем, для нее это было серьезное разочарование. Сначала она мне даже не поверила, представляешь?..

Джим что-то пробурчал в трубку. Он не стал напоминать Талли, что она сама поверила в измену любимого человека далеко не сразу. Да и в Бриджит она начала сомневаться только под давлением неопровержимых доказательств.

— Но потом, — продолжала Талли, — мы постарались отвлечься от неприятностей и как следует отдохнуть.

— Я рад за вас обеих, — серьезно сказал Джим. — Тебе, во всяком случае, это было необходимо. Когда *ее* отпустят после предъявления обвинения, я тебе сообщу.

— Хорошо, — откликнулась Талли, думая о том, что теперь-то ей больше не нужно ничего предпринимать.

Начиная с завтрашнего дня делом Бриджит будет заниматься окружной прокурор или кто-то из его заместителей, которые в течение нескольких месяцев будут тщательно отбирать и оформлять имеющиеся улики, чтобы добиться успеха на процессе. И только когда состоится слушание дела, Талли предстоит выступить в суде в качестве свидетельницы и потерпевшей. Такова была ее официальная роль в этом деле.

На следующий день вечером Джим, как и обещал, позвонил ей. Он сообщил, что Бриджит подписала обязательство о передаче права собственности на свой особняк в качестве обеспечения залога, после чего ее отпустили до суда. Таким образом, она хотя и вышла из тюрьмы, все же оказалась на достаточно коротком поводке: попытайся Бриджит скрыться, и принадлежащая ей недвижимость тотчас будет арестована.

— Будь осторожна, — предупредил Джим. — Не нужно бояться, просто будь внимательнее. Вряд ли она отважится на что-то противозаконное, однако мне кажется — тебе в любом случае не стоит с ней встречаться.

— Я и не собираюсь с ней встречаться, — твердо ответила Талли. — Кстати, как она вела себя в суде?

— Она не показалась мне напуганной, если ты об этом. Напротив, я бы сказал, что мисс Паркер держалась вызывающе, почти грубо.

Талли его слова удивили — она-то знала совсем другую Бриджит, но Джим с самого начала ожидал чего-то подобного. Ему доводилось повидать немало злоумышленников, и все они вели себя на первом заседании практически одинаково.

— Так часто бывает, — добавил он. — Она пыталась всем своим видом показать, что это оговор, и разговаривала с судьей очень высокомерно, почти презрительно.

— А как судья на это отреагировал? — полюбопытствовала Талли.

— Никак. Он давно привык к подобным штучкам. Что касается мисс Паркер, то до нее, похоже, еще не дошло, что она влипла в серьезную передрягу, из которой вряд ли выберется. Ей по-прежнему кажется, что она может повернуть ситуацию, как сама захочет. Когда она обращалась к судье, то несколько раз повторила фразу: «Вы хоть знаете, кто я такая?» И должен сказать, что это практически симптом...

Что-то в этом роде Джим и предполагал уже давно. Постоянно находясь рядом с Талли, Бриджит утратила ощущение реальности и вообразила себя знаменитостью и звездой, которой многое позволено, — и вела себя соответственно. Наблюдая ее в зале суда, Джим окончательно убедился, что Хант был прав, когда говорил об «отождествлении». Бриджит, несомненно, считала себя второй Талли: она была исполнена сознания собственной значимости и держалась вызывающе и нагло. Еще немного, и судья мог бы оштрафовать ее за оскорбление суда.

— Ее обвинили в присвоении крупных сумм денег, обмане, электронном мошенничестве и уклонении от налогов, — продолжал Джим. — Положение мисс Паркер очень серьезно, но она пока этого не сознает. Ничего, когда в тюрьме ее отправят чистить нужники, до нее быстро дойдет, куда она попала.

Нарисованная им картина заставила Талли содрогнуться. Она просто не могла представить себе Бриджит за чисткой туалета.

— Сведения могут просочиться в прессу, — предупредил Джим, — ведь потерпевшей стороной значится сама Талли Джонс, а не какая-то безвестная женщина. Будь готова к тому, что тебе начнут названивать журналисты. Быть может, кто-то из них даже приедет к твоему дому.

— Это еще зачем? — удивилась Талли. — Мне все равно нечего им сказать.

— Журналистов это никогда не останавливало, — ответил Джим, и Талли подумала, что он прав. До сих пор ей удавалось избегать назойливого внимания прессы, но она хорошо знала, как это бывает.

— Хорошо, что Макс здесь нет, — сказала Талли с чувством.

В последний раз она звонила дочери вчера, сразу после разговора с Джимом, чтобы рассказать ей новости. Теперь, когда Макс знала всю историю, Талли не собиралась ничего от нее скрывать. Тем не менее они обе еще не до конца поверили, что вся эта некрасивая история случилась на самом деле.

После этого Талли попрощалась с Джимом, условившись о том, что он сразу даст ей знать, если произойдет еще что-то важное. Но, проснувшись на следующий день, Талли сразу подумала, что, скорее всего, еще долго не услышит его голоса. Прежде чем дело попадет в суд, пройдет еще много месяцев, в течение которых вряд ли стоит ожидать каких-то событий. Как сказал Джим, жернова правосудия проворачиваются слишком медленно, поэтому ей следует приготовиться к долгому ожиданию. Даже после того, как дело попадет наконец в суд, потребуется несколько заседаний, прежде чем будет вынесен окончательный вердикт и Бриджит отправится в тюрьму. Какое-то время потребуется и на исполнение судебных решений, связанных с компенсацией понесенного Талли ущерба.

Компенсацию ущерба ей нужно было обсудить с Грегом Томасом. Когда Талли позвонила ему, он как раз занимался подготовкой гражданского иска. В ответ на ее вопрос адвокат сказал, что собрать все нужные документы недолго, но вот их рассмотрение в судебных инстанциях может занять немало времени. Сколько?.. Год или, может быть, немного меньше. Услышав эти слова, Талли разочарованно вздохнула. Ей хотелось поскорее забыть обо всех своих бедах, но похоже было — сбросить с плеч этот груз она сможет не скоро. Ждать, пока пройдут судебные заседания, было все равно что наблюдать за тем, как растет трава, но сделать она все равно ничего не могла. Оставалось только унять свое нетерпение и ждать. Примерно так сказал ей отец, когда она пожаловалась ему на медлительность закона. Терпеть и ждать — вот все, что ей оставалось.

Стараясь отвлечься от невеселых размышлений, Талли решила целиком отдаться работе, которая всегда была для нее лучшим лекарством от всех проблем, благо работы у нее было даже больше, чем всегда, — главным образом потому, что она так и не решилась нанять новую помощницу на место Бриджит. Талли просто не могла заставить себя сделать этот довольно важный и ответственный шаг. Утратив доверие к людям, она предпочитала сама решать даже мелкие организационные и административные вопросы, которыми раньше ведала Бриджит. А уж о том, что ее личными делами снова будет заниматься кто-то посторонний, Талли было страшно даже подумать.

Как-то в субботу, когда Талли сидела на кухне и пыталась разобраться со стопкой накопившихся счетов и квитанций, неожиданно зазвонил ее мобильный телефон. Она так глубоко задумалась над столбиками цифр, что ответила на вызов совершенно машинально, даже не взглянув на экран, где отпечатались имя и номер абонента. Услышав знакомый голос, Талли вздрогнула. Это была Бриджит.

— Я хочу забрать свои вещи, которые оставила у тебя, — заявила та, даже не поздоровавшись. В ее голосе звучал ледяной холод, и Талли невольно поежилась. Судя по всему, ни извиняться, ни что-либо объяснять Бриджит не собиралась.

— Здесь никаких твоих вещей нет, — ответила Талли.

Ей удалось взять себя в руки и говорить спокойно, хотя ее сердце отчаянно билось. Пожалуй, больше всего она боялась, что Бриджит обвинит ее в своем аресте и прочих неприятностях. К счастью, в дом ее бывшая помощница попасть не могла — пока Талли была в Нью-Йорке, Грег Томас сменил все замки на входных дверях, и сейчас она была искренне рада, что адвокат об этом позаботился.

— Я оставила кейс с кое-какими бумагами в кладовке на первом этаже, — сказала Бриджит решительным тоном.

— Я пришлю его тебе по почте, — твердо ответила Талли.

— Но он нужен мне сейчас! — возразила Бриджит, причем тон ее голоса поднялся почти до визга.

— Я сейчас не дома, — солгала Талли, которой вдруг стало не по себе. Она помнила, что Джим советовал ей быть осторожнее, и решила, что ни за что не впустит Бриджит в дом.

— Не ври! Ты дома; я знаю это, потому что стою перед твоей входной дверью, — прошипела Бриджит.

Именно «прошипела» — это слово как-то само собой пришло Талли на ум. На мгновение ей привиделась большая ядовитая змея, свернувшаяся кольцом на крыльце ее особняка, но она постаралась отогнать от себя это видение.

— Можешь уходить, я все равно тебе не открою, — ответила Талли как можно тверже. — Кроме того, я не одна, — добавила она для пущей убедительности, но Бриджит только злобно рассмеялась.

— Еще одна ложь! Ты одна, и всегда будешь одна. Жалкая тварь, ничтожество, дура! Он тебя никогда не любил, если хочешь знать! Он любил меня. Именно поэтому он три года оставался со мной. Ты была нужна ему только затем, чтобы снимать для него фильмы, — он сам говорил мне это много раз!

От этих слов Талли буквально содрогнулась. Ей стало так больно, как не было уже давно. Именно этого, по-видимому, и добивалась Бриджит. Она хотела поквитаться с Талли за все, чего лишилась.

— Хант не любил ни тебя, ни меня, — тихо ответила Талли. — Если он и любит кого-то, то только Анджелу.

— А вот и нет!.. — отозвалась Бриджит с такой яростью в голосе, что Талли задрожала от страха при одной мысли о том, что бывшая помощница и впрямь может оказаться сейчас у дверей ее дома. Поначалу она не очень-то в это поверила, но теперь... Впрочем, проверять ей не хотелось. — Он не любит ее, — продолжала Бриджит. — Эта хитрая маленькая шлюшка просто поймала его за член, вот и все. Ты поняла, чтó я имею в виду? Она специально забеременела от Ханта, чтобы он уже никуда не делся. Как видишь, она умнее нас, даже умнее тебя.

— Может, и так, — согласилась Талли. — Меня это больше не волнует. — Она немного помолчала, но потом все же не удержалась и спросила: — Как ты могла поступить так со мной, Брит? Как ты могла после стольких лет взять и переспать с моим парнем, да еще украсть мои деньги? И как ты после этого могла каждый день смотреть мне в глаза? Да и себе тоже? Неужели тебе не было стыдно, когда по утрам ты смотрела на себя в зеркало?

— Не смеши меня, Талли. И не старайся казаться большей дурой, чем ты есть. При чем тут «стыдно» — «не стыдно»?.. Посмотри на себя — ты одеваешься как бездомная, как бомжиха, да еще вкалываешь на площадке с утра до вечера. Ты была ему не нужна — ни один мужчина в здравом уме не польстится на такое пугало, как ты. И не удивляйся, что твой дорогой Хант захотел меня. Ты вообще ничего собой не представляешь, «знаменитая Талли Джонс»! Это ведь я возилась с тобой и делала всю черновую работу, это я чуть не сопли тебе вытирала, пока ты снимала свои «великие» фильмы на деньги Ханта. Ты добилась успеха благодаря *его* деньгам, благодаря *его* имени, а еще благодаря мне, которая возила тебя туда-сюда, словно ты — безрукий инвалид, да еще и подсказывала, за какой проект взяться, а за какой — не сто́ит. Без нас двоих ты ничего бы не добилась, но теперь — вот несправедливость! — никто не станет вкладывать средства в фильмы Ханта, потому что все знают тебя и никто не знает его. А между тем, дорогая «знаменитая Талли Джонс», если бы не я, о тебе вообще никто никогда бы не услышал. Я сделала для тебя многое — гораздо больше, чем ты готова признать. Меня, кстати, часто принимали за тебя, потому что я гораздо больше похожа на настоящую звезду. Единственная причина, по которой ты стала известна в Голливуде, заключается в том, что это я встречалась с журналистами вместо тебя, это я занималась связями с общественностью и рекламой — твоей рекламой! А ты... ты — ничто, Талли. Хант все время это повторял. Он говорил мне это, даже когда мы лежали в постели, и мы вместе смеялись над тобой!..

Голос Бриджит вибрировал от злобы и гнева, она то и дело срывалась на визг, и Талли решила, что больше не хочет слышать ни слова. Все, что наговорила сейчас Бриджит, казалось бредом человека, который ослеплен завистью и ненавистью и привык выдавать желаемое за действительное. Талли к тому же заметила, что, стараясь сделать ей как можно больнее, Бриджит сама себе противоречила. И все же слушать ее злобные выдумки ей было неприятно. Талли и без того трясло от одного только голоса бывшей подруги и помощницы.

— Прекрати! — резко сказала она, думая о том, уж не повредилась ли Бриджит умом.

— Ты ведь понимаешь, что это он, он во всем виноват! — проговорила Бриджит неожиданно дрогнувшим голосом. — Если бы он не ушел к этой своей молоденькой шлюшке... Не понимаю, зачем Ханту понадобилось рассказывать тебе еще и об отношениях со мной?! Если бы он не проболтался, мы были бы по-прежнему вместе, и — уверяю тебя — ты была бы счастлива и довольна!..

«А ты продолжала бы воровать мои деньги», — мысленно закончила Талли, однако вслух она сказала только:

— Он *не* проболтался.

— Конечно, проболтался! — уверенно сказала Бриджит. — Иначе как бы ты узнала?

— Я узнала о вашем... о ваших отношениях от совершенно постороннего человека. По-видимому, в какой-то момент вы потеряли осторожность.

— Я тебе не верю.

— Можешь не верить, но это правда. Впрочем, все это больше не имеет значения, поскольку не может ничего изменить ни для кого из нас. Все кончено.

— Это Хант во всем виноват, — повторила Бриджит, и Талли подумала — ей хочется, чтобы она сердилась не столько на нее, сколько на своего бывшего любовника.

Она и сердилась, да и боль, которую он ей причинил, еще не прошла, но Талли не собиралась портить себе жизнь из-за Ханта и Бриджит. Больше всего ей хотелось поскорее перевернуть эту страницу своей биографии — перевернуть, чтобы никогда к ней не возвращаться. О чем она жалела, так это о том, что судебное разбирательство потребует времени и Бриджит не может оказаться за решеткой уже завтра, а не через год. Единственное, что ее немного утешало, так это мысль о том, что ее бывшей помощнице не отвертеться и что в конце концов она все-таки окажется в тюрьме — и поделом! Правда, Талли несколько смущало, что, хотя виноваты перед ней были оба, платить за все придется одной Бриджит, поскольку никакого наказания за измену, за ложь и предательство уголовным законом предусмотрено не было. А если бы и было, к Ханту это все равно не относилось бы, поскольку официально они даже не были мужем и женой.

— Теперь Хант, наверное, будет свидетельствовать против меня? — снова услышала она в трубке исполненный жгучей ярости голос Бриджит. — А ведь если бы он не увлекся этой своей блудливой тварью, ничего бы не было. Ты так ничего и не узнала бы, и все были бы довольны и счастливы — в том числе и *ты*, Талли!

— Разве ты не слышала, что тайное всегда становится явным? — ответила Талли, несколько приходя в себя. — О деньгах, которые ты украла, я узнала вовсе не от Ханта, а благодаря независимой аудиторской проверке, которую потребовал наш японский инвестор... забыла, как его фамилия. Именно тогда я начала тебя подозревать. — На самом деле впервые она подумала о возможной вине Бриджит гораздо позже, но сейчас ей не хотелось об этом распространяться. — Так что я уверена — рано или поздно твоя афера все равно бы выплыла на свет. Тот же Виктор мог бы в конце концов догадаться, куда девались наличные.

— Это все Хант виноват... — в третий раз повторила Бриджит. На самом деле виноваты были оба, но Талли больше не хотела об этом говорить.

— В общем, я пришлю тебе твой кейс в самое ближайшее время.

— Мне он не нужен, можешь его выкинуть, — грубо сказала Бриджит и дала отбой.

Отложив замолчавший телефон подальше от себя, Талли долго сидела неподвижно, приходя в себя. Разговор с Бриджит и так был неприятным, и все же больше всего ее огорчило, что бывшая подруга ни слова не сказала о своем предательстве, словно ее это абсолютно не волновало. По-видимому, собственные бесчестные поступки Бриджит полностью оправдывала и не собиралась ни объясняться, ни просить прощения.

«Какой же испорченной надо быть, — подумала Талли, — чтобы не замечать за собой подобных вещей! Испорченной и злой... Она и позвонила-то мне только потому, что хотела сделать побольнее». И все же звонок Бриджит напугал Талли; после их разговора прошло уже несколько минут, но она до сих чувствовала, как по спине бежит холодок дурного предчувствия. Талли даже собралась позвонить Джиму, но передумала: ей было неловко беспокоить его в выходные. Хотела она позвонить и Ханту — предупредить, что Бриджит, похоже, окончательно съехала с катушек, но не видела в этом никакого особого смысла: в конце концов, он был взрослым человеком, который в состоянии сам о себе позаботиться. Да и не ее это дело — предупреждать Ханта о чем-то.

Снова зазвонил телефон, и Талли вздрогнула. Она даже решила, что Бриджит еще не все высказала, но это оказалась Макс, и Талли поспешила ответить, но голос ее дрожал.

— Что случилось? У тебя ужасный голос! — сказала Макс, которая сразу поняла, что с матерью что-то не так.

— Я... Мне только что звонила Бриджит. У нас был очень странный разговор, и... Она наговорила столько ужасных вещей — мне кажется, что она сошла с ума. Бриджит утверждала, что стоит перед моей входной дверью, но, быть может, она солгала. В общем, сегодня я на всякий случай останусь дома. Да и работы у меня еще много, — быстро добавила она, бросив взгляд на стопки счетов на столе. — Боюсь, меня ждет не самый легкий год. Кто знает, что еще выкинет Бриджит до тех пор, пока ее не отправят за решетку?..

Они еще немного поговорили, и в конце концов Талли успокоилась. С Макс она попрощалась уже совершенно нормальным голосом, а дочь еще раз напомнила ей, чтобы она была осторожнее.

Потом Талли вышла в прихожую и в кладовой под лестницей обнаружила небольшой атташе-кейс, о котором говорила Бриджит. Внутри оказалось несколько старых газет, вырезки из журналов по дизайну интерьеров, счет от врача и тому подобный мусор. Ничего нужного и важного в кейсе не обнаружилось, и Талли поняла, что Бриджит хотела использовать его как предлог, чтобы пробраться в дом и излить свою злобу на ту, кого она *на самом деле* винила во всех своих неприятностях. Быть может, она даже попыталась бы на нее напасть — ударить или расцарапать лицо... Рисковать Талли не хотела, поэтому прошла по всем комнатам первого этажа и убедилась, что все окна и дверь черного хода надежно заперты. Впрочем, осторожно выглядывая в окна, она никого не увидела. Не слышала она также и шума подъезжающей или отъезжающей машины, так что Бриджит, возможно, вовсе не слонялась возле ее дома, а звонила откуда-то из другого места, стараясь просто как следует напугать Талли. Своей цели она, однако, достигла, и Талли вновь пожалела о том, что судья не оставил ее в тюрьме.

Забрав из кухни оставшиеся счета, Талли включила охранную сигнализацию, а сама поднялась в спальню и в течение еще пары часов старалась вникнуть в сложные вопросы бухгалтерского учета. Звонок Бриджит не шел у нее из головы. Ей тем не менее удалось оплатить большинство счетов. Она как раз заканчивала переводить деньги по последнему из них — пользоваться компьютером она умела, хотя и делала это довольно редко, — когда ее телефон зазвонил в третий раз. Это был Джим Кингстон, и голос его звучал напряженно.

— С тобой все в порядке? — первым делом спросил он.

— Да, а что?.. Правда, недавно я разговаривала с Бриджит, и это было довольно неприятно... Мне даже показалось — у нее что-то вроде истерики. Кажется, она хотела войти, но я ее не впустила. Сейчас я забаррикадировалась в спальне; все окна и двери на первом этаже заперты, к тому же я включила сигнализацию, так что мне, пожалуй, ничего не грозит. Разве только в Лос-Анджелесе снова произойдет землетрясение, — пошутила она через силу. — Бриджит, к счастью, больше не звонила, и я очень надеюсь, что ей не придет в голову терроризировать меня своими звонками до са́мого суда.

— Она не будет тебя терроризировать, — твердо сказал Джим и добавил негромко: — Я сейчас приеду, если ты не против.

— Зачем?

— Я уже в машине, — сказал Джим, не ответив на ее вопрос. — Буду у тебя через пять минут, о'кей?..

Никаких обьяснений он так и не дал, но Талли подумала, что с его стороны было очень любезно взять и приехать к ней после одного-единственного странного звонка Бриджит. Только потом она подумала, как Джим мог о нем узнать — ведь звонил-то он ей, похоже, уже с дороги. Неужели что-то произошло?

Джим, как и обещал, приехал через пять минут. Услышав звонок в дверь, Талли отключила сигнализацию и поспешно спустилась, чтобы впустить его внутрь. Выражение лица Джима только укрепило ее подозрения в том, что произошло что-то серьезное. Она, однако, была слишком напугана, чтобы первой задать вопрос, и только молча ждала, что он скажет. Что, если Бриджит отправилась домой к ее отцу и причинила ему какой-нибудь вред? Это было единственным, что пришло ей в голову.

Не желая томить ее, Джим не стал медлить. Прямо с порога он сказал:

— Мисс Паркер только что застрелила Хантера Ллойда. Она приехала на квартиру миссис Морисси и выстрелила в него, как только он открыл дверь. Точнее, сначала она сказала, что он никогда не будет свидетельствовать против нее, а потом нажала на курок.

— О боже!.. — Талли смертельно побледнела. Стены прихожей вдруг плавно качнулись, но она схватилась за плечо Джима и сумела устоять на ногах. — Какой ужас! А Анджела?.. Ребенок?..

— Они не пострадали.

Они не пострадали, но Хант был мертв. Хант, которые ей изменял, который предал ее и который, если верить Бриджит, никогда ее не любил. Теперь все это не имело никакого значения. Он был мертв, а значит, все кончилось. Только потом до Талли дошло, что Бриджит могла бы убить и ее, но не стала этого делать. Похоже, семнадцать лет дружбы все же что-то для нее значили... А может быть, и *ничего* не значили. Кто знает, что могло случиться, впусти Талли свою бывшую помощницу в дом?..

— Г-где она сейчас? — пробормотала она слабым голосом, и Джим, взяв ее под локоть, отвел в гостиную и усадил на диван.

— Задержана. После убийства она вернулась к себе в особняк. Когда приехала полиция, мисс Паркер как раз укладывала вещи, очевидно собираясь бежать. Теперь она будет оставаться за решеткой до суда.

Талли с облегчением вздохнула и тут же подумала, что теперь Бриджит будут судить и за убийство. Это просто не укладывалось в голове. Как Бриджит могла убить Ханта? Быть может, она слишком разозлилась на него за то, что он бросил ее ради Анджелы? Тут Талли пришло в голову, что она должна позвонить Макс, пока та не узнала о смерти Ханта из выпуска новостей. В панике она шарила по карманам стареньких джинсов в поисках мобильника, потом вспомнила, что оставила его в спальне, и поспешила туда. Джим последовал за ней. Пока Талли, с размаху опустившись на кровать, трясущимися пальцами набирала номер, он стоял рядом, всем своим видом олицетворяя сочувствие.

Макс ответила на втором гудке.

— Что случилось, мама? Опять Бриджит?

— Нет... то есть — да. Но ты не волнуйся, со мной все в порядке. Я просто хотела позвонить тебе до того, как ты услышишь по радио или увидишь по телевизору... В общем, Бриджит только что убила Ханта. Застрелила его из пистолета. Сначала она приходила ко мне, но я ее не впустила.

— Боже мой, мама!.. — Макс зарыдала. — Что, если бы Брит застрелила тебя?

— Но ведь она меня *не* застрелила, — ответила Талли. — Зато теперь мне ничто не угрожает. Бриджит в тюрьме и останется там до суда, так что она больше никому не сможет причинить вреда. Правда, Ханта мне жаль... Он обошелся со мной не слишком хорошо, но смерти не заслуживал.

— А она... Больше никто не пострадал?

— Нет, только Хант.

Талли взяла с тумбочки пульт дистанционного управления телевизором и включила свою настенную «плазму». Передавали новости — лицо Ханта занимало весь огромный экран, но через секунду камера переключилась на внутренний вид квартиры, в которой он жил с Анджелой. Сама хозяйка тоже была здесь — она сидела на кровати и плакала, поднося к глазам скомканный платок, причем Талли бросился в глаза ее огромный живот. Вокруг стояли полицейские в форме, за окном мерно вспыхивали полицейские «мигалки». Еще через секунду на экране появилась фотография Бриджит в вечернем платье — довольно старая, сделанная на каком-то голливудском приеме. На фото Бриджит выглядела бесконечно сексуально и чувственно — во всяком случае, на убийцу она ничуть не походила.

А потом Талли услышала, как корреспондент упомянул ее имя.

Она поговорила с Макс еще немного, потом дала отбой и сразу позвонила отцу. Он уже обо всем знал из теленовостей и был потрясен не меньше Талли. Сказав Сэму несколько успокаивающих слов, Талли обещала перезвонить ему еще раз, когда Джим уйдет.

— Ну и что теперь будет? — спросила она, закончив разговор с отцом. — Я имею в виду — что будет дальше с Бриджит?

Он пожал плечами.

— Она либо призна́ет себя виновной, либо попытается сослаться на временное помрачение рассудка. Но в любом случае ей не выкрутиться. Больше того, я думаю — теперь ей придется признать себя виновной во всем, в чем ее обвиняют, после чего она отправится в тюрьму на очень долгий срок. — Джим покачал головой. — Когда я разговаривал с ней у нее дома, она произвела на меня впечатление человека достаточно вменяемого. Мне и в голову не могло прийти, что мисс Паркер окажется способна на подобный поступок. Извини, одну минуту...

Он полез в карман и достал завибрировавший мобильник. Звонил Джек Спрэг.

— Да, я уже знаю, — сказал Джим в трубку. — Мне позвонили, как только это случилось. Я сейчас у мисс Джонс. Сначала мисс Паркер побывала у нее, но мисс Джонс ее не впустила... Да, к счастью... Да... Да... Знаю... Ну пока, я перезвоню. — Он убрал телефон и повернулся к Талли. — Как ты себя чувствуешь? — спросил он мягко.

— Я... я не знаю, — честно ответила Талли. К счастью, голова у нее больше не кружилась, но она все равно чувствовала себя растерянной и слегка дезориентированной, да и страх ее еще не совсем прошел.

— Я ведь хотела позвонить Ханту, предупредить, что Бриджит очень зла на нас... на него, но потом решила, что это не мое дело... Что он сам разберется. Я думала, она будет ему только звонить, как и мне, понимаешь?.. Я даже вообразить не могла, что Бриджит сразу явится к нему и... и начнет... — Она подняла голову, чтобы взглянуть на Джима, и ее глаза наполнились слезами. — Если бы я позвонила, Хант, быть может, остался бы в живых! Я должна была его предупредить...

— Не думаю, чтобы это действительно спасло мистера Ллойда, — покачал головой Джим. — Мисс Паркер очень хотела ему отомстить, и она добилась бы своего — не сегодня, так завтра или в любой другой день.

— Бриджит не хотела, чтобы он свидетельствовал против нее. Она мне так и сказала.

— Разве она сказала тебе, что собирается его прикончить или заставить замолчать каким-то другим способом? — Сам того не замечая, Джим заговорил в своей профессиональной манере, и Талли покачала головой.

— Нет, но... Она была очень взвинчена, это я заметила.

— Взвинчена, но в своем уме? Или...

— Более или менее в своем. Бриджит не была похожа на женщину, которая готова кого-то застрелить. Правда, она очень злилась — называла меня ничтожеством и другими словами... Я, кстати, до сих пор не уверена, действительно ли Бриджит побывала возле моего дома, или она сказала это просто для того, чтобы меня напугать.

— Что ей было нужно?

— Она сказала, что хочет забрать свой старый кейс, но я ответила, что пришлю его по почте. После этого она некоторое время говорила мне гадости, а потом бросила трубку.

— Понятно. — Джим кивнул, и они спустились в кухню. Там он заварил ей чашку чая и полез в холодильник за молоком или сливками. Увидев, что внутри почти пусто, Джим улыбнулся. — Ты что, совсем не покупаешь продукты? — спросил он.

— В последнее время — нет, — улыбнулась в ответ Талли. — Если честно, я почти не умею готовить. Не умею и не люблю. Наверное, у меня нет к этому способностей.

— Ты вообще что-нибудь ешь?

— Да... То есть иногда. Но не слишком часто. Все эти переживания... в общем, мне не до того. Так, кусочек там, кусочек здесь...

— Я вижу, — кивнул Джим. Талли действительно выглядела очень худой, тонкой, почти прозрачной.

— Не могу поверить, что Хант мертв... — Помимо своей воли Талли вновь заговорила о потрясшем ее событии. — Я *должна* была его предупредить!.. Напрасно я этого не сделала. С моей стороны это было... ошибкой.

Она действительно так думала, Джим понял это по ее печальному взгляду.

— Перестань, — строго сказал он. — Мисс Паркер добилась бы своего в любом случае. Твое предупреждение ничего бы не изменило.

Талли кивнула. Ей очень хотелось ему поверить, но она не могла, как не могла и успокоиться. Вместо этого она снова начала плакать. Прошедшие месяцы дались ей очень нелегко, а теперь еще эта страшная трагедия с Хантом... Талли еще не сознавала, что большинство неприятностей позади и что Бриджит исчезла из ее жизни навсегда или, по крайней мере, на очень долгое время.

Джим просидел с Талли еще час, но наконец поднялся, собираясь уходить. Теперь он был уверен, что ей ничто не грозит, никакая опасность. Но когда Джим отворил парадную дверь, то увидел на дороге перед особняком четыре телевизионных фургона и несколько фотографов-папарацци. Пресса прибыла и взяла дом в осаду.

Быстро закрыв дверь, Джим повернулся к Талли.

— Там, снаружи, — репортеры. Не открывай дверь и не выходи к ним. Шторы тоже лучше задернуть, если есть жалюзи — опустить. Они будут звонить по телефону — не бери трубку и вообще ни с кем не разговаривай, если, конечно, сама этого не захочешь.

В последнем он, правда, очень сомневался, да и Талли решительно затрясла головой. На ее бледном лице вновь проступило выражение испуга.

— Ничего, надеюсь, это ненадолго, — сказал Джим и ободряюще улыбнулся. — Сиди здесь как в осажденной крепости — и все будет нормально. А я привезу тебе поесть, иначе ты умрешь с голода... Откровенно говоря, на ближайшие пару недель тебе следовало бы перебраться куда-нибудь в другое место, о котором никто не знает. Я могу тебя отвезти, ты только скажи — куда.

Талли задумалась.

— Я могла бы поехать к отцу, но... Уж лучше я останусь здесь.

— Тогда оставайся, только не подходи к окнам, — снова предупредил он, и тотчас в доме зазвонил городской телефон.

Джим аккуратно отсоединил его от сети — он ни секунды не сомневался, что это звонят журналисты. Любой достаточно близкий Талли человек попытался бы дозвониться ей на мобильный.

— Скоро все закончится, — сказал он, и Талли кивнула: ей очень хотелось ему верить, а Джим тем временем кивнул на прощание и вышел из дома.

В дверной глазок она видела, как он решительным шагом направился прямо к журналистам, держа в вытянутой руке свой служебный жетон.

— Мисс Джонс не будет делать никакого заявления, — услышала она уверенный голос Джима. — О случившемся она знает и глубоко сожалеет, а также выражает сочувствие семье погибшего. С прессой мисс Джонс общаться не планирует, так что ваше дальнейшее пребывание возле ее дома бессмысленно. Если она захочет как-то прокомментировать сегодняшние события, вас известят.

Журналисты разочарованно загудели, но расходиться не торопились, и Джим, пройдя мимо них, сел в свою машину и отъехал. Кто-то из папарацци успел его «щелкнуть», но на спецагента это не произвело никакого впечатления.

Минут через десять Талли еще раз наблюдала эту сцену на экране телевизора. Репортеры продолжали дежурить у ее дома, и она почти пожалела, что не согласилась с предложением Джима и не поехала к отцу. Тут Талли вспомнила, что так ему и не перезвонила, и взялась за мобильник. Сэм ответил практически мгновенно, и Талли поспешила заверить отца, что с ней все в порядке и что она нисколько не пострадала.

Весь вечер Талли смотрела новости по телевизору, но ничего нового не узнала. Было почти девять, когда вернулся Джим. Он привез два объемистых пакета с гамбургерами и мексиканской едой; Талли впустила его в дом, и они вместе отправились на кухню. За прошедшие часы прессы перед ее особняком еще прибавилось — репортеры надеялись сделать сенсационные кадры, но Талли, как и велел Джим, задернула все шторы и опустила жалюзи.

По телевизору несколько раз сообщали, что вплоть до недавнего времени Талли Джонс жила с Хантером Ллойдом, и это, безусловно, подогрело интерес журналистов к ее персоне. Показывали в новостях и фотографии беременной Анджелы, а незадолго до возвращения Джима Талли увидела короткий ролик, на котором двое женщин-полицейских вели в тюрьму Бриджит. Голова ее была опущена, волосы растрепались и падали на лицо. Сейчас Бриджит была сама на себя не похожа — во всяком случае, контраст с фотографией со светского раута, показанной по телевизору чуть раньше, был разительным. Именно на том фото, подумала Талли, была запечатлена *настоящая* Бриджит Паркер, которую хорошо знал весь Голливуд, — та самая Бриджит Паркер, которая выглядела как звезда и держалась как королева. Талли даже рассмеялась, когда в обзоре новостей показали ее собственный моментальный снимок, сделанный кем-то на съемочной площадке лет пять назад. Только человек, который хорошо знал Талли в лицо, мог бы сказать, что на нем изображен один из самых известных и популярных голливудских режиссеров. Все остальные решили бы, что им показывают фотографию жертвы кораблекрушения, которая провела на необитаемом острове год или около того.

— Ну и кто из нас — звезда? — с иронией спросила Талли, пока Джим разбирал продукты и расставлял тарелки. Он купил даже пластиковую упаковку из шести банок колы и такую же упаковку с пивом.

— Ты, конечно, — ответил он спокойно. — И именно это не давало мисс Паркер покоя. Она хотела занять твое место, но *стать* тобой ей не удавалось, сколько бы твоих денег она ни присваивала. У нее не было для этого ни твоего таланта, ни твоей внешности, и вообще ничего, что делает тебя тобой. Чтобы быть звездой, мало мехов и бриллиантов, нужно иметь что-то вот здесь... — Он постучал себя по виску. —...И здесь. — Джим приложил ладонь к груди, и Талли почувствовала себя тронутой. Ей еще никто не говорил ничего подобного, и она подумала, какой же Джим чуткий и тонкий человек! А еще — отзывчивый и добрый. Если бы не он, ей бы, наверное, и впрямь грозила бы смерть от голода в своем собственном доме.

— И все-таки время от времени мне не мешало бы тщательнее расчесывать волосы, — лукаво заметила она, и Джим рассмеялся.

— Если ты это сделаешь, тебя вообще никто не узна́ет. Ни один человек! Я даже думаю — если ты уложишь волосы и немного приоденешься, то сможешь спокойно выходить из дома, несмотря на репортеров. Они все равно не догадаются, что ты — это ты.

Теперь уже Талли рассмеялась и жестом пригласила Джима к столу. Пока они ели, Джиму позвонил сын, и он ответил, что скоро будет дома.

— Извини, я опять испортила тебе выходные, — сказала Талли с виноватым видом. — Но так уж сложились обстоятельства...

Она никак не могла забыть о смерти Ханта. Точнее, она никак не могла поверить в то, что он мертв. Это было немыслимо, невозможно. И еще это казалось ей абсолютно неправильным, даже несмотря на то, что Хант так скверно с ней обошелся. Теперь Талли жалела его, жалела Анджелу и ее детей — особенно еще не родившегося младенца, у которого никогда не будет отца. В десятичасовых новостях сообщили, что похороны Ханта состоятся на будущей неделе и будут закрыты для посторонних. Талли, однако, сразу подумала, что не пойдет на похороны: ей казалось — так будет правильнее. Теперь Хант принадлежал Анджеле и их общему ребенку, и Талли считала, что у нее нет никаких оснований присутствовать на траурной церемонии, раз для нее не нашлось достойного места в его жизни. Они уже попрощались, когда Хант от нее ушел, и теперь Талли предпочитала вспоминать только о том, что было хорошего в их недолгой совместной жизни. Хорошего, впрочем, оказалось не слишком много — если что-то и было, то Хант все перечеркнул своими изменами и ложью.

Талли съела чизбургер и два пирожка-тако[1], выпила пару банок колы и почувствовала, что наелась на неделю вперед.

— Спасибо, — поблагодарила она Джима. — Все было очень вкусно.

Только сейчас она осознала, насколько была голодна; после еды у нее даже улучшилось настроение и прибавилось сил.

— Мне тоже понравилось, — кивнул Джим. — Что касается моих выходных, ты нисколько их не испортила. Если бы не ты, я бы валялся сейчас перед телевизором и уплетал пиццу с рутбиром[2] в компании пятнадцатилетних подростков. А мне кажется, что здесь я был нужнее.

Он привез ей кое-какую выпечку и на завтра, и Талли была ему бесконечно признательна за заботу и внимание. Правда, ночь ей все равно предстояло провести одной, но она почти не боялась — Бриджит была в тюрьме, а пресса все равно не могла проникнуть в дом. Единствен-

[1] Тако — мексиканский пирожок из кукурузной лепешки с начинкой из рубленого мяса, томатов, сыра, салатных листьев; подается с острым соусом и входит в меню многих ресторанов быстрого питания в США.

[2] Рутбир — газированный напиток из корнеплодов с добавлением сахара, мускатного масла, аниса, сассафраса и др.

ная проблема могла возникнуть только в том случае, если бы ей понадобилось куда-то поехать: журналисты, похоже, обосновались перед ее домом надолго. Талли считала, что осаду они снимут самое раннее после похорон Ханта. Туда она, впрочем, идти все равно не собиралась, но в понедельник ей нужно было на работу. Ладно, решила она, поживем увидим, тем более что впереди еще воскресенье.

И тут ей вдруг пришло в голову, что как раз сейчас она заканчивает последний фильм Хантера Ллойда. И возможно, подумала Талли, именно по этой ленте люди впоследствии станут судить о том, каким продюсером был Хант. При мысли об этом ей сразу захотелось сделать фильм как можно лучше — ей казалось, это будет наилучший способ отдать последний долг памяти Ханта. Ничего, кроме этого, она сделать все равно не могла.

В конце концов Джим уехал, пообещав, что вернется утром. Талли заперла за ним дверь и снова поднялась в спальню. Этой ночью она допоздна смотрела по телевизору новости и комментарии, посвященные Ханту. Время от времени корреспонденты упоминали Бриджит, Анджелу или ее. Неназванный источник в отеле «Сансет Маркис» поведал одному особенно пронырливому репортеру, что Хант и Бриджит Паркер встречались на протяжении нескольких лет, из чего пресса тотчас сделала вывод, что к трагедии привели запутанные отношения внутри любовного треугольника Хант — Бриджит — Анджела Морисси.

Когда на следующее утро Джим снова приехал к Талли, она уже встала и привела себя в порядок, надев старые, но сравнительно целые джинсы. «Для разнообразия», — со смехом объяснила она. Волосы она тоже расчесала и убрала назад, и от этого ее лицо выглядело особенно молодым и свежим, хотя ночью она спала очень мало. Джиму также показалось, что сегодня Талли чувствует себя гораздо спокойнее, чем вчера, и он подумал, что она оправилась от потрясения на удивление быстро.

С собой он привез пару сэндвичей с яйцом из «Макдоналдса», и они с аппетитом позавтракали на кухне, запивая бутерброды цветочным чаем, который Талли обнаружила в дальнем углу буфета.

— Пресса по-прежнему стережет снаружи, — сказала Талли. — Боюсь, следующая неделя будет для меня не из легких.

— В конце концов они уйдут, — заверил ее Джим. — Уйдут сразу же, как только в городе застрелят еще какую-нибудь знаменитость.

— Звучит обнадеживающе, — с сомнением пробормотала Талли. Она прекрасно понимала, что вчера ее спасло только чудо: впусти она Бриджит, и все могло обернуться для нее куда хуже. К счастью, ей хватило ума не совершить этой ошибки.

Джим оставался с ней еще некоторое время, а потом ушел, чтобы отвезти сына на очередной бейсбольный матч. Ближе к вечеру он опять вернулся и привез кое-какие продукты, в основном — полуфабрикаты и готовые блюда, но задерживаться Джим не мог — они с Бобби собирались пойти куда-то вместе. Ему, однако, очень не хотелось оставлять Талли одну — он боялся, что она снова будет думать о смерти Ханта и винить себя, что не предупредила его об опасности.

— Не знала, что ФБР занимается еще и ресторанным обслуживанием, — устало пошутила Талли, убирая привезенные им продукты в холодильник.

— ФБР занимается всем. Вот погоди, я приготовлю тебе ужин, и ты убедишься, на что мы способны. У нас каждый агент проходит специальный курс кулинарии, — улыбнулся он. Общаться с ним было очень легко и просто, и Талли подумала, что именно благодаря Джиму выходные прошли для нее легче, чем она ожидала.

— Спасибо тебе, — сказала она серьезно. — Если бы не ты... Даже не знаю, что бы я без тебя делала.

Он действительно приехал к ней удивительно вовремя; рядом с ним она ничего не боялась, к тому же его взвешенные и мудрые слова в значительной степени успокоили и ее терзания относительно собственной вины в смерти Ханта, и ее сожаления по поводу того, как закончились их отношения и его жизнь. Нет, думать об этом Талли не перестала, но горечь ушла, и, проснувшись в понедельник утром, она сразу почувствовала, что стала спокойнее. Собираясь на работу, Талли не боялась даже неизбежного столкновения с журналистами, но, когда она отворила дверь, ее ожидал приятный сюрприз: перед домом никого не было. Репортеры то ли сдались, то ли, как предсказывал Джим, их отвлекло какое-то новое происшествие. Правда, в тот день, на который были назначены похороны Ханта, они появились вновь — хотя и не в таком количестве, но Талли удалось незаметно улизнуть через заднюю дверь. Впрочем, вместо работы она на всякий случай поехала к отцу, где ее вряд ли могли разыскать, и провела с ним почти весь день. Это было куда лучше, чем ехать на кладбище и смотреть, как гроб с телом Ханта опускают в могилу. Они с отцом все же немного поговорили об этом печальном событии и пришли к выводу, что Хант был, в общем-то, неплохим, хотя и слабым человеком, который запутался в житейских обстоятельствах и не сумел отыскать правильный выход.

Домой в этот день Талли вернулась поздно, а вечером следующего дня, разбирая почту, неожиданно наткнулась на письмо от Анджелы Морисси. Талли сама хотела ей написать, но пока не собралась, да и точного адреса она не знала.

«Уважаемая мисс Джонс, — писала Анджела, — я знаю, что мы с Хантом причинили вам много страданий и у вас есть все основания относиться к нам не слишком хорошо. Я пишу вам для того, чтобы вы знали: Хант любил вас по-настоящему. Он попал в сложную ситуацию, выбраться из которой оказалось нелегко, но он всегда говорил мне, какая вы замечательная и как сильно он вас любит. Мне будет его очень не хватать, и я уверена, что и вам тоже... Еще раз простите за всю боль, которую мы вам причинили. Надеюсь, для вас все закончится хорошо. Искренне ваша — Анджела Мориссi».

Это письмо стало приятной неожиданностью, и Талли почувствовала, что у нее немного отлегло на сердце, к тому же оно подтверждало те выводы, к которым они пришли с отцом. Значит, Бриджит снова солгала, когда утверждала, что Хант никогда ее не любил и смеялся над ее чувствами. Да, Хант показал себя слабым и непорядочным; он совершил много ошибок, но, несмотря на это, он во многом оставался хорошим и добрым человеком.

Талли аккуратно сложила письмо и спрятала в ящик письменного стола. Мысленно она пожелала Анджеле всего самого лучшего. Что касалось Ханта, то Талли искренне надеялась, что его душа обрела покой.

Ей казалось, что это будет справедливо.

Глава 16

Макс, как и обещала, приехала домой перед началом занятий в летней школе, и Талли с Сэмом были очень рады ее видеть. К деду Макс ходила чуть не каждый день, а по вечерам, закончив работу, Талли возила обоих есть мороженое в кафе. Сэм просто обожал «Айсберг»[1] с рутбиром, он говорил, что это его любимое лакомство еще с детства. Днем же Макс вывозила его на прогулки в инвалидном кресле, которое Сэм теперь использовал чаще, чем ходунки. В последнее время он еще больше ослаб физически и не очень твердо держался на ногах, однако ум его оставался все таким же цепким, жадным до новой информации. Именно поэтому ему так нравилось обще-

[1] «Айсберг» — мороженое, которое подается в стакане с прохладительным напитком, например с рутбиром.

ство внучки, которую он мог расспрашивать о том, что творится в мире, о ее взглядах и мнениях.

Вместе с тем все трое, включая Сэма, еще не до конца оправились после смерти Ханта, после его предательства, а также после ужасных поступков Бриджит. В особенности это касалось Талли, и Сэм с Макс очень за нее беспокоились. Как правило, она присоединялась к ним вечером и, побыв с ними какое-то время, увозила Макс домой. За день Талли так уставала, что почти не участвовала в общем разговоре, но Сэму все равно очень нравилось проводить время со своими «девчонками».

Сейчас Талли работала над монтажом последнего фильма Ханта, и хотя график был менее напряженным, чем в процессе съемок, дел у нее хватало. Как ни старалась она проводить с дочерью каждую свободную минутку, отсутствие помощницы изрядно связывало ей руки. Впрочем, времени оставалось еще достаточно — фильм нужно было подготовить к прокату к Рождеству, и не только потому, что этого требовала программа финансирования. Сюжет картины был таков, что ее появление на экранах накануне рождественских праздников гарантировало прокатчикам дополнительную прибыль, и Талли очень старалась уложиться в срок. Она, однако, понимала, что в данном случае не все зависит от ее усилий и что, как ни цинично это звучало, картина была просто обречена на успех благодаря трагической гибели Ханта, наделавшей столько шума.

— А что сейчас с Брит? — спросила Макс как-то вечером, когда они вернулись домой после ужина с Сэмом. — Где она?

— Насколько я знаю, — ответила Талли, — ей предъявили обвинение в умышленном убийстве первой степени и отправили в тюрьму до суда. Теперь ее будут судить и за присвоение чужих средств, которое является федеральным преступлением, и за убийство, которое преследуется по уголовному уложению штата. Первое слушание назначено на девятнадцатое апреля, но я, если честно, вовсе не жду этого дня с нетерпением. Скорее наоборот... Бриджит, я думаю, тоже, но она пока не выказывала желания признать себя виновной. Да и то сказать — от этого она ничего не выигрывает и ничего не теряет. Убийство и хищение с отягчающими обстоятельствами достаточно серьезные преступления, так что срок ей назначат большой. Кроме того, Грег предъявил Бриджит гражданский иск — быть может, так мы сумеем вернуть хотя бы часть украденного. Хотелось бы, чтобы нам присудили ее особняк — тогда я смогла бы его продать, но Джим говорит, что дом Бриджит почти наверняка достанется налоговой службе, которая обвиняет ее в уклонении от уплаты налогов... — Сказав это, Талли задумалась. Было просто невероятно, как за сравнительно короткий промежуток времени Бриджит ухитрилась испортить ее жизнь, поломать свою и отнять жизнь у Ханта.

— А она... она больше не пыталась говорить с тобой после... ну, после того дня, когда она приходила за кейсом? — снова спросила Макс. Ей, как и самой Талли, казалось странным, что Бриджит так и не попыталась извиниться или хотя бы выразить свое сожаление по поводу всего, что она сделала.

— Нет, — покачала головой Талли. — Она мне не звонила и не писала. Вот от подружки Ханта я получила письмо. Она утверждает, что Хант меня по-настоящему любил, — он якобы несколько раз говорил ей об этом. Честно говоря, мне не очень-то в это верится, но все равно с ее стороны было очень любезно послать мне такое письмо. Я тоже послала ей открытку с соболезнованиями.

Кроме письма от Анджелы, Талли получила электронное послание от Виктора Карсона, в котором тот сообщал, что от него ушла жена и что он пытается добиться развода, но об этом она сейчас распространяться не стала. Особого значения это все равно не имело, во всяком случае — для Макс. Кроме того, до девятнадцатого апреля, когда должен был начаться процесс над Бриджит, оставалось еще около десяти месяцев, и Талли все чаще казалось, что к этому времени все происшедшее будет казаться ей далеким и почти нереальным. В какой-то мере это происходило уже сейчас. Талли, во всяком случае, старалась меньше думать о прошлом и с удовольствием проводила время с дочерью. Они вместе бывали у Сэма, вместе ходили в лос-анджелесские музеи и галереи. Время от времени Макс, правда, заговаривала с ней о Ханте или о Бриджит, но Талли отвечала без особой охоты — ей очень хотелось поскорее обо всем забыть.

Изредка ей звонил Джим — звонил просто так, чтобы узнать, как ее дела, а за день до отъезда Макс в Нью-Йорк он даже навестил ее — заскочил буквально на несколько минут по пути на очередной матч с участием Бобби. Джим привез цветы — он выбрал белые лилии, и, хотя Талли всегда предпочитала розы, букет ей понравился. Сам Джим, в джинсах и белой футболке, выглядел моложавым и подтянутым — кажется, это был первый раз, когда Талли видела его не в костюме. На Макс его внешность тоже произвела сильное впечатление. Похоже, внешний вид и поведение «живого фэбээровца», на которого ей давно хотелось взглянуть (от Талли она знала, кто такой Джим Кингстон, но никогда с ним не встречалась), разрушили кое-какие ее стереотипы: Джим показался ей привлекательным мужчиной, к тому же он держался очень непринужденно и был внимателен к ее матери. Что касалось Талли, то ей всегда было приятно поболтать с Джимом, поэтому она тоже вела себя абсолютно естественно и раскованно.

Когда Джим уехал, Макс буквально набросилась на мать.

— Да он просто душка! — воскликнула она, едва за Джимом захлопнулась дверь, и Талли оставалось только надеяться, что *он* этого не слышал. — А теперь давай выкладывай, что с ним не так.

— Откуда я знаю? — пожала плечами Талли. — Может, тебе лучше спросить об этом у самого Джима?

— Разве он тебе не нравится?

— Он мне нравится, — возразила Талли. — Джим — очень хороший человек.

— Не притворяйся, ты прекрасно поняла, о чем я. Почему ты с ним не встречаешься?

— Во-первых, потому, что он мне этого не предлагал. Во-вторых, Джим — специальный агент, который занимается моим делом, а это совершенно особый случай и... короче, ты сама должна все понимать. Ну а в-третьих... В-третьих, я вообще не хочу ни с кем «встречаться», как ты выразилась. *Сейчас* не хочу, а может быть, и никогда не захочу.

— Но почему?.. — разочарованно протянула Макс.

— Хант излечил меня от подобных желаний, и боюсь, что надолго. Пойми, Макс, я только недавно обнаружила, что мужчина, с которым я жила и которого считала своим близким другом, обманывал меня за моей спиной. По-моему, только естественно, что я отнюдь не горю желанием снова наступить на те же грабли. К тому же на Ханта я зря потратила четыре года — *целых* четыре года, а ведь я уже подхожу к тому возрасту, когда перестаешь бездумно тратить время и душевные силы. Вот так-то, дочка... Ну и поскольку совершенно очевидно, что я плохо разбираюсь в мужчинах, значит, «встречаться» — это не для меня. Или ты не согласна?

— Конечно, не согласна! — возмутилась Макс. — И по-моему, то, что ты говоришь, просто... глупо. Он что, женат?

Талли не нужно было объяснять, кого имеет в виду дочь.

— Вдовец.

— Это плохо, лучше бы он был разведен, — глубокомысленно заявила Макс, и Талли чуть было не рассмеялась. — А подружка у него есть?

— Я его не спрашивала и спрашивать не собираюсь. Говорю тебе — мы с ним можем быть только друзьями, не более. Кроме того, у меня такое ощущение, что Джим тоже не стремится с кем-нибудь «встречаться». По-моему, он до сих пор тоскует о своей покойной жене.

— Все это смешно и глупо, — решительно отрезала Макс. — Я хочу сказать, что вы один другого стоите... Ну кому сейчас нужны эти сантименты? Нужно жить, жить сейчас, потому что, как ты сама только что сказала, время уходит. Еще немного, и будет действительно поздно.

— Спасибо за бесплатный совет.

— Ну как ты не понимаешь!.. А я не могу тебе объяснить... — Макс даже руками всплеснула от сознания собственной беспомощности. — Этот твой Джим очень красивый парень, и мне кажется — хороший человек. Пригласи его как-нибудь на ужин, и увидишь, что будет.

— Макс! Я не собираюсь приглашать на ужин агента ФБР.

— Почему?

— Не хочу оказаться в дурацком положении. Он подумает, что я, гм-м... делаю ему авансы.

— А может, тебе как раз и нужно сделать эти самые авансы. Вдруг Джим тебя... стесняется? Ты же у нас звезда, вот он и не решается пригласить тебя первым, — с вызовом сказала Макс, но потом сразу посерьезнела и посмотрела Талли в глаза. — Слушай, давно хотела тебя спросить: как дедушка чувствует себя на самом деле? Когда я рядом, он, конечно, бодрится, но я-то вижу, что по сравнению с моим прошлым приездом он очень ослабел. И он почти не вылезает из своего кресла на колесиках, хотя раньше ходил с этой... рамой.

— С ходунками, — машинально поправила Талли. Она тоже заметила, что отец понемногу сдает. — А что ты хочешь? — добавила она. — Ему недавно исполнилось восемьдесят шесть, а это весьма солидный возраст — особенно для мужчин. Хорошо, что ты приехала, с тобой папа заметно оживает, но... Мне кажется, что бо́льшую часть времени он чувствует себя не очень хорошо, хотя и старается этого не показывать. — Талли не хотелось расстраивать Макс, поэтому она не сказала, что Сэм слабеет буквально с каждым днем и что она боится — скоро настанет такой день, когда он вовсе не сможет встать с постели. Дело явно к этому шло, и Талли ничего не могла поделать. Ей еще повезло, что Сэм не впал в маразм, как часто случается со стариками в его возрасте.

Вечером того же дня они снова ужинали втроем и пребывали в приподнятом настроении, хотя завтрашний отъезд дочери огорчал Талли. Занятия в летней школе начинались через два дня и длились почти до конца летних каникул, а это означало, что Макс она увидит не скоро.

На следующее утро Талли отвезла дочь в аэропорт, а вернувшись, сразу занялась мелкими домашними делами — в том числе оплатой счетов. Эта работа сразу напомнила ей о том, что случилось в прошлый раз, когда она занималась тем же самым, — о звонке Бриджит и об убийстве Ханта, но Талли справилась со своими чувствами. Ханта все равно было не вернуть, да и вспоминать о нем ей было не слишком приятно.

В начале рабочей недели Талли встретилась с Грегом Томасом по поводу гражданского иска к Бриджит, у которой теперь было два адвоката — по уголовным и по гражданским делам. Грег оценил причиненный ущерб в миллион долларов — Виктор Карсон утверждал, что именно эту сумму она украла и что доказать факт кражи будет сравнительно легко благодаря сохранившимся копиям документов. Эта сумма, впрочем, еще могла быть изменена в бо́льшую сторону — в настоящее время Виктор в очередной раз штудировал свои гроссбухи в поисках сведений, которые уличали бы Бриджит в других преступлениях, о чем Грег и сообщил своей клиентке. Думая об этом, Талли невольно задалась вопросом, что станет с множеством принадлежащих Бриджит красивых и дорогих вещей, когда их хозяйка на долгие годы отправится в тюрьму. По-видимому, решила она, все это добро будет конфисковано и продано если не за гроши, то, по крайней мере, за какую-то небольшую часть первоначальной стоимости, а ведь именно ради этих вещей Бриджит пошла на преступление и в конце концов исковеркала свою жизнь. Сама Талли не находила в подобном поведении никакого смысла, но Бриджит, по всей вероятности, считала иначе.

Все остальное время Талли посвящала работе над фильмом и вскоре закончила чистовой монтаж «Человека на песке». В окончательной редакции лента понравилась даже ей самой. Энергичный сюжет, отточенная игра актеров, ювелирная работа оператора, даже музыкальное сопровождение — все было близко к совершенству. Хант гордился бы таким фильмом, да и Талли считала, что ей будет приятно видеть в титрах свое имя. Именно по ее просьбе монтажеры выделили в списке авторов строчку, в которой упоминалось о Хантере Ллойде. Фильм был закончен, премьера «Человека на песке» была назначена на пятнадцатое декабря, и Талли в последний раз вышла из студии с намерением не возвращаться к работе по крайней мере месяц. Она твердо решила устроить себе перерыв, чтобы отдохнуть, успокоиться, а главное — освоиться с мыслью, что теперь она снова будет снимать свои ленты одна. Хант был превосходным продюсером, но Талли была уверена, что справится и с этим аспектом производства.

Чувствуя себя совершенно свободной после удачно завершенной работы, Талли решила съездить к отцу. Увы, в этот радостный для нее день Сэм выглядел даже более бледным и слабым, чем обычно. Он явно чувствовал себя не слишком хорошо, и Талли подумала, что отец простудился, хотя на улице было довольно жарко.

— Что с тобой, па? У тебя что-нибудь болит? — встревожилась она. — Может, вызвать врача?

— Не стоит. Артрит разыгрался, только и всего, — ответил Сэм, и Талли предложила ему встать с постели, чтобы немного пройтись хотя бы по дому, но он не захотел.

Амелия потихоньку шепнула Талли, что Сэм весь день ничего не ел и ей так и не удалось его уговорить сделать хотя бы несколько глотков бульона. Ее слова серьезно обеспокоили Талли. Ей было очевидно, что за прошедшие несколько дней здоровье отца заметно ухудшилось и что он нуждается в постоянном присмотре. Она давно собиралась нанять сиделку, которая могла бы оставаться с ним и ночью, и теперь решила, что сделает это в любом случае, вне зависимости от его согласия. Сэм сильно ослаб, и она боялась, что он может упасть, удариться или что-нибудь себе сломать.

То, что не удалось сделать Амелии, удалось ей. Талли решила поужинать с отцом, и в ее присутствии он съел несколько ложек супа и выпил чаю. Они как раз заканчивали трапезу, когда позвонил Джим. По его словам, у него были кое-какие новости.

— Я сейчас у папы, — ответила Талли. — Можно я перезвоню попозже?

— Конечно, звони мне на мобильник. Впрочем, у меня ничего важного... просто сегодня Бриджит предложили сделку. Подробности я расскажу, когда ты перезвонишь. — И Джим дал отбой.

«Какую еще сделку?! — недоумевала Талли. — Сто лет тюрьмы вместо ста пятидесяти?» От Джима она знала, что Бриджит попыталась сослаться на временное помрачение рассудка, в надежде снять с себя обвинение в умышленном убийстве, но он был уверен, что этот номер у нее не пройдет. Судья, сказал Джим, очень быстро поймет, что Бриджит была в своем уме и что убийство она совершила, как выражаются юристы, «на почве острой личной неприязни», что ни в коем случае не могло смягчить ее вину.

— Ну что, дочка, ты довольна своим фильмом? — спросил Сэм, когда она убрала телефон.

Он уже знал, что как раз сегодня Талли закончила работу над картиной. Интерес его был совсем не праздным — отец всегда очень подробно расспрашивал Талли, что и как она делает, как решает разного рода проблемы, как идут съемки и монтаж. В результате он отлично разбирался в современной режиссуре и, наверное, мог бы давать ей советы, но никогда себе этого не позволял. «Я — профессиональный зритель, — говорил он, когда Талли шутила по этому поводу. — Мое дело — смотреть фильмы, а не анализировать твои успехи и неудачи».

— Очень довольна, — призналась Талли. — Думаю, это будет одна из лучших моих картин. Жаль, что Хант ее так и не увидит.

— Действительно, жаль, — кивнул Сэм. — Надеюсь, эта твоя Бриджит отправится за решетку лет на двадцать — двадцать пять.

— А разве могут быть другие варианты? — искренне удивилась Талли. — Хищение и убийство — по-моему, этого достаточно для самого сурового приговора.

— И она его, безусловно, заслуживает, — согласился Сэм, который никогда не испытывал сочувствия к преступникам. — Вот только нынешние суды мне не очень нравятся, точнее, даже не суды, а присяжные. Ну и адвокаты тоже недаром едят свой хлеб... в большинстве случаев. Кстати, что говорят Грег Томас и этот специальный агент?

— Джим только что мне звонил, — ответила Талли. — Я обещала перезвонить ему из дома. Грег работает над гражданским иском. Недавно я с ним встречалась, и он уверил меня, что волноваться пока не о чем. В том числе и благодаря тебе.

Сэм действительно дал ей несколько ценных советов относительно гражданского иска — это была как раз та область, в которой он разбирался блестяще. Узнавая от Талли о состоянии дел, отец постоянно подсказывал, что именно Талли должна передать своему адвокату. Поначалу, правда, Грег Томас воспринимал эти подсказки с улыбкой, но когда пару раз выяснилось, что старик был прав, а он — нет, адвокат начал относиться к ним весьма серьезно. Один раз он даже попросил Талли передать Сэму, что поражен его глубоким знанием современного права и остротой ума. Первое, впрочем, было неудивительно — Сэм продолжал выписывать «Гарвардский юридический вестник» и очень любил посещать юридические сайты, на которые он заходил со своего ноутбука. Что касалось остроты ума, то это был природный дар, который он сумел не только развить, но и сохранить до глубокой старости.

Талли посидела у отца еще немного, а когда он захотел спать, сама уложила в постель и подоткнула одеяло. Сэм почти сразу задремал, и Талли тихонько выскользнула за дверь. Поймав такси, она поехала домой, а оттуда сразу позвонила Джиму.

Джим, который всегда старался держать ее в курсе событий, очень подробно разъяснил ей суть предложенной правосудием сделки.

— Если мисс Паркер признает себя виновной, то по обвинению в хищении ей сократят срок до пяти лет. Если *не* признает, то судья назначит сколько полагается, а может, и добавит кое-что от себя. Кроме того, условия сделки включают возмещение ущерба за счет средств, полученных от продажи дома и иного имущества, а также за счет денег, находившихся на ее банковских счетах на момент ареста. Что касается убийства, то адвокат мисс Паркер, похоже, намерен добиться, чтобы она отбывала оба срока одновременно. И это у него может получиться — если, конечно, она признает себя виновной и в этом преступлении и получит за него реальный срок.

— И сколько в результате она получит? — обеспокоенно спросила Талли.

— Пять или шесть лет за хищение, восемь или десять за убийство. Не очень много, поскольку суд наверняка учтет, что мисс Паркер впервые преступила закон, к тому же тюрьмы сейчас переполнены, да и содержание каждого заключенного обходится весьма недешево... Если мисс Паркер признают невиновной в убийстве, что маловероятно, то за хищение судья может назначить ей и пять лет лишения свободы, и больше, если ему вдруг покажется, что это слишком мягкое наказание для такой, как она. В последнем случае, разумеется, условия сделки учитываться не будут. Не забудь к тому же, что мисс Паркер злоупотребила твоим доверием, а судьи считают это отягчающим обстоятельством.

Талли не сразу нашлась что ответить. Ей казалось, что пять лет — слишком мало за все, что совершила Бриджит. Десять лет за убийство — еще куда ни шло, ведь Бриджит отняла чужую жизнь, но если верить Джиму, у нее все-таки был какой-то шанс этого избежать.

— Жаль, что в нашей стране теперь не применяют электрический стул, — сказала она решительно. — Впрочем, Бриджит больше подошла бы гильотина. Не понимаю, зачем суду заключать с ней какие-то сделки, добиваясь признания вины? Ведь Бриджит совершила по-настоящему тяжелые и опасные преступления!

— Все дело в том, что подобная политика позволяет экономить деньги налогоплательщиков, — объяснил Джим. — Как я уже говорил, содержать тюрьмы — удовольствие не из дешевых. Зато если мисс Паркер сделает признание, тебе не нужно будет являться в суд, давать показания и трепать себе нервы. К тому же это сбережет немало времени и нам, и правосудию.

Талли не могла не признать, что она вовсе не ждет с нетерпением судебного заседания, на котором ей придется выступать и в качестве свидетельницы, и в качестве потерпевшей, однако мысль о том, что Бриджит может отделаться пустяковым сроком, не нравилась ей еще больше.

— Ладно, — произнес Джим после небольшой паузы. — Подождем до завтра, посмотрим, что скажет адвокат мисс Паркер.

— С ее стороны было бы глупо отказаться от сделки, которая может существенно сократить срок ее пребывания в тюрьме, — сказала Талли сердито.

— Я с тобой согласен, — отозвался Джим. — Но ты даже не представляешь, сколько адвокатов мечтают увенчать себя славой, выступая в суде, хотя во многих случаях для их подзащитных было бы куда лучше заключить сделку с правосудием и отделаться сравнительно небольшим сроком. Иными словами, если мисс Паркер вдруг заартачится, особо уговаривать ее никто не будет. Тогда ее дело попадет в суд, а это не самый лучший вариант для всех — включая тебя. Разве что адвокату выпадет шанс проявить свое красноречие и высокий профессионализм. Впрочем, суд еще не скоро, так что времени и у нас, и у мисс Паркер достаточно.

Талли промолчала, хотя ей и хотелось, чтобы суд как можно скорее остался позади. Она уже устала ждать, устала от неопределенности и переживаний. Забыть и не вспоминать — вот о чем она мечтала, но пока получалось так, что какая-то мелочь непременно напоминала ей о происшедшем, да еще в самый неподходящий момент. Словно почувствовав ее настроение, Джим еще раз уверил Талли, что за оставшееся время они попытаются найти компромисс, который устроит всех, а не только федеральный суд, стремящийся избежать долгого и дорогостоящего процесса. Под конец разговора они немного поговорили о Макс и ее летней школе, а также об очередном бейсбольном матче, в котором должен был принимать участие его младший сын Бобби. Что касалось Джоша, то он нашел себе на лето подработку в одной из частных юридических фирм. Новое место ему очень нравилось, и Джим сказал, что если бы Джош не играл в футбол на профессиональном уровне, он был бы очень рад, если бы его старший сын продолжал учиться на юриста. Слушая его, Талли невольно подумала, что и для нее, и для Джима дети стали сосредоточием и смыслом всей жизни.

— Чем ты намерена заняться теперь, после того как закончила свой фильм? — Джим внезапно перевел разговор на другую тему. — Должно быть, у тебя на примете есть какие-то новые проекты, и не один?

— Есть, как не быть, — подтвердила Талли. — Я планирую записаться на курсы йоги, походить по магазинам, побывать в кино и прочесть как можно больше интересных книг. Кроме того, я намерена как следует отоспаться. Ну а если серьезно, то я пока не хочу торопиться. Мне нужно разобраться со своей жизнью, разложить все по полочкам — только после этого я смогу взяться за что-то новое. Перерыв в работе, я думаю, пойдет мне на пользу. Я вовсе не спешу возвращаться к съемкам, особенно если мне придется участвовать в судебных заседаниях по основным обвинениям... Кроме того, мы ведь подали гражданский иск, чтобы вернуть хотя бы часть денег, и я хочу, чтобы у меня были развязаны руки, когда начнут разбирать это дело.

Фактически все сказанное означало, что Талли намерена «поставить жизнь на паузу», по крайней мере до тех пор, пока юридическая ситуация не станет абсолютно определенной. Ждать, правда, предстояло достаточно долго, но с этим приходилось мириться, поскольку ни Талли, ни Джим не могли ничего сделать, чтобы ускорить процесс. Теперь все зависело от того, как будет поворачиваться государственное правосудие, а Талли хотя официально и считалась потерпевшей, права голоса не имела.

— Ты куда-нибудь поедешь на лето? — спросила она.

Ей только что пришло в голову, что Джим следил за новостями и сообщал ей обо всем, что творилось в недрах судебной системы. В противном случае Талли оставалась бы в полном неведении. Никто не звонил ей, чтобы ободрять и держать в курсе событий, и только Джим делал это с обнадеживающей регулярностью.

— Во второй половине августа мы с парнями планировали съездить на Аляску порыбачить. Все остальное время я буду здесь, — ответил он, и Талли сразу приободрилась.

Она надеялась, что за две недели, пока Джим будет отсутствовать, ничего важного, скорее всего, не произойдет. Каких-то изменений следовало ждать, пожалуй, только будущей весной, непосредственно перед началом слушаний.

Как она думала, так и случилось. Талли и Грег Томас долго ждали, что́ ответит адвокат Бриджит на предъявленный гражданский иск. Виктор Карсон чуть не под микроскопом исследовал свои записи в надежде отыскать еще какие-то следы незаконной деятельности Бриджит, ФБР продолжало копить доказательства по делу о мошенничестве, а полиция штата собирала улики и свидетельские показания по убийству Ханта. А поскольку эта кропотливая работа протекала незаметно для посторонних глаз, Талли по временам начинало казаться, будто никто ничего не делает и ей придется ждать процесса целую вечность. Однажды она даже пожаловалась Джиму, что успеет превратиться в древнюю, трясущуюся старуху задолго до того, как Бриджит наконец отправят в тюрьму. Угадав ее состояние не столько по этим словам, сколько по голосу, каким они были сказаны, Джим ответил:

— Бриджит *уже* в тюрьме, хотя это и называется «под стражей», и поверь — ей там не сладко. Кроме того, это означает, что она не сможет причинить вреда ни тебе, ни твоим близким, а это уже немало. Теперь тебе не нужно гадать, где она находится, что замышляет и сколько еще твоих денег она успеет потратить, прежде чем суд решит конфисковать остатки.

Его слова были справедливы — Талли не могла не признать этого. В последнее время ее и ее адвоката весьма заботил вопрос, какие суммы Бриджит получала под залог своего особняка. Талли надеялась, что суд либо передаст ей особняк в качестве компенсации, либо, по крайней мере, определит процент, который должен будет достаться ей после его продажи. Однако не исключено было, что Бриджит набрала под залог дома столько кредитов, что он теперь принадлежал уже не ей, а каким-то безымянным банкам. Именно это имел в виду Грег Томас, когда, наняв судебных экспертов-финансистов, поручил им не только повторную проверку бухгалтерии Талли, но и анализ счетов Бриджит. Эксперты должны были достоверно выяснить, какие средства и откуда она получала, а также на что — помимо, разумеется, покупок, сделанных на Родео-драйв, — она их тратила.

Это тоже была важная, но небыстрая работа, однако когда начали поступать первые данные о расходах Бриджит, а они оказались очень велики, Талли вообразила, будто ее состояние целиком перекочевало в карман помощницы, а ей самой остались жалкие крохи. К счастью, это было далеко не так: как напомнил ей отец, она даже не хватилась присвоенных Бриджит сумм, хотя, с другой стороны, когда имеешь дело с хищением, так обычно и бывает, в особенности если преступник осторожен и хитер. Как бы там ни было, Талли не покидало ощущение, что она потеряла гораздо больше миллиона, и это действительно оказалось так, поскольку она фактически содержала не только себя, но и еще одного человека, который расходовал ее деньги почти с той же скоростью, с какой она их зарабатывала. В целом, однако, финансовое положение Талли оставалось весьма и весьма удовлетворительным, так что ужиматься и экономить ей было не нужно, благо на себя она никогда не тратила слишком много.

Бриджит, однако, все же нанесла ей довольно значительный ущерб, так что Талли оставалось только недоумевать, как она могла настолько доверять своей помощнице. Это доверие и сыграло с нею злую шутку — Талли, не спрашивая, делала все, что говорила ей Бриджит, не глядя подписывала счета и другие расходные документы, опротестовать которые было теперь практически невозможно, поскольку на них стояла ее собственноручная подпись. На протяжении всех семнадцати лет Талли полагала, что Бриджит действует исключительно в ее интересах, делая ее жизнь проще и оберегая от забот, не имеющих непосредственного отношения к творческому процессу, но это, увы, было совершенно не так. Бриджит только делала вид, будто заботится о ней, на самом же деле она присваивала все, до чего могла дотянуться, обкрадывая свою нанимательницу не только материально, но и в эмоциональном плане, ибо именно благодаря ей Талли потеряла сначала любовника, а потом и веру в людей. Предательство подруги стало для нее крушением мира, в котором она жила, не зная забот и тревог. С другой стороны, оно же помогло Талли прозреть и обратиться к реальности, которую она столько времени не замечала. Пожалуй, если смотреть на вещи с практической точки зрения, Бриджит стоило бы даже за это поблагодарить, но благодарить ее Талли совершенно не хотелось. Слишком тяжело дался ей приобретенный опыт.

Виктор Карсон, который знал о масштабах понесенного Талли ущерба, тоже переживал, правда, по несколько иной причине. Джиму он признался, что боится, как бы Талли не привлекла к ответственности и его. В конце концов, следить за ее финансами было его прямой обязанностью, но он слишком поздно заметил расхождения в приходно-расходных книгах, благодаря чему Бриджит столько времени оставалась безнаказанной. Как поступит Талли, Джим не знал, но ему было хорошо известно, что финансовые преступления часто порождают целый «букет» перекрестных судебных исков, так как затрагивают интересы сразу многих сторон. И Талли действительно обсуждала эту проблему с Грегом. Почему, спрашивала она, Виктор, который должен был регулярно проверять ее баланс, не заметил преступлений Бриджит раньше.

Объяснений могло быть несколько — от простой небрежности до злоупотреблений со стороны самого Виктора. Последнее, к счастью, можно было исключить — Талли с самого начала не особенно в это верила, а потом эксперты ФБР это подтвердили, однако общий итог был не слишком утешительным: получалось, что она никому не может доверять, ни на кого не может положиться полностью. Сознавать это было неприятно, это заставляло Талли чувствовать себя одинокой и беззащитной.

В конце разговора Джим пообещал, что перед отъездом на Аляску непременно позвонит ей, чтобы сообщить последние новости, и все же, дав отбой, Талли не сдержала тяжелого вздоха. Даже несмотря на его помощь и заботу, проблемы, с которыми ей пришлось столкнуться, представлялись почти непреодолимыми. Казалось, все вокруг многократно усложнилось и в мире не осталось места для готовых ответов, простых решений, безошибочных ходов и быстрых результатов. Талли чувствовала себя так, словно оказалась в аду или, по крайней мере, в чистилище и будет пребывать там целую вечность, ожидая, пока суд вынесет приговор по делу о хищении.

Джим уже не раз предупреждал ее о том, что большинство потерпевших не получают никакого возмещения ущерба: мошенники прячут или спешат потратить украденные средства, а то, что у них остается, уходит в казну в качестве налогов, которые они, разумеется, и не собирались платить. Какой преступник станет вносить в свою налоговую декларацию то, что он украл? Да ни в одной декларации просто нет пункта «Доходы от мошенничества и незаконного присвоения чужих средств»! Абсурдность некоторых статей закона порой сильно раздражала Талли, и тем не менее она была благодарна Джиму за информацию и за терпение, с каким он разъяснял вещи, которые ей было трудно понять с первого раза. Джим был хорошим человеком, но и он не мог ни изменить того, что произошло, ни повлиять на конечный результат. Уже хорошо, что он собрал достаточно улик, чтобы добиться возбуждения дела и ареста Бриджит. А ведь все могло обернуться куда хуже.

В последнее время Талли слышала немало историй о людях, которые теряли из-за мошенников сотни тысяч долларов, но власти либо вовсе ничего не сделали, чтобы им помочь, либо так долго раскачивались, что мошенники успевали уничтожить все доказательства. Джим тоже знал такие случаи и не уставал повторять, как ей повезло. Доказательств вины Бриджит было больше чем достаточно, способ, к которому она прибегла, чтобы присваивать деньги Талли, также был довольно прозрачным, поэтому он был уверен, что суду удастся доказать преступный умысел и отправить обвиняемую за решетку. Свою роль сыграло и то, что Талли была знаменитостью, а к известным людям суды и судьи всегда относились с повышенным вниманием. Достаточно красноречивым был и тот факт, что Бриджит решилась на убийство человека, который мог свидетельствовать против нее. Наконец, налицо было злоупотребление доверием, которое относилось к отягчающим вину обстоятельствам, что делало преступление Бриджит еще более серьезным.

Терпение Талли подверглось очередному испытанию, когда специальная компьютерная программа, созданная для того, чтобы своевременно информировать потерпевших о ходе рассмотрения их дел, присвоила ей «номер жертвы». Талли не имела ничего против того, чтобы ей на электронную почту приходили сообщения о дате и времени назначенных судебных слушаний, а также прочая полезная информация, но ей очень не нравилось, что ее снова причислили к «жертвам», да еще присвоили какой-то «номер». В этом было что-то бездушное и унизительное. Талли предпочитала, чтобы всегда и везде ее знали под ее собственным именем, а не под каким-то там «номером жертвы». От одного этого словосочетания ее бросало в дрожь, стоило ей прочесть предложенный к заполнению бланк.

Всю ночь после этого Талли не могла заснуть — все думала о Бриджит, об украденных деньгах и о том, чем все это может закончиться. Задремала она очень не скоро, но спала беспокойно — ей снились кошмары. Во сне Бриджит сначала оскорбляла ее, а потом попыталась застрелить из огромного ржавого ружья. Талли с криком проснулась — и больше не сомкнула глаз до самого рассвета. Джим говорил ей, что людям, пострадавшим от чьих-то преступных замыслов, часто требуется психологическая помощь, но Талли считала, что это относится не к ней, а к тем, кто стал обьектом покушения, насилия или грабежа. Теперь ей казалось, что она ошибалась. Хотя Бриджит не тронула ее и пальцем, она все же нанесла ей глубокую психическую травму, которая давала о себе знать все чаще и чаще. К психологу, впрочем, Талли не собиралась, хотя Джим и порекомендовал ей хорошего специалиста. Почему-то ей казалось, что она сумеет справиться со своими переживаниями самостоятельно.

Без толку провалявшись в постели почти до девяти утра, Талли спустилась в кухню, чтобы заварить чай. Пока закипал чайник, она решила позвонить отцу: ей очень не понравилось, как он выглядел накануне вечером, когда Талли приезжала его навестить. На ее звонок ответила экономка — она сказала, что Сэм проснулся уже некоторое время назад, но вставать отказался. Нет, он не заболел, пояснила Амелия, просто чувствует сильную слабость, и Талли сказала, что приедет, как только позавтракает. То, что старый больной отец живет фактически один, ее давно беспокоило, но она ничего не могла поделать — ей приходилось уважать его стремление к независимости, однако как добиться, чтобы он при этом был в безопасности, Талли не знала. Сэма сильно раздражало, когда она начинала чрезмерно его опекать; до сих пор он наотрез отказывался от ее предложения нанять ночную сиделку, но Талли видела, что его силы тают с каждым днем.

Когда она добралась до отцовского дома, Сэм спал. Будить его Талли не хотелось, поэтому она села на диван в небольшом кабинете рядом с его спальней и коротала время, листая какие-то юридические журналы. Спустя какое-то время она услышала, как он пошевелился, и заглянула к нему.

— Как ты себя чувствуешь, па? — спросила она с улыбкой.

— Нормально, — улыбнулся Сэм в ответ. — Только что-то очень устал. Вчера вечером я долго думал о твоем деле и о том, что случилось с Хантом. Мне очень жаль, дочка, что у вас с ним не сложилось. Мне-то он всегда казался вполне приличным парнем, но, как видно, я ошибся.

— Я тоже ошиблась. — Талли со вздохом опустилась на кресло рядом с его кроватью.

Она все еще расплачивалась за свою ошибку, а Хант за свою уже заплатил — заплатил жизнью за то, что связался с Бриджит. Она пустила их жизни под откос, а сама при этом продолжала делать вид, будто ни в чем не виновата. Талли, однако, была далека от того, чтобы считать самого Ханта невинной жертвой. В то, что Бриджит шантажом и угрозами склонила его к сожительству, она не верила, да и ФБР никогда не рассматривало эту версию всерьез. Все было гораздо проще: не только Бриджит, но и Хант оказались людьми лживыми, абсолютно безнравственными, и наказание, которое они на себя навлекли, казалось Талли только справедливым. Сама она тоже расплачивалась за свою наивность и доверчивость, причем расплачивалась по самой высокой ставке, но она, по крайней мере, была жива. За одно это ей следовало благодарить Бога, судьбу или еще какие-то неведомые силы. Да, в личном плане она потерпела обидную и горькую неудачу, но у нее, по крайней мере, оставались ее работа, дочь и отец, тогда как та же Бриджит безвозвратно потеряла все, что имела и что ей было дорого.

Подняв голову, Талли взглянула на Сэма. Смотреть на его бледное, изможденное лицо ей было больно, но она постаралась взять себя в руки и через силу улыбнулась.

— Не волнуйся, па, со мной все будет в порядке.

Он кивнул.

— Мне бы хотелось, чтобы ты постаралась вернуть как можно больше из украденного. Не уступай ни цента, сражайся за каждый доллар, будь твердой и безжалостной. Эта Бриджит Паркер не заслуживает ни твоей жалости, ни снисхождения. Ты и так потеряла слишком много, хотя этого не заслуживала.

Сэм сказал это таким тоном, будто произносил напутственное слово, будто знал, что, когда дойдет до дела, его уже не будет, и Талли это очень расстроило. Она заметила, что каждый вдох дается отцу с большим трудом, и всерьез подумывала о том, чтобы вызвать врача. На крайний случай в доме имелся баллон с кислородом, но Талли не хотела прибегать к этому средству без врачебной рекомендации.

— Ты правда нормально себя чувствуешь? — снова спросила она. Ее тревога, ее нежность и любовь отразились в ее глазах и в том, как она ласково коснулась его щеки.

— Правда. — Сэм сделал попытку улыбнуться. — Знаешь, я, пожалуй, встану. Надоело валяться в постели.

День выдался погожий и солнечный, но на улице было еще прохладно, и Талли предложила отцу немного посидеть в саду. Сэм согласился, и она достала ему из шкафа красивый шелковый халат цвета морской волны, который он любил больше всего. Сэм оделся сам, потом, опираясь на ходунки, сходил в ванную комнату и вскоре появился оттуда не только аккуратно причесанный, но и чисто выбритый. Талли уловила запах дорогого одеколона и одобрительно улыбнулась. Даже в домашней одежде Сэм выглядел очень представительно. Талли, впрочем, не помнила, чтобы она когда-нибудь видела отца растрепанным и небритым.

Сам он постоянно поддразнивал Талли по поводу ее манеры небрежно одеваться и втыкать в волосы карандаши и фломастеры. Она в ответ либо отшучивалась, либо говорила, что у нее нет ни времени, ни желания думать о прическах, нарядах и тому подобной ерунде, поскольку она предпочитает отдавать все силы работе, но сейчас Талли вдруг подумала, что совершенно напрасно пренебрегала своим внешним видом. Нет, она по-прежнему не собиралась наряжаться по последней моде, как это делала Бриджит, и все же ей, пожалуй, следовало хотя бы выглядеть как женщина, а не как огородное пугало. Раньше Талли всегда боялась, что стоит ей задуматься о макияже и маникюре, как все оригинальные, творческие идеи тотчас покинут ее аккуратно причесанную голову, но сейчас ей стало понятно, что она ошибалась. Дело было в другом. Талли действительно думала о работе бóльшую часть своего времени, и когда ей в голову неожиданно приходили новые, блестящие идеи, она предпочитала держать наготове карандаш и блокнот, а не расческу или пудреницу. Впрочем, ни одной ценной мысли она еще ни разу не забыла, следовательно, в ее нежелании тратить на себя время было больше от суеверия, чем от рационального мышления. А раз так, значит, она может, по крайней мере, попробовать уделять своей внешности хотя бы минимум внимания.

Размышляя об этом, Талли не спеша вывела отца в сад и усадила в шезлонг. Потом она принесла ему широкополую шляпу от солнца и, опустившись в складное кресло рядом, взяла руку отца в свою. Довольно долго они просто сидели молча, наслаждаясь свежим воздухом и солнечным теплом. От удовольствия Талли даже закрыла глаза: ей не хотелось ни двигаться, ни говорить — только сидеть неподвижно и чувствовать, как понемногу отпускает напряжение, владевшее ею столько долгих месяцев.

Потом она почувствовала, как отец несильно сжал ее руку.

— Я люблю тебя, папа, — негромко проговорила Талли, не открывая глаз.

В эти мгновения она чувствовала себя так, словно снова стала маленькой девочкой. Сколько она себя помнила, отец всегда был рядом и всегда был готов поспешить к ней на помощь. После смерти матери он стал к ней особенно нежен и внимателен и всегда поддерживал ее, если Талли приходилось трудно. Сэм давал ей мудрые советы и даже помогал деньгами, когда она только начинала свою режиссерскую карьеру, хотя его никогда нельзя было назвать богатым человеком. Сейчас, думая об этом, Талли испытывала невыразимую нежность к человеку, который отдал ей всего себя, ничего не требуя взамен. Она даже прослезилась, но поспешила смахнуть скатившуюся по щеке слезинку, боясь, что отец может это увидеть. Сэм никогда не был излишне сентиментальным человеком.

— Я тоже тебя люблю, — отозвался он шелестящим шепотом, потом его пальцы расслабились, и Талли поняла, что отец уснул.

Она слышала, как он негромко похрапывает во сне, но отнимать руку не стала, боясь его потревожить. Ей было бесконечно приятно ощущать его присутствие, как она чувствовала его всю свою жизнь, и знать, что, пока он рядом, с ней не может случиться ничего плохого.

Незаметно для себя Талли тоже задремала, убаюканная мягким утренним солнцем и теплом. Когда она проснулась, отец мирно спал в своем шезлонге, и она рискнула вытащить свою руку. Сэм не пошевелился, и Талли не сразу заметила, что он не дышит. Вскочив, она прижала пальцы к его шее, пытаясь нащупать пульс. Пульса не было, и Талли в панике крикнула в гостиную Амелии, чтобы та вызвала «Скорую». Она понятия не имела, сколько времени Сэм не дышит — минуту или час. Собравшись с силами, она подхватила его на руки и, уложив на траву, стала делать ему искусственное дыхание, но Сэм по-прежнему не подавал признаков жизни. Непрямой массаж сердца тоже не дал результатов, но Талли продолжала то ритмично нажимать ему на грудь, то вдувать в легкие воздух. Прошла, казалось, целая вечность, прежде чем она услышала вой сирен — сначала вдали, потом все ближе и ближе, и вот уже прибывшие парамедики взяли дело в свои руки, а она по-прежнему стояла на траве на коленях, не замечая катящихся по лицу слез.

Прошло еще сколько-то времени, и парамедики сдались. Старший медицинской бригады помог Талли подняться и отвел в дом, пока остальные укладывали тело Сэма на носилки.

— Примите мои соболезнования, мисс Джонс. Похоже, ваш отец умер во сне, — мягко сказал он, и Талли снова разрыдалась.

Она не могла представить, как она будет жить дальше без отца. Только сейчас ей стало ясно — все, что он говорил ей сегодняшним утром, и его последнее «люблю» было прощанием. Сэм ушел, продолжая держать ее за руку, и Талли оставалось только радоваться, что она тоже успела сказать ему о своей любви прежде, чем он уснул навсегда.

— Да, он спал... — пробормотала она прерывающимся голосом. — Спасибо...

Парамедик ободряюще похлопал ее по плечу и вернулся в сад. Носилки с телом уже укладывали в полицейскую «Скорую». Кроме парамедиков, по вызову прибыли также пожарная машина и машина спасателей, и сейчас они потихоньку отъезжали, выключив сирены и погасив огни. Талли провожала их затуманенным взглядом. Заплаканная Амелия хотела подойти к ней, но как раз в это время в гостиную вернулся старший парамедик, которому нужно было задать Талли несколько вопросов. Полное имя ее отца, его возраст, заболевания... Он все тщательно записывал, но и ему, и Талли было очевидно, что причиной смерти стал возраст. Как говорил сам Сэм, «организм износился».

— Куда его отвезти? — спросил старший парамедик, и Талли некоторое время смотрела на него в полном недоумении, не зная, что ответить. — Мы можем доставить его в морг и подержать там, пока вы не примете решение, — пришел ей на помощь парамедик, но прежде, чем он договорил, Талли решительно покачала головой.

— Нет, нет... Пожалуйста, подождите немного...

Она торопливо достала из сумочки мобильник и позвонила в справочную, чтобы узнать телефон похоронного бюро, где ей уже приходилось бывать по другим печальным поводам. Сэм никогда не был особенно религиозен, но он родился в протестантской семье, и Талли хотелось, чтобы его похоронили по христианскому обычаю. Но в первую очередь ей нужно было связаться с похоронным агентством.

Там трубку взяли практически сразу. Кто-то хорошо поставленным голосом уверил Талли, что они обо всем позаботятся, и продиктовал адрес, который она должна была передать парамедикам. Подробности, сказал ей невидимый собеседник, она сможет обговорить с администрацией в любое удобное для нее время.

— Мы сделаем все, чтобы вам помочь. Можете не беспокоиться насчет огласки, — добавил мужчина, но Талли поняла его не сразу.

Только потом до нее дошло, что сотрудник похоронного бюро догадался, что имеет дело со знаменитостью, как только она назвала свои имя и фамилию. Известные люди или их родственники часто стремились сохранить в секрете информацию о времени и месте проведения траурной церемонии, чтобы не привлекать журналистов и зевак, поэтому он поспешил заверить Талли в полной конфиденциальности переданных сведений.

— Да, спасибо, — машинально поблагодарила Талли, думая о том, что раньше подобными делами занималась

Бриджит. Теперь же она вынуждена была делать все сама, и помочь ей никто не мог.

Закончив разговор с сотрудником похоронного агентства, Талли вышла на улицу, чтобы сообщить парамедикам, куда следует отвезти тело ее отца. Она продиктовала бригадиру название и адрес похоронного бюро, и он ответил, что хорошо знает это место и что она сделала правильный выбор, после чего еще раз принес ей свои соболезнования. Задние дверцы «Скорой» все еще были открыты, и Талли, вполуха слушая обращенные к ней слова, никак не могла оторвать взгляда от неподвижного тела на носилках. Рыдания снова стиснули ее горло словно железным обручем — ей до сих пор не верилось, что еще недавно отец был рядом, он был жив и говорил, что любит ее, и вот за какой-нибудь час его не стало. Талли, разумеется, знала, что когда-нибудь это случится, и все равно смерть Сэма стала для нее неожиданностью. Она пришла к нему внезапно, и Талли оказалась совершенно к этому не готова.

Наконец «Скорая» тоже отъехала, и Талли вернулась в дом. Амелия обняла ее, и они обе долго плакали в объятиях друг друга и никак не могли успокоиться.

— Я думала... он просто очень устал, — проговорила наконец Талли. — Мне нужно было сразу вызвать врача, а я зачем-то потащила его в сад...

Она действительно чувствовала себя виноватой, хотя ее вины тут не было — никакие врачи не смогли бы предотвратить то, что произошло. И Амелия, которая тоже очень любила Сэма, ей так и сказала:

— Вы ни при чем, мисс Талли. Просто пришло его время, вот и все, и тут уж ничего не попишешь.

В ответ Талли всхлипнула и упрямо покачала головой. В глубине души она понимала, что Амелия права, но сердце отказывалось верить, что она больше не увидит отца, не услышит его голос. «Ах, если бы он пожил еще немножко!..» — думала она. Отец был ей очень дорог, и вот его не стало. Теперь у нее не осталось никого, кроме Макс.

— Он и вправду очень уставал в последняя время, — добавила Амелия. — А это значит, что он был готов уйти.

— Зато я была не готова, — тихо ответила Талли и снова вышла в сад, чтобы отыскать свои сандалии. Там, на траве, она увидела отцовскую шляпу. Прижав ее к груди, Талли снова разрыдалась: отец ушел слишком неожиданно, и она снова почувствовала себя очень одинокой и несчастной.

Прошло довольно много времени, прежде чем ей удалось более или менее взять себя в руки. Находиться в отцовском доме ей было очень тяжело, и Талли решила, что поедет к себе. Кроме того, ей нужно было побывать в похоронном агентстве и договориться обо всех деталях, а еще — позвонить Макс. Это было едва ли не самое трудное. Талли не сомневалась, что известие о смерти деда причинит дочери сильную боль. Макс любила Сэма ничуть не меньше, чем она сама.

Амелию Талли отпустила, сказав, что она может прибраться в комнатах и в понедельник. Что делать с отцовским домом, она пока не знала. Кроме того, нужно было разобрать его вещи, но с эмоциональной точки зрения это тоже была непростая задача. Похоже, ее снова ожидали нелегкие времена, и Талли оставалось только радоваться, что она закончила работу над фильмом и может не беспокоиться хотя бы о работе.

Еще раз обняв Амелию, Талли вызвала такси и поехала домой. Забившись в угол на заднем сиденье, она думала о том, что еще утром ее отец был жив, а сейчас его не стало. Слава богу, для него все произошло быстро и, скорее всего, безболезненно, но для Талли это было настоящее горе, от которого — она знала — не скоро оправится.

Прямо из такси Талли позвонила Макс, но ее телефон сразу переключился на «голосовую почту». Только сейчас Талли вспомнила, что в эти выходные дочь собиралась в поход и, по-видимому, находилась в каком-то месте, где не было приема. От сознания того, что она не может поговорить с единственным близким человеком, который у нее остался, Талли почувствовала себя еще более одиноко. Ей некому было позвонить, не с кем поделиться своим горем. В трудные минуты именно отец всегда утешал ее, и в его лице она потеряла не только близкого родственника, но и единственного друга.

Когда она выходила из такси, ее мобильный телефон неожиданно зазвонил. Талли не хотела ни с кем разговаривать, но, бросив взгляд на экран, она увидела, что это Джим, и нажала кнопку приема. Голос у нее все еще был хриплым от слез, и он сразу понял — что-то произошло. Джим позвонил Талли только для того, чтобы рассказать о кое-каких мелких обстоятельствах, о которых позабыл упомянуть во вчерашнем разговоре. Лезть ей в душу и расспрашивать о том, что́ ее так расстроило, он не собирался, однако слышать ее убитый голос было выше его сил.

— Что-нибудь случилось? У тебя все в порядке? — заботливо спросил он, и Талли затрясла головой, не в силах вымолвить ни слова.

— Случилось... — выдавила она наконец. — Мой отец... Он умер час назад. — И Талли снова заплакала.

— Я тебе очень сочувствую, Талли, — проговорил Джим после паузы. — Он что, болел? — В разговорах с ним Талли никогда не упоминала, что ее отец тяжело болен. Джим только знал, что они были очень близки и что отец всегда поддерживал Талли и помогал разумными советами.

— Нет, не болел, просто... просто он очень ослаб в последнее время. Наверное, возраст начал сказываться... Ведь ему уже восемьдесят шесть... было... — Говорить об отце в прошедшем времени Талли было нелегко. Впрочем, теперь в ее жизни многое было в прошедшем времени: Хант, дружба с Бриджит, и вот теперь — отец.

— Если хочешь, я приеду прямо сейчас, — предложил Джим, поддавшись минутному порыву. Он просто не представлял, что еще сказать. Почему-то ему казалось, что обычного «Мне очень жаль» будет недостаточно. Джим знал, через что пришлось пройти Талли совсем недавно, и хорошо понимал, что́ может означать для нее еще один удар, да еще такой сильный.

— Я... не знаю... — проговорила Талли растерянно.

— Буду у тебя через пять минут, — решительно сказал Джим. — Я тут недалеко, в нескольких кварталах. — Он действительно пришел на службу в субботу, чтобы разобраться с текущей бумажной работой, до которой у него раньше не доходили руки. Гора бумаг на его столе росла с угрожающей быстротой, и Джим решил наконец с ней разделаться, благо Бобби уехал к приятелю на все выходные и он был абсолютно свободен.

Когда Джим отключился, Талли сунула телефон в карман и, поднявшись на крыльцо особняка, отперла дверь. Она не очень хорошо понимала, как оказалась дома — поездка в такси вспоминалась ей очень смутно, однако знакомая обстановка подействовала на нее благотворно. К тому моменту, когда в дом вошел Джим (Талли была в таком состоянии, что не только не заперла за собой дверь, но и оставила ключи снаружи), она уже немного пришла в себя и сидела за кухонным столом, глядя в пространство перед собой. Увидев на пороге Джима, она слегка вздрогнула и удивленно приподняла брови.

— Дверь была открыта, — пояснил Джим в ответ на ее невысказанный вопрос.

Он поставил перед Талли пластиковую чашку с горячим кофе, купленным по пути в «Старбаксе», положил рядом ее ключи. Пожалуй, он поступил правильно, что приехал, — сейчас Талли не стоило оставаться одной. Правда, Бриджит была в тюрьме, так что с этой стороны никакая опасность ей не грозила, и все же кто-то должен был ее подстраховать, и Джим решил, что может помочь Талли если не по долгу службы, то просто по дружбе. Насколько он знал, единственным ее близким человеком была дочь, которая жила и училась в Нью-Йорке.

— Выпей кофе, — посоветовал Джим. — Это поможет.

Талли послушно протянула руку и сделала глоток, но никакого вкуса не почувствовала. Глаза ее покраснели и опухли от слез, а рука, державшая чашку, заметно дрожала.

— Спасибо, — глухо проговорила она и, слегка повернув голову, встретилась с ним взглядом. — Папа был удивительным человеком. Когда умерла мама, он стал для меня всем — совсем как ты для своих сыновей. Жаль, что ты его не знал, ты бы понял...

Талли покачала головой. Ее отношения с отцом действительно были совершенно особенными: не только родственники, но и близкие друзья, они всегда были готовы прийти друг другу на выручку. Или даже просто побыть рядом, что порой было куда важнее, чем материальная поддержка или хороший совет.

— Он был очень хорошим человеком, — повторила она, и слезы снова потекли по ее щекам.

Джим ничего не ответил — только зашел сзади и стал легкими движениями массировать ей плечи. Какое-то время спустя Талли откинулась назад, прислонившись к нему спиной, а Джим крепко прижал ее к себе. Ему очень хотелось взять на себя хотя бы часть ее боли, но он знал, что тут он бессилен. Талли же безутешно плакала в его обьятиях. Наконец она подняла голову и посмотрела на него снизу вверх.

— Спасибо, что приехал... Я просто не знала, кому позвонить, с кем поговорить... Я... У меня никого не осталось.

Джим только кивнул. Он хорошо понимал, что она имеет в виду. За последний год в жизни Талли произошло слишком много всего, и вот теперь она потеряла человека, благодаря которому ей удалось пройти через все испытания.

— Для этого и нужны друзья, — негромко ответил он.

Ему было приятно назвать себя ее другом, да и сама Талли, похоже, не имела ничего против. Он и в самом деле не мог просто взять и повесить трубку после того, как узнал о смерти ее отца. Что-то подсказывало ему... нет, настойчиво твердило, что Талли нуждается в нем и что он просто обязан приехать к ней, чтобы как-то поддержать. Как — Джим и сам не знал, но надеялся, что присутствие рядом человека, который сможет хотя бы просто ее выслушать, немного облегчит горе Талли.

Они долго сидели на кухне и негромко разговаривали. Талли рассказывала об отце, Джим тоже вспомнил своих родителей, которые умерли сравнительно рано. Наконец Талли снова сказала:

— Спасибо тебе, Джим. Опять я выдернула тебя в выходные.

Он улыбнулся.

— Я не мог не приехать, Талли. Я ведь знаю, как это тяжело. Примерно то же самое я испытывал, когда потерял жену.

Талли кивнула. С ним ей действительно было немного легче, хотя они и знали друг друга не слишком хорошо. Она, во всяком случае, нисколько не стеснялась плакать при нем и рассказывала ему об отце как о человеке, которого они оба хорошо знали.

— Ты, по крайней мере, знаешь, что он ушел без мучений, — добавил Джим. — Не бог весть какое утешение, но все-таки... Увы, жизнь не всегда бывает легкой и приятной, и по пути приходится что-то терять.

— Да, — согласилась Талли и устало улыбнулась. — В последнее время я только и делаю, что теряю. Хорошо бы все это поскорее закончилось. Ну, ты понимаешь, что́ я имею в виду...

— Понимаю. Поверь — осталось немного. Когда сам проходишь через подобное, кажется, это никогда не кончится, но на самом деле... Все пройдет, Талли, можешь не сомневаться. Все пройдет, и на небе опять засияет солнышко.

— Да, — согласилась Талли. — В каком-то смысле это немного похоже на беременность, только в конце не ждет никакая награда.

— Попробуем все-таки выцарапать максимальную компенсацию. Дом мисс Паркер должен стоить достаточно дорого. Прокурор, как я слышал, намерен потребовать реституции вне зависимости от того, признает ли мисс Паркер себя виновной или будет приговорена судом. Ты выиграешь в любом случае; правда, все, что ты потеряла, вернуть вряд ли удастся, но, по крайней мере, часть ты получишь.

Талли кивнула, вспомнив, как Макс однажды сказала ей по этому поводу, что они, слава богу, не голодают и не скитаются по улицам, как бездомные, и все же терять такие деньги ей было жаль.

— Я просто хочу, чтобы все поскорее закончилось, — сказала она и снова прижалась к нему. — Я очень хочу, чтобы все неприятности остались позади, но вместо этого меня, похоже, подстерегают новые и новые беды.

— Ты же знаешь — беды ходят вереницами, — заметил Джим, и Талли невесело рассмеялась.

— Что-то уж очень она длинная, эта вереница.

— Я понимаю, — кивнул Джим, снова опуская пальцы ей на плечи и начиная поглаживать и разминать напряженные мышцы. — Но поверь, будет и счастливая полоса.

Талли благодарно зажмурилась. Она едва знала его, но ей хотелось ему верить — Джим с самого начала был так добр и внимателен к ней, к тому же он всегда оказывался рядом как раз тогда, когда она больше всего нуждалась в поддержке.

— Ладно, надо собираться и ехать в похоронное бюро. — Талли тяжело вздохнула, и Джим понял, как она страшится этой поездки.

И она действительно не могла представить себе ничего хуже этого. Отчасти по этой причине Талли не пошла на похороны Ханта, и вот теперь ей предстояло заниматься организацией похорон собственного отца.

— Можно я поеду с тобой? — спросил он, и Талли с признательностью кивнула.

От горя у нее буквально опустились руки, и она не знала, что и как нужно делать. А Джим смотрел на нее и видел не всем известную знаменитость, а несчастную женщину, которая перенесла тяжелую потерю и очень нуждалась в помощи.

И он готов был эту помощь ей оказать.

— Мне бы очень этого хотелось, — сказала Талли и, поднявшись, отправилась на поиски своей сумочки.

Через несколько минут они уже тронулись в путь на его машине. В дороге Талли думала о том, как переменилась ее жизнь за какой-нибудь год. Ее обокрала и обманула та, кого она считала самой близкой подругой, ей изменил любовник, а теперь и отец ушел из жизни... Это показалось Талли настолько несправедливым, что слезы снова брызнули из ее глаз. Она чувствовала себя бесконечно несчастной, одинокой и уязвимой, и даже присутствие рядом Джима ее почти не утешало. Лишь немного успокоившись, Талли подумала, что происшедшее с ней может случиться с каждым и что печальная история, в которую она угодила, должна служить для нее постоянным напоминанием о том, что все люди на самом деле легко ранимы и что даже самые благоприятные обстоятельства могут в мгновение ока измениться к худшему. Обратное, впрочем, тоже было справедливо, и, подумав об этом, Талли слегка приободрилась.

— Когда-то, — проговорила она негромко, — за меня все делала Бриджит. Я имею в виду — даже самые обычные дела. И только если без меня было не обойтись, Бриджит брала меня с собой. И ты знаешь, меня это устраивало... — Талли повернулась к Джиму. — Иметь рядом такого человека, знать, что он обо всем позаботится, — все равно что иметь старшую сестру или мать. У меня никогда не было ни братьев, ни сестер, а мама умерла, когда я была маленькой, поэтому мне, наверное, так нравилось, что рядом постоянно находится кто-то, кто обо мне заботится, оберегает, ограждает от неприятностей. Это было... чудесное ощущение, другого слова я не подберу. Я жила как в сказке, не знала никаких забот, а главное, я считала себя в полной безопасности. И вдруг, в один миг все переменилось, и я поняла, что моя безопасность была лишь иллюзией. Когда я осознала, что Бриджит действительно сделала то, что́ она сделала, это стало для меня настоящим шоком. Это было все равно что подвергнуться насилию со стороны человека, которого любил и которому бесконечно доверял. Даже когда я узнала, что Хант мне изменил, мне было не так больно... Наверное, все дело в том, что Бриджит я знала куда дольше и за семнадцать лет привыкла во всем на нее полагаться. У меня даже близких подруг никогда не было, потому что у меня была Бриджит и мне ее вполне хватало. Потерять ее было все равно что потерять родственника... — Талли покачала головой. — Теперь я осталась одна, но это не значит, что я не смогу сделать то, что мне сейчас предстоит. — Эти слова прозвучали так, словно она старалась убедить в сказанном самое себя. — Только это очень тяжело... — добавила Талли после паузы, и Джим кивнул. Он хорошо представлял себе, что́ она чувствует, и приехал к Талли, чтобы быть с ней до конца этого едва ли не самого трудного дня в ее жизни.

Бросив на нее быстрый взгляд, Джим увидел, что Талли сидит совершенно прямо и смотрит на дорогу перед собой. Под ногами у нее валялись грязные бейсбольные кроссовки Бобби, а на заднем сиденье лежала его бита. Сама машина тоже была довольно скромной: ни в ней, ни во всей жизни Джима не было ничего «звездного», суперэффектного, и все же, несмотря на это, он чувствовал себя с Талли удивительно свободно.

— Именно поэтому я и считаю преступление, которое совершила Бриджит, достаточно тяжелым, — сказал он. — И неспроста суды считают злоупотребление доверием отягчающим вину обстоятельством. На мой взгляд, это даже хуже, чем похищение денег. В конечном итоге злоупотребление доверием означает глубокую моральную травму, нанесенную человеку, который тебе верит и тебя любит и который поэтому перед тобой совершенно беззащитен. Иными словами, последствия подобных преступлений могут быть катастрофическими — такими, что никакими деньгами их не измерить.

Талли удивленно покосилась на него. Похоже, Джим много размышлял на эту тему и имел собственное аргументированное мнение.

— Быть может, это мне урок, — сказала она печально. — Никому не доверять и полагаться только на себя. — «И никого не любить», — мысленно добавила Талли.

Она на собственном горьком опыте убедилась, к чему это может привести. Только сейчас Талли стало окончательно ясно, как глупо и наивно она себя вела и какой была соблазнительной и легкой мишенью для каждого, кто захотел бы воспользоваться ее деньгами или положением.

— Во всем полагаясь на Бриджит, я разленилась и совершенно разучилась сама о себе заботиться, но теперь все будет иначе, — проговорила она извиняющимся тоном, но в глубине души Талли ощущала необычайный прилив гордости и сил.

Ей нравилось сознавать, что теперь она будет делать все сама. Правда, в последнее время она часто думала о том, что нанять нового помощника или помощницу все-таки придется. Этого настоятельно требовала ее профессиональная деятельность, но Талли рассудила, что одно другому не мешает. Одно дело поручить помощнику, скажем, организацию натурных съемок, и совсем другое — отдать ему на откуп все заботы о своих сугубо личных нуждах. От последнего она твердо решила воздерживаться, да и спешить Талли в любом случае не собиралась, поскольку после печального опыта с Бриджит ей было неприятно даже думать о том, что рядом с ней снова будет находиться посторонний человек, который просто по характеру своей работы будет знать о ней слишком многое.

— Ну, рано или поздно доверять кому-то все равно придется, — проговорил Джим, но она отрицательно покачала головой.

— Может быть, и нет.

В ее жизни почти не осталось людей, которым она могла бы — и хотела — доверять. Фактически теперь у нее была только Макс, но, как ни суди, она была еще слишком молода. Нет, дело было вовсе не в том, что Талли считала ее глупой или безответственной, и все же, случись что, она не смогла бы на нее опереться — да и не стала бы, ведь Макс была ее дочерью, ее единственным ребенком. Что касалось ровесников или людей постарше, то тут Талли оказалась фактически в пустоте, и поэтому поступок Джима, протянувшего ей руку помощи, был для нее так важен.

Они сами не заметили, как добрались до похоронного бюро. Джим припарковался на стоянке для клиентов и вслед за Талли вошел внутрь. Он был в джинсах, кроссовках и белой футболке, однако, несмотря на это, выглядел вполне солидно, да и держался с достоинством. Сама Талли все еще была в вытертых до дыр шортах и старой майке Макс, но ей было на это наплевать. Главное, считала она, вовсе не внешность, а то, что у нее в душе; во всяком случае, ее манера одеваться нисколько не переменилась, и Джиму это даже нравилось. Насколько он успел узнать, как из опыта личного общения, так и из собранных в рамках расследования материалов, Талли была честной, порядочной женщиной, на которую нисколько не повлиял ее звездный статус. В прошлом Джиму приходилось сталкиваться с голливудскими знаменитостями, но Талли была нисколько на них не похожа. С ним она всегда держалась по-дружески просто и никогда не подчеркивала, что она звезда, а он — обычный агент, и Джим бесконечно ее за это уважал. Очень немногие вели бы себя на ее месте так же.

Дежурный сотрудник похоронного бюро был вежлив и внимателен. Сначала он повел их выбирать гроб, потом предложил несколько вариантов погребальных служб, и Талли выбрала церковное прощание. Потом клерк попросил приготовить отцовскую фотографию, которая будет выставлена в церкви, а также костюм, в котором Сэма должны были положить в гроб, но и это было еще не все. Ей предстояло купить участок на кладбище, написать некролог, выбрать подходящую музыку, договориться с церковной администрацией о времени похорон и найти священника, который совершит отпевание. Дел, о которых предстояло позаботиться, было так много, что Талли почувствовала, что у нее голова идет кругом.

Почти не глядя она подписала договор и несколько бланков, после чего они с Джимом поехали на кладбище. Там они выбрали спокойное местечко под раскидистым деревом, и Талли договорилась, чтобы впоследствии сюда же перенесли и прах ее матери. В итоге она приобрела сразу четыре смежных участка — в том числе для себя и для Макс. Эта идея пришла ей в голову совершенно неожиданно, и Талли мысленно ужаснулась тому, какие мрачные мысли приходят ей в голову, но потом подумала, что ничего страшного в этом нет — просто ей хотелось быть уверенной, что когда-нибудь все они будут лежать рядом. В целом, однако, ей было очень не по себе от всего, чем она вынуждена была заниматься: хлопоты об отцовских похоронах напоминали Талли о том, что ее жизнь в последнее время полна утрат и потерь. Тщетно она пыталась припомнить хоть что-нибудь хорошее, что случилось с ней за прошедший год с небольшим; все ее воспоминания были буквально напитаны болью, и в конце концов Талли решила, что *не* вспоминать будет легче.

С кладбища они поехали в пресвитерианскую церковь в Бель-Эйр, чтобы договориться со священником, но того не оказалось на месте, и им пришлось ждать почти час. В результате, когда Джим привез Талли домой, было уже почти семь вечера, и она еле держалась на ногах, а ведь ей еще предстояло писать некролог.

Войдя в гостиную, Талли бросила свою объемистую сумку на диван и, без сил опустившись рядом, посмотрела на Джима, который провел с ней почти весь день.

— Спасибо, — снова поблагодарила она. — Я просто не знаю, как бы я со всем этим справилась, если бы не ты.

Джим кивнул. Он видел, что Талли говорит это совершенно искренне, а не из вежливости; кроме того, ему было очевидно, что она смертельно устала. За несколько часов Талли, казалось, похудела еще больше: щеки ее впали, скулы заострились, и только глаза на осунувшемся лице казались огромными, как крупные тропические звезды. Если бы Джим не был для нее посторонним, он бы уложил Талли в постель, но сейчас не решался предложить ничего подобного, поэтому просто заварил и принес ей на диван чашку с чаем.

Талли благодарно улыбнулась. То же самое сделала бы для нее Бриджит, но сейчас она подумала об этом лишь мимолетно и почти без горечи.

— Ты потратил на меня целый день, — сказала Талли.

— Мне все равно было нечем заняться. Бобби уехал к другу, и я, веришь ли, даже пошел на работу, чтобы разобраться с кое-какими бумагами.

— Вот видишь, ты работал, а я тебя оторвала, — возразила она.

— Там не было ничего важного, — отмахнулся Джим. — Стандартные докладные, приказы, отчеты... Кроме того, мне приятно, что я смог тебе хоть чем-то помочь. Если хочешь, я мог бы сходить за продуктами... — Сказав это, Джим слегка смутился. Ему нравилось помогать Талли, но он боялся показаться навязчивым или поставить ее в неловкое положение: ведь она ничем не могла отплатить ему за его услуги. — У тебя в холодильнике опять пусто, и я подозреваю — ты продолжаешь питаться святым духом, — добавил он, пытаясь перевести разговор в шутливое русло, и Талли рассмеялась.

— Если я голодна, то по дороге домой я захожу в кафе или в кулинарию. Кажется, я уже говорила, что совершенно не умею готовить. Когда-то этим занимался Хант, но я, увы, не повар.

— Тогда тебе, наверное, следовало бы нанять человека, который мог бы кормить тебя нормальной едой. В противном случае ты либо умрешь с голода, либо испортишь себе желудок. Честно говоря, вид твоего пустого холодильника действует мне на нервы.

Джим действительно привык набивать свой холодильник едой для двух подростков-спортсменов, поэтому с его точки зрения того, что иногда все же лежало в холодильнике у Талли, было маловато для взрослого человека. Джим готов был поклясться, что их хомяк съедает в день больше, чем Талли за неделю.

— Я не хочу, чтобы рядом со мной постоянно находились чужие люди, — призналась Талли. — Кроме того, мне не очень нравится, когда кто-то старается ради меня одной. Да и ужинать в одиночестве, как бы хорошо ни была приготовлена пища, не самое лучшее занятие. Когда-то, когда Макс еще жила со мной, я пыталась что-то готовить, и за неимением выбора мы обе это ели, но Хант совершенно меня затмил, когда перебрался ко мне. Он оказался таким замечательным поваром, что мою стряпню никто больше не хотел есть. Даже я сама. — Талли улыбнулась. — А ты умеешь готовить?

— Пришлось научиться. Я стал готовить для мальчиков, когда Дженни заболела... и потом тоже. Правда, жаренное на решетке мясо для барбекю получается у меня не в пример лучше, чем обычные супы и каши, но я как-то справляюсь... справлялся, пока парни не перешли на пиццу и прочую замороженную дрянь. Вот пиццу я разогреваю просто мастерски, — добавил Джим, и Талли снова рассмеялась. — Ну так как, может, мне все-таки купить тебе что-нибудь из еды? Что бы ты хотела?

Талли покачала головой. Она не чувствовала голода, хотя не ела почти весь день.

— Не думаю, что мне удастся проглотить хотя бы кусочек, — призналась она. — К тому же до завтра мне нужно написать некролог для... для папы. — Помимо этого, ей нужно было съездить в отцовский дом, чтобы выбрать хорошую фотографию и найти подходящий костюм, но это казалось Талли непосильной задачей, во всяком случае — сейчас. Она просто не могла заставить себя вернуться туда после страшных утренних событий.

— Ты обязательно должна что-нибудь съесть, — не сдавался Джим.

— Я съем что-нибудь позже, — уклончиво ответила Талли, и он рассмеялся.

— Ну да. Что-нибудь вроде той половинки грейпфрута, которая завалялась у тебя в холодильнике еще с прошлой недели. Если, конечно, она еще не испортилась, — сказал Джим, и она тоже улыбнулась.

Некоторое время спустя он все же ушел, а Талли села за компьютер, чтобы написать некролог. Она пыталась припомнить самые важные вехи из биографии отца, но мыслями постоянно возвращалась к Джиму. Он был так добр и так внимателен, что Талли просто не знала, как его благодарить.

Было уже около девяти, когда в дверь кто-то позвонил. Оторвавшись от работы, Талли спустилась в прихожую. Это оказался посыльный, который доставил ей ужин из китайского ресторана, и Талли подумала, что этой горы продуктов хватило бы на нескольких человек — и еще осталось бы на завтра. Убрав часть коробок в холодильник, который действительно показался ей пустоватым, она вернулась к компьютеру.

Было уже около полуночи, когда она наконец закончила некролог. Распечатав его в нескольких экземплярах, Талли отправилась на кухню, чтобы заварить себе чаю, и, неожиданно почувствовав зверский голод, съела почти все, что прислал Джим. Китайская еда пришлась ей по вкусу, и она отправила Джиму благодарственную эсэмэску, но он не ответил. Наверное, подумала Талли, он уже спит. Ей тоже пора было отдыхать — завтрашний день обещал быть не менее тяжелым, чем сегодняшний, поэтому она поднялась в спальню и легла.

Талли очень надеялась, что усталость возьмет свое и она быстро заснет, но этого не случилось. Тянулись часы, а она по-прежнему лежала без сна, думая об отце и обо всем, что произошло за день. Кроме того, ей еще предстояло сообщить страшную новость Макс. К счастью, с этим можно было подождать до вечера воскресенья, когда дочь вернется из своего похода: Талли просто боялась ей звонить, зная, какое горе причинит Макс известие о смерти Сэма, которого она обожала.

Поздним утром Талли разбудил звонок Джима. Он спросил, как она себя чувствует, и она ответила, что все более или менее в порядке, и еще раз поблагодарила за присланный ужин.

— Не стоит благодарности, — сказал Джим. — Скажи, может быть, я могу еще чем-нибудь помочь?

— Не знаю, я, наверное, справлюсь сама, но все равно спасибо. Ты просто ангел!

— Не ангел, а агент, — рассмеялся Джим. — У нас в ФБР это так называется. Ладно, если понадобится моя помощь, сразу позвони, не стесняйся. И не забудь пообедать!

Пообедать Талли не забыла, благо китайской еды оставалось еще достаточно. Сразу после этого она поехала в дом отца, чтобы отыскать там подходящий костюм, туфли, рубашку и галстук. Что касалось фотографии, то Талли уже примерно знала, что ей нужно. Она хотела найти снимки, где Сэму было бы лет пятьдесят или около того. Именно таким Талли его всегда представляла, но, когда нужные снимки отыскались, она поразилась, до чего велико было сходство между ней нынешней и отцом, когда тот был на три десятка лет моложе. В одном из шкафов она обнаружила картонную коробку с фотографиями матери и решила, что тоже заберет их с собой.

Из отцовского дома Талли поехала в похоронное бюро и, отдав служащим костюм, фотографию и некролог, вернулась к себе. Не успела она шагнуть через порог, как ей позвонила Макс.

— Привет, мам! — услышала Талли жизнерадостный голос дочери.

Макс была очень довольна походом; они с друзьями прекрасно провели время, отдохнули и увидели много интересного, о чем она и поспешила сообщить. Оказывается, их группа ездила в Нью-Гэмпшир и сплавлялась по реке на плотах.

Талли слушала Макс не перебивая.

— А как твои дела, ма? Как прошли выходные? — спросила наконец дочь.

— Не очень хорошо, — вздохнула Талли и, ощупью найдя стул, опустилась на него. Она очень боялась того, что́ ей придется сообщить Макс. — По правде говоря, у меня плохие новости... Дедушка умер вчера... — Талли не выдержала и заплакала. — Он умер во сне и совсем не мучился. Просто заснул и не проснулся.

В трубке было слышно, как рыдает Макс, страшное известие причинило ей сильную боль. Наконец она спросила:

— Ты... ты была с ним?

— Да. Я... я все время держала его за руку, — объяснила Талли, судорожно всхлипывая. — Папа сказал, что любит меня, и уснул. Мы сидели в саду, в шезлонгах... Я тоже задремала, а когда проснулась, он... его...

Знаешь, в последние дни он был очень слаб, но я даже не думала...

— Ах, мама, мне так жалко дедушку! Вот бы он пожил еще немного... А теперь... ведь я даже не успела с ним попрощаться! Ладно, завтра я прилечу.

Талли машинально бросила взгляд на часы и прикинула, сколько времени может быть сейчас в Нью-Йорке. Пожалуй, на самолет Макс уже не успевала — даже на самый поздний рейс.

— Я вылечу первым же рейсом завтра, — сказала Макс, и Талли обещала заказать ей билет.

— Похороны состоятся во вторник, — добавила она.

— Бедный дедушка!.. И бедная ты... — Макс очень жалела, что не может обнять мать и хоть немного ее утешить. Талли прошла через многое, и присутствие рядом родного человека могло бы облегчить ее страдания.

— Я могу чем-нибудь помочь, ма? Я имею в виду — с похоронами?

— Нет, дорогая, я уже обо всем позаботилась. Это оказалось проще, чем я думала, — в похоронном агентстве, куда я обратилась, все очень хорошо организовано.

Некролог должен был появиться в газетах уже завтра, прощание для друзей и бывших коллег было назначено на вторую половину дня. Что касалось самих похорон, то Талли распорядилась сделать их закрытыми для посторонних. Ей не хотелось, чтобы, кроме нее и Макс, возле могилы толпились зеваки. К сожалению, она слишком поздно сообразила, что после прощания и похорон она, по традиции, должна принять коллег и друзей отца в своем доме. Так было принято, и Талли не имела ничего против — она уже решила, что обьявит об этом в церкви. Другое дело, что завтра с утра ей придется обзванивать фирмы, принимающие заказы на ресторанное обслуживание на дому, но она была уверена, что никаких трудностей с этим не возникнет. Главное, что она вспомнила об этом вовремя, когда еще можно было что-то сделать.

Они с Макс поговорили еще немного. Талли рассчитывала, что дочь прибудет в Лос-Анджелес около одиннадцати утра: полеты с востока на запад давали некоторый выигрыш во времени, а значит, уже завтра они будут вместе. При мысли об этом у нее сразу стало теплее на душе — оставаться одной и постоянно думать о случившемся несчастье было слишком мучительно. Скорому приезду дочери Талли была рада даже больше, чем вчерашнему визиту Джима, хотя ей и было ясно, что без него она вряд ли сумела бы сделать все как надо.

Вечером Джим позвонил ей снова.

— Ты сказала Макс?.. — сразу спросил он. Джим думал об этом чуть не весь день и переживал за Талли и за ее дочь, которую, впрочем, видел только однажды, да и то мельком.

— Сказала, — печально откликнулась Талли.

— Ну и как она?..

— Ничего. Более или менее, хотя, конечно, ей было больно об этом услышать. Макс очень любила папу... — Талли вздохнула. — Я хотела еще раз тебя поблагодарить. Без тебя я бы не справилась.

— Справилась бы, — уверенно ответил он. — Просто со мной тебе было немного легче, так что... Звони, если тебе что-то понадобится, я постараюсь помочь. Завтра я, кстати, весь день буду на службе, а это совсем рядом с тобой. Думаю, я смогу подъехать очень быстро.

— Хорошо, я позвоню, — с признательностью сказала Талли.

Несмотря на то что она твердо решила быть крайне осмотрительной в выборе друзей, у нее не было ощущения, будто Джим пытается воспользоваться ситуацией и втереться к ней в доверие. Талли нисколько не сомневалась, что он был хорошим человеком — внимательным, отзывчивым и добрым, который вел себя как самый настоящий друг.

Макс приехала на следующий день около полудня. Они с Талли обнялись и долго плакали. Никто из них не мог представить, как они будут жить дальше без Сэма — без любящего деда и мудрого отца. У Талли даже появилось чувство, будто они с Макс потерпели кораблекрушение и были выброшены на необитаемый остров и теперь вынуждены подбирать обломки и крепко держаться друг друга, чтобы просто выжить. Единственное, на что Талли надеялась, это на то, что в ее жизни в конце концов наступит светлая полоса — и они с Макс окажутся в надежной, тихой гавани, чтобы попытаться спокойно залечить полученные раны. К Макс это, правда, относилось в несколько меньшей степени, зато сама Талли чувствовала себя моряком, которого слишком долго трепали свирепые ураганы и бури, и теперь ее сердце тосковало по клочку твердой земли, на который она могла бы встать обеими ногами, не боясь, что зыбкая почва вновь уйдет из-под ног. Ее трудное плавание продолжалось уже почти год, но, по крайней мере, скорбь, которую она сейчас испытывала, была иного рода — чистой и искренней. Ее никто не предал, не обокрал, ей никто не изменял и не лгал; она просто потеряла человека, которого на протяжении многих лет любила всей душой и всем сердцем.

И теперь ее сердце болело так, словно кто-то вонзил в него острый хирургический скальпель. Это было мучительно, но Талли оставалось только терпеть.

И она терпела, терпела, как могла.

Глава 17

Похороны Сэмюеля Льюиса Джонса получились солидными и торжественными. Талли была уверена, что отцу они бы понравились. Букеты белых лилий наполняли церковь своим тонким ароматом, внушительно поблескивал лакированный гроб из красного дерева, а надгробная речь священника, которого Талли заранее снабдила всей необходимой информацией, звучала проникновенно и трогательно.

Сама Талли тоже сказала несколько слов об отце. Все его друзья-ровесники давно умерли, поэтому рассказать о его профессиональной карьере, о выдающихся достижениях и победах, о том, каким преданным другом и нежным отцом он был, могла только она. И Талли неплохо с этим справилась, хотя несколько раз горло ее перехватывал спазм, и тогда она ненадолго замолкала. Большинство людей, пришедших проститься с Сэмом, когда-то были его клиентами, и хотя он отошел от дел уже больше десятка лет назад, они до сих пор помнили его мудрые советы, а главное — сердечное и внимательное отношение к их бедам и проблемам, какое редко встречается у современных адвокатов. Пришли на похороны и несколько знакомых Талли, в том числе Виктор Карсон, сидевший в одиночестве на одном из задних рядов, и домработница отца Амелия. Когда же Талли, держа за руку Макс, выходила из церкви, среди тех, кто пришел отдать последний долг ее отцу, она заметила и Джима, одетого в строгий черный костюм. Увидев, что она на него смотрит, Джим сдержанно кивнул ей, и Талли кивнула в ответ.

Прежде чем отправиться на кладбище, Талли пригласила всех, кто был в церкви, прийти к ней вечером домой. Джима она приглашала тоже, но он сказал, что не хотел бы навязываться ей в такой момент.

— Ты не будешь навязываться, — сказала она и добавила вполголоса: — К тому же в кои-то веки у меня дома будет нормальная, вкусная еда.

Джим улыбнулся на это, потом сказал несколько сочувственных слов Макс. Вскоре после этого Талли с дочерью отправились на кладбище, чтобы сказать Сэму последнее «прости». Мысль о том, что, когда могила будет засыпана, они уйдут и оставят его одного, была мучительной для обеих, поэтому к тому времени, когда Талли наконец вернулась домой, она выглядела бледной и несчастной. Несколько человек, однако, уже были там, и им с Макс пришлось обойти всех и поблагодарить за то, что они пришли. Постепенно людей становилось все больше, многих Талли знала не очень хорошо — это были коллеги Сэма по адвокатскому цеху, которых она видела только мельком, и все же ей было приятно думать, что столько людей любили и ценили ее отца.

Для себя и дочери Талли отыскала в стенном шкафу два черных платья, которые купила очень давно, кажется, тоже на чьи-то похороны. И она, и Макс выглядели в них очень достойно и строго. Правда, Талли настолько отвыкла от платьев, что казалась себе похожей на огородное пугало, однако она ни минуты не колебалась, решив, что в память об отце должна быть одета соответствующим образом. Траур, однако, нисколько ее не портил, напротив, черный цвет выгодно подчеркивал ее стройную фигуру и светлые волосы. Макс в траурном одеянии выглядела на редкость привлекательно и казалась совсем юной. Гости охотно заговаривали с ней, интересовались, где она учится и какую выбрала специализацию, на что Макс с гордостью отвечала, что хочет быть юристом, как дед.

Джим приехал примерно через час после того, как Талли с Макс вернулись с кладбища. Он привез охапку белых роз, которые сам поставил в вазу рядом с большим фотопортретом Сэма, и Талли почувствовала себя тронутой. Она, впрочем, успела только поблагодарить его — приехали еще люди, и они с Макс пошли их встречать, а какое-то время спустя Джим незаметно уехал.

Поздно вечером, когда все разошлись, а Талли убирала в холодильник оставшиеся продукты, Макс неожиданно сказала:

— Этот Джим, похоже, неплохой парень.

— Так и есть, — согласилась Талли. — Он очень помог мне в субботу, когда... когда все случилось. Без него я бы не справилась — я никогда не занималась подобными делами сама, без Бриджит, и многого просто не знала.

Пожалуй, единственным, что она сделала сама от начала и до конца, был заказ ресторанного обслуживания, но с этим делом Талли справилась достойно. Фирма, в которую она обратилась, разработала отличное меню и прислала двух официантов, которые накрыли стол, а потом забрали пустую посуду.

— А когда будут судить Бриджит? — спросила Макс. Слова матери напомнили ей о том, что проблемы, с которыми Талли столкнулась, еще только ожидали своего окончательного разрешения.

— Гм-м... — пробормотала Талли, опускаясь на кухонный табурет и сбрасывая с ног туфли.

Без привычки у нее разболелись ноги, и она была рада избавиться от этих тесных и жестких пыточных орудий. Конечно, они выглядели очень элегантно, но разношенные кроссовки без шнурков были куда удобнее.

— Честно говоря, я знаю только, что первое заседание назначено на апрель. Сначала ее будут судить за кражу, потом — за убийство, а там, глядишь, дойдет очередь и до процесса по нашему гражданскому иску. В общем, я надеюсь, что к концу будущего года все так или иначе решится. А может быть, и раньше... — Тут Талли вздохнула. Она старалась не думать о том, что еще ее ожидает, — ей было достаточно того, что она уже пережила.

Макс кивнула.

— Понятно. Похоже, весь следующий год Бриджит будет очень занята, — сказала она, качая головой. Ей, как и матери, до сих пор не верилось, что «тетя Брит», которую Макс любила как родственницу, оказалась воровкой, обманщицей и убийцей. — Я просто хотела уточнить... — добавила она.

Насколько Талли было известно, ФБР, судебные эксперты и Виктор Карсон продолжали собирать улики против Бриджит, чтобы снабдить суд неопровержимыми доказательствами ее вины. К счастью, они могли сделать это и без Талли, поскольку она открыла им доступ к своей личной финансовой информации. В процессе по обвинению в убийстве она и вовсе не должна была участвовать — разве что дать свидетельские показания о телефонном разговоре с Бриджит, который предшествовал трагедии, но Джим говорил, что суд, возможно, удовлетворится ее письменным свидетельством. Гражданский иск, которым занимался Грег Томас, имел целью добиться возвращения похищенного или же максимального возмещения нанесенного Талли ущерба, однако до разбирательств по этому делу было еще далеко. Талли знала это точно, поскольку регулярно встречалась со своим поверенным, который каждый раз задавал ей новые и новые вопросы.

Между тем власти — и федеральные, и власти штата — по-прежнему надеялись, что Бриджит признает себя виновной, однако она до сих пор этого не сделала. Напротив, по обоим обвинениям она заявила о своей полной невиновности, однако Талли понимала, что за оставшееся до суда время Бриджит может еще сто раз изменить свою позицию. Пока же положение оставалось в значительной степени неопределенным, и Талли оставалось только мечтать о том дне, когда она сможет сказать себе, что все позади и что теперь ничто не помешает ей спокойно жить и заниматься своими делами. Увы, ей еще только предстояло пройти через суды и прочие формальности, которые были ей неприятны и немного пугали, к тому же она не могла сказать точно, когда, какого числа случится то или иное событие, и это ее нервировало. Вполне естественно, она предпочла бы, чтобы все это оказалось в прошлом уже сейчас.

— Как глупо с ее стороны, — сказала Макс, когда, перекусив оставшимися после приема блюдами, они поднимались наверх, чтобы лечь спать. В летней школе ей дали недельный отпуск по семейным обстоятельствам, и она собиралась провести эти дни с матерью, но потом Талли предстояло вновь остаться одной. Она, впрочем, не жаловалась — хорошо хоть эту неделю они будут вместе.

— Ты о Бриджит? — спросила Талли, хотя и сама уже знала ответ.

— Ну да. Она своими руками поломала собственную жизнь, потеряла работу, дом, карьеру, доверие, лишилась твоей дружбы... Кроме того, она на годы отправится в тюрьму, а все ради чего? Ради нескольких украшений? Ради тряпок с Родео-драйв? А ведь она сломала не только свою, но и твою жизнь, а Ханта вообще... вообще убила.

— Мою жизнь она не ломала, — возразила Талли. — Испортила или осложнила — да, но я не считаю, что Бриджит поломала мою жизнь.

— Ну да, не поломала, а лишь немножко *испортила*... Ты осталась одна, потеряла миллион долларов и бойфренда, и это называется — испортила?

— Ты еще молода, Макс, и многого не понимаешь. Да, из-за Бриджит я потеряла Ханта, но он все равно не остался бы со мной. Ведь у него уже появилась другая женщина.

— Но вы же вполне могли остаться друзьями, чтобы вместе снимать новые фильмы. Лично мне не кажется, что Хант заслуживал смерти, но она его убила — отняла у него жизнь. Кто дал ей такое право?! — Макс была очень зла на Бриджит. С самого начала, едва только узнав о ее преступлениях, она решила, что бывшая мамина помощница и подруга перешла все границы и нарушила все законы — не только уголовные, но и этические.

— Да, она отняла у него жизнь, — согласилась Талли. — И это очень, очень печально.

— А что теперь будет с вашим фильмом? — снова спросила Макс. — Он вообще выйдет на экраны?

— Конечно, выйдет, — удивилась Талли. — Я же тебе говорила, что закончила монтаж. Я даже успела завершить работу задолго до Рождества, как мы и планировали с самого начала. Премьерный показ назначен на пятнадцатое декабря.

Буквально на днях, незадолго до смерти отца, Талли разговаривала со студией и прокатчиками, и они заверили ее, что планируют мощную рекламную кампанию, основанную на том, что это-де «последний фильм Хантера Ллойда». Талли, однако, не сомневалась, что фильм достаточно хорош сам по себе, чтобы иметь успех без подобной рекламы. На сегодняшний день это была, пожалуй, одна из лучших снятых ею лент, возможно — самая лучшая. Занимаясь монтажом, Талли очень старалась ничем не подвести Ханта и не омрачить память о нем. К тому же она считала, что ей и самой не помешает немного заработать, чтобы компенсировать украденный Бриджит миллион, не дожидаясь решения суда.

— Я пойду на премьеру вместе с тобой, — заявила Макс, и Талли улыбнулась. Ей было приятно слышать от дочери такие слова. — У меня как раз будут каникулы. Может быть, тебя снова номинируют на «Оскара», — добавила Макс с надеждой.

— Ну, этого я не знаю, — сказала Талли, — а на премьеру мы с тобой пойдем обязательно.

Потом мать и дочь разделись, легли в одну постель и, обнявшись, стали смотреть телевизор. Для обеих это был очень тяжелый день, но они пережили его сравнительно легко, потому что были вместе. И все же они знали, что Сэма им будет не хватать еще долго. Когда его не стало, в их жизни образовалась пустота, которая не скоро заполнится.

Глава 18

Накануне отъезда на Аляску Джим заехал к Талли, чтобы познакомить ее и Макс с сыновьями. Ему давно хотелось похвастаться перед Талли своими «сорванцами», и она была поражена тем, какими сдержанными и хорошо воспитанными те оказались. Кроме того, она ясно видела, что все трое бесконечно преданы друг другу и очень близки. В целом они были красивой, дружной семьей, к тому же оба сына Джима оказались на редкость привлекательными молодыми людьми.

В особенности это касалось двадцатилетнего Джоша, который выглядел уже вполне взрослым, атлетически сложенным парнем. Во всяком случае, Макс, которая приехала к матери после летней школы, была сражена наповал его мужественной внешностью, и Талли с улыбкой наблюдала за сложными маневрами, затеянными дочерью вокруг молодого человека. Сам Джош, впрочем, пока ни о чем не подозревал и с удовольствием отвечал на вопросы, которыми засыпала его Макс. Он признался, что никак не может решить, станет ли он профессиональным футболистом или продолжит учебу на юридическом факультете. Джош приводил различные аргументы «за» и «против» того или иного выбора, причем из его речи становилось совершенно ясно (во всяком случае — для Талли), к какому варианту склоняется отец парня. Джим, судя по всему, предпочитал юридическое образование, которое в конечном итоге дало бы его сыну гораздо больше, чем спортивная карьера, какой бы соблазнительной она ни казалась. Звезды спорта, особенно в таком виде, как американский футбол, выступали не слишком долго: частые травмы и тяжелые физические нагрузки делали свое дело, да и настоящими знаменитостями удавалось стать далеко не всем. Юридическая карьера была в этом отношении гораздо более перспективной. Примерно в этом духе высказалась и Макс и, похоже, попала в точку — Джим, во всяком случае, слушал ее с видимым удовольствием. Джош тоже не возражал, хотя и был далек от того, чтобы немедленно повесить форму на гвоздь. Что касалось самой Макс, то у нее никаких сомнений в правильности выбранного пути не было. Дед давно убедил ее в том, что лучше карьеры юриста ничего и быть не может, поэтому в своем колледже она училась с удовольствием и энтузиазмом человека, который осуществляет свою заветную мечту.

Талли устроила в саду ланч из имевшихся в доме продуктов (сама она по-прежнему ела мало, но покупала и готовила еду для Макс), Джим тоже принес кое-что с собой. Они ели и беседовали почти час, потом Джим с сыновьями ушли — на Аляску они уезжали завтра, а им еще нужно было пройтись по магазинам и докупить кое-какие рыболовные снасти. За то не слишком продолжительное время, что они пробыли в гостях у Талли, между ее дочерью и сыновьями Джима зародилась если не дружба, то, по крайней мере, возникла взаимная симпатия. Талли, во всяком случае, своими ушами слышала, как Джош обещал Макс позвонить ей до того, как ему придется отправиться в Мичиганский университет, а она вернется в Нью-Йорк. Он также пригласил ее на один из своих осенних матчей, и Макс сразу согласилась, хотя до этого терпеть не могла футбол.

— Удачной рыбалки, — пожелала Талли Джиму, когда все трое Кингстонов уже садились в машину. — У тебя отличные парни, — добавила она шепотом, и он признательно улыбнулся. Ему нравилось, когда кто-то хвалил его сыновей, да и Талли нисколько не кривила душой. Джош и Бобби ей действительно понравились.

— А у тебя очаровательная дочь, — ответил он. — Умная и к тому же настоящая красавица. Вы, кстати, здорово похожи.

Сходство между Макс и Талли действительно было поразительным, вся разница заключалась в цвете глаз да в том, что Макс ухитрилась на полдюйма перерасти мать, которая и сама была довольно высокой.

— Спасибо... — Талли кивнула, думая о том, что знакомство с семьей Джима прошло успешно и что в будущем они, наверное, смогут общаться чаще. В конце концов, почему бы нет? Джима она уже неплохо знала, что касается его детей, то они были симпатичными молодыми людьми, воспитанными человеком, который не жалел для них ни сил, ни времени. Точно так же она сама воспитывала Макс. Между двумя семьями было много общего, и Талли надеялась, что это станет прочной основой для дальнейших дружеских отношений.

Когда Джим с сыновьями уехали, Макс поделилась с матерью своими впечатлениями.

— Они клевые, мам! — заявила она с неподдельным энтузиазмом. — Джош настоящий красавец, да и Бобби тоже очень приятный мальчик. Ну а Джим мне понравился еще раньше — я, кажется, тебе уже говорила. Он очень... надежный, — добавила она, и Талли удивилась, что ее девятнадцатилетняя дочь выделила в нем именно это качество.

Возможно, впрочем, что измена Ханта и предательство Бриджит заставили Макс изменить свои взгляды на окружающий мир. Как бы там ни было, Талли была очень довольна тем, что ее дочь и сыновья Джима так быстро подружились.

— А мы правда сможем пойти на матч с его участием? — спросила Макс. — Я наверняка смогу прилететь на денек, — добавила она, и Талли улыбнулась. Макс и Джош явно поладили или даже больше чем поладили.

— Посмотрим, — сказала она. — Смотря какая будет осень.

Талли, впрочем, не ожидала никаких проблем или трудностей. Сама она планировала заняться поисками подходящего сценария для своего следующего фильма уже в сентябре. Проект, который она отказалась делать с Хантом, приказал долго жить, и Талли была открыта для новых предложений и идей. Сначала, правда, она собиралась устроить себе более продолжительный перерыв, но довольно скоро сообразила, что только работа поможет ей исцелиться от полученных глубоких ран, и теперь ей хотелось поскорее отыскать хороший сценарий, с которым она могла бы работать. На это, однако, могло уйти довольно много времени, сколько — Талли не знала; ей было ясно только, что чем больше сценариев она успеет просмотреть, тем выше вероятность найти что-то подходящее. Ну а если говорить откровенно, она просто соскучилась по своей работе, хотя с тех пор, как она закончила монтаж предыдущей картины, прошло сравнительно немного времени.

Было, однако, еще одно дело, на которое Талли никак не могла решиться, хотя и понимала, что без этого она вряд ли сможет полноценно работать над новой лентой. Речь шла о поисках новой ассистентки, новой персональной помощницы, которая освободила бы ее от второстепенных организационных вопросов и текущей рутины. Ей было совершенно очевидно, что, проработав семнадцать лет с одним человеком, она будет долго и трудно привыкать к новому лицу, к тому же Талли довольно смутно представляла себе, с чего следует начать поиск подходящего кандидата или кандидатки, однако другого выхода не было — ей просто необходим был человек, который мог бы ей помогать, взяв на себя мелкие организационные и административные вопросы.

Джим дважды звонил ей с Аляски — просто для того, чтобы узнать, как ее дела, и Талли была рада услышать его голос. Макс, впрочем, она о его звонках говорить не стала, чтобы та не подумала, будто мать придает им какое-то особое значение. Дочь могла бог знает что нафантазировать, хотя на самом деле это был самый обычный дружеский жест человека, который проявлял таким образом свою заботу и внимание. Талли, во всяком случае, ничего особенного в этом не видела. Тем не менее предложение Джима снова собраться вместе, когда они вернутся, пришлось ей весьма по душе. То, как прошла их первая встреча, Талли очень понравилось. Она не сомневалась, что их дети еще больше подружатся, да и у них с Джимом было много общего.

К тому времени, когда Джим с сыновьями вернулись в Лос-Анджелес, Талли уже позвонила в два рекрутинговых агентства с просьбой подобрать нового персонального помощника, и те уже начали присылать ей своих кандидатов. Талли, однако, пока никто не понравился. Кто-то был слишком робок, кто-то подобострастен, кто-то излучал фальшивый энтузиазм или был чрезмерно напорист. Пару кандидатур она отвергла, так как ей показалось, что эти молодые женщины слишком увлечены перспективой попасть в мир Голливуда. Одна из них и вовсе оказалась поразительно похожа на Бриджит и внешностью, и манерами; они с Макс испытали настоящий шок, когда эта стройная, модно и дорого одетая блондинка появилась на пороге. Впоследствии Макс заметила, что Бриджит и эта «мисс Ботокс», должно быть, пользовались услугами одного и того же пластического хирурга, и Талли рассмеялась — правда, несколько неуверенно и нервно. Ей совсем не улыбалось видеть рядом с собой еще одну амбициозную девицу — гламурную красавицу, наследницу состояния, несостоявшуюся актрису или полусумасшедшую поклонницу ее собственного таланта. Талли нужна была непритязательная и скромная рабочая лошадка — такая же, как она сама.

Первая интересная кандидатура появилась за день до отъезда Макс в Нью-Йорк. Ее звали Меган Маккарти, и она была невысокой веснушчатой женщиной с ярко-рыжими волосами, заплетенными в длинную косу. Жизнерадостная и сметливая, она окончила вечерний факультет Лос-Анджелесского университета по специальности английская литература, подрабатывая в дневное время санитаркой в больнице. Сейчас ей было тридцать с небольшим. В последние пять лет Меган работала персональной помощницей известной сценаристки и получила расчет, когда ее нанимательница вышла замуж и уехала в Европу.

На Талли Меган с самого начала произвела очень приятное впечатление. На собеседование она пришла в белоснежной футболке, джинсах классического покроя и высоких кроссовках. Меган была разведена, детей у нее не было, однако Макс, которая немного побеседовала с кандидаткой, пока Талли заканчивала важный телефонный разговор, сразу отметила ее по-матерински внимательную, мягкую манеру держаться. Побеседовав с Меган, Талли предложила ей место своей личной помощницы с месячным испытательным сроком. Начать работу она должна была через неделю. Про свою предыдущую ассистентку Талли сказала только, что им пришлось расстаться; в подробности Талли не вдавалась, хотя и подозревала, что в рекрутинговом агентстве Меган ввели в курс дела. Единственное, о чем она предупредила кандидатку, — это о том, что работы будет много и ей придется нелегко, особенно поначалу. Сама она прекрасно понимала, что Меган будет очень трудно заменить Бриджит, которая — надо отдать ей справедливость — прекрасно справлялась с огромным обьемом работы, к тому же Талли к ней привыкла. Теперь ей предстояло приспосабливаться к новому человеку, а это по определению было непросто, пусть даже Меган и была наделена спокойным, покладистым характером, в чем Талли убедилась довольно скоро. У нее всегда было неплохое чутье на людей, помогавшее ей безошибочно выбирать актеров и на главные, и на эпизодические роли, и хотя в случае с Бриджит оно дало сбой, Талли считала, что с Меган ей сто́ит, по крайней мере, попытаться сработаться.

— Знаешь, мам, она мне понравилась, — сказала Макс, когда Меган уехала. Они обе обратили внимание на то, что будущая работница водит не «Астон Мартин», а полугрузовой пикап, что тоже пришлось Талли по душе. Похоже, Меган была именно тем человеком, в каком она нуждалась, — умным, работящим, практичным, к тому же, поработав личной помощницей у известной сценаристки, она была хорошо знакома с кинопроизводством.

— Мне тоже, — негромко ответила Талли. — Но... В общем, поживем — увидим.

Она боялась сглазить, боялась, что Меган тоже ее разочарует и ей придется начинать все сначала. Правда, Талли уже давно решила, что ее помощница не должна заниматься никакими денежными вопросами. Все свои финансы она собиралась поручить Виктору Карсону, который обещал раз в неделю присылать к ней домой своего сотрудника для ведения текущей бухгалтерии и оплаты счетов.

Весь вечер после собеседования с Меган Талли помогала дочери собирать вещи, которые та хотела взять с собой в Нью-Йорк. Ужинать они отправились в «Плющ», однако обстановка ресторана напомнила им о Сэме, и обе с трудом сдерживали слезы, думая о том, как обедали с ним здесь в последний раз. Талли очень не хватало отца, да и Макс тоже сильно тосковала по дедушке. Его смерть стала для обеих потерей, горечь от которой останется надолго. Талли к тому же предстояло разобрать оставшиеся от Сэма вещи и документы и выставить на продажу дом, однако она пока не могла найти в себе силы, чтобы этим заняться. Даже Амелию ей не хватило духу уволить, и экономка по-прежнему приходила туда убираться. Талли, впрочем, предложила ей подыскать какую-то дополнительную работу, так как теперь в ежедневной уборке не было нужды.

После отъезда Макс в Нью-Йорк Талли всерьез взялась за чтение сценариев. Ей не терпелось вернуться к работе, к тому же она чувствовала, что готова взяться за настоящий, большой проект. Несколько сценариев ей даже понравились, и хотя ни на одном из них она так и не остановилась, ей было приятно разбирать и анализировать различные варианты. Занимаясь этой работой, Талли чувствовала себя лучше. Возня со сценариями не только отвлекала ее от неприятных воспоминаний, но и была частью процесса исцеления. Впрочем, любимая работа никогда не была ей в тягость; напротив, она всегда была ее единственным спасением от любых неприятностей.

Вскоре и Меган начала свою работу у Талли. С первых же дней стало ясно, что Талли не ошиблась в выборе: новая помощница была умна и сообразительна и не требовала для себя никаких особых условий. В своих обязанностях она разобралась на удивление быстро, и Талли не могла на нее нарадоваться. Кроме того, во многих отношениях они были похожи, у них было гораздо больше общего, чем у Талли с Бриджит. В течение первых же двух недель Меган зарекомендовала себя настолько исполнительной и надежной, что Талли предложила ей постоянное место, не дожидаясь окончания испытательного срока. Меган сразу согласилась — по всему было видно, что она очень довольна. Макс, когда Талли сообщила ей о своем решении, тоже обрадовалась.

— Я так и знала, что она тебе подойдет, мама, — сказала она. — Не сомневайся, все будет хорошо. Ты не пожалеешь.

Так, день за днем, жизнь Талли понемногу возвращалась в нормальную колею. Она потеряла трех очень близких людей — отца, Ханта и Бриджит, — однако рядом с ней появились и новые, приятные люди — например, Джим и та же Меган. Правда, теперь, когда Сэма не стало, Талли куда больше скучала по дочери, но это отчасти искупалось тем, что перед отъездом Макс научила ее пользоваться «ай чатом» — и они могли не только разговаривать по Сети, но и видеть друг друга на экране компьютера. Благодаря этому техническому новшеству Талли казалось, что даже разделяющее их расстояние стало меньше, и она с удовольствием пользовалась современными технологиями, а Макс в шутку называла ее «компьютерной мамочкой».

Когда Талли не работала со сценариями, они с Меган разбирали вещи Сэма. Помощница оказала ей в этой работе просто неоценимую помощь, сноровисто упаковывая книги, одежду, посуду и составляя подробные перечни содержимого уже заполненных ящиков. Для Талли это все еще была непосильная с эмоциональной точки зрения работа. Меган к тому же оказалась весьма наблюдательной и деликатной. Она сразу замечала, когда Талли натыкалась на предмет, который ее особенно трогал или расстраивал, — в основном это были вещи или украшения, принадлежавшие еще ее матери; тогда Меган под каким-нибудь предлогом удалялась в соседнюю комнату, давая Талли возможность побыть одной.

А Талли не спешила. Она с самого начала решила, что должна освободить дом до конца года; потом сделать косметический ремонт и только потом дать обьявление о продаже. Торопиться она не хотела, хотя убирать навсегда книги и безделушки, которые были дороги ее отцу или напоминали ей о нем, было занятием достаточно печальным. Все свое имущество Сэм завещал Макс, назначив Талли доверенным лицом внучки. Имущества было не слишком много, но Талли рассчитывала, что если она сумеет удачно продать дом, образовавшаяся сумма будет хорошим заделом для Макс, когда та окончит юридическую школу. Кроме того, написав завещание в пользу внучки, Сэм весьма предусмотрительно воспользовался льготой для наследников «с пропуском поколения», что значительно уменьшало облагаемую налогом сумму. Талли, как он хорошо знал, в деньгах не нуждалась — в противном случае старый юрист придумал бы еще что-нибудь.

Как бы там ни было, с помощью Меган работа двигалась, да и время, которое они проводили за разбором и сортировкой вещей Сэма, помогло им привыкнуть друг к другу. Талли еще раз убедилась, что ее новая помощница совершенно не похожа на Бриджит, и это было к лучшему. Главное, она была скромна и нисколько не стремилась привлечь к себе внимание, предпочитая держаться в тени. Казалось, ее интересует только одно: как выполнить свою работу лучше и быстрее и чем еще помочь Талли. С любым делом она справлялась на удивление быстро, но аккуратно, однако в случае необходимости Меган могла работать часами напролет, не проявляя ни недовольства, ни усталости. Как-то Талли даже спросила ее об этом, и Меган ответила, что прошла хорошую школу, когда работала санитаркой: когда ухаживаешь за больными, пояснила она, волей-неволей научишься терпению и станешь выносливой как лошадь.

Джима Талли не видела с тех пор, как он побывал у нее в гостях накануне поездки на Аляску, однако он звонил ей достаточно регулярно — «чтобы отметиться», как он говорил, поскольку никаких важных новостей у него пока не было. До даты назначенных судебных заседаний оставалось еще много времени, поэтому судебная машина поворачивалась довольно медленно. Сбор улик по делу об убийстве продолжался, а Бриджит сидела в тюрьме, ожидая суда. Как слышал Джим от сотрудников Испытательной службы[1], до сих пор она не проявляла никаких признаков раскаяния и не сожалела даже о том, что убила Ханта. На допросах Бриджит утверждала, что он ее предал, поэтому она-де считает свой поступок вполне оправданным. Что касалось кражи, то Бриджит, похоже, была убеждена, что присвоенные ею деньги изначально должны были достаться ей и что она в любом случае распорядилась бы ими куда лучше, чем Талли. Джима подобные заявления нисколько не удивляли. Он уже говорил, что считает случай Бриджит достаточно типичным и что от таких, как она, именно такого поведения и следовало ожидать.

Талли, однако, продолжала удивляться, даже несмотря на его подробные объяснения. У нее в голове не укладывалось, как может человек, совершивший серьезные преступления, вести себя подобным образом. Зависть и ревность она не считала достаточной причиной, чтобы красть и убивать. С тех самых пор, как Бриджит оказалась

---

[1] Испытательная служба, Служба пробации — государственное правоохранительное агентство, сотрудники которого надзирают за условно осужденными, находящимися на свободе до повторного совершения правонарушения. Чаще всего эта мера применяется к несовершеннолетним правонарушителям и совершившим преступление впервые.

изобличена, Талли ждала, что бывшая подруга свяжется с ней и попытается если не попросить прощения, то хотя бы обьясниться, но так и не дождалась ни телефонного звонка, ни записки. Бриджит держалась так, словно никогда не была с ней знакома — так, словно Талли была ей абсолютно чужим и к тому же неприятным человеком. Однажды Талли даже поделилась своим недоумением с Джимом, но он сказал, что подобное поведение весьма характерно для человека, не имеющего ни совести, ни стыда и ни капли сочувствия к ближним. И все-таки Талли было попрежнему трудно понять Бриджит.

Со временем потрясение, которое Талли пережила, когда Бриджит и Хант ее предали, начинало понемногу проходить, и теперь она была куда больше похожа на себя прежнюю. Помогала и работа, в которую она окунулась с головой. Меган ее тоже не разочаровывала. Помимо сообразительности и трудолюбия, у нее обнаружилось довольно тонкое чувство юмора. Иногда, после нескольких часов напряженного труда, они заезжали в кафе, чтобы вдоволь поболтать и посмеяться, и это тоже благотворно сказывалось на состоянии Талли. Теперь уже и сама она начинала верить, что рано или поздно выкарабкается из пропасти, в которой оказалась по милости двух близких ей людей.

Наступил ноябрь, когда Талли наконец попался сценарий, который отвечал всем ее требованиям. Он был довольно необычным, да и написала его молодая, никому не известная сценаристка, но Талли пришла от него в настоящий восторг. Этот фильм, решила Талли, она должна сделать сама, выступая и в качестве режиссера, и в качестве продюсера. Конечно, это было нелегко, но она считала, что справится.

И Талли начала составлять проект и подбирать инвесторов. Последнее оказалось даже легче, чем она представляла, поскольку все, кому она звонила и к кому обращалась, с энтузиазмом приветствовали ее начинание и спешили выразить свою полную готовность к сотрудничеству. Сама Талли тоже была рада снова заняться любимым делом и набросилась на работу с удвоенным рвением. Она обзванивала студии и агентов, встречалась с инвесторами, обсуждала со сценаристкой возможные изменения в сценарии, подбирала команду из самых опытных операторов и монтажеров. И только когда Макс приехала в Лос-Анджелес на День благодарения[1], Талли позволила себе сделать небольшой перерыв, чтобы провести время с дочерью.

— Ну, рассказывай, что у тебя с Джимом, — сказала Макс в первый же вечер после возвращения домой, и Талли рассмеялась.

— У меня с Джимом ничего. Мы даже не виделись с того последнего раза. Время от времени он звонит, чтобы сообщить какие-то новости по делу, но оно движется очень медленно, поэтому никаких особых новостей пока нет.

— Когда Джош в последний раз звонил мне из своего Мичигана, он сказал, что ты ему очень нравишься. В смысле — его отцу, — заявила Макс.

— Джим мне тоже нравится, но сейчас главное для нас — довести дело до суда и выиграть процесс. Все остальное может и подождать... Что касается Джоша, то я рада, что он часто тебе звонит.

Талли улыбнулась, а Макс покраснела.

— Он и звонил-то всего раза два, может быть, три... Знаешь, мама, Джош сказал, что, когда закончится футбольный сезон, он хотел бы приехать в Нью-Йорк и узнать условия приема на юридический факультет нашего университета.

Кроме того, Джош снова приглашал ее на матч, но у Макс совсем не было свободного времени, и он обещал,

[1] День благодарения — национальный праздник, отмечаемый в США в четвертый четверг ноября. Посвящен первому урожаю, собранному пилигримами в 1621 году после голодной зимы в Новом Свете.

что позвонит ей на День благодарения и они что-нибудь придумают. Молодой человек очень нравился Макс, но они пока оставались только друзьями. Оба знали, что поддерживать какие-то иные отношения на расстоянии слишком трудно, поэтому решили не торопиться.

Джим позвонил Талли на следующий день, чтобы поздравить ее и Макс с праздником. Сам он собирался съездить с сыновьями к родственникам жены — у Дженни была сестра, которая жила в Пасадене с детьми примерно того же возраста, что и у него, и они часто проводили праздники вместе.

— А чем вы с Макс думаете заняться? — спросил Джим.

— Пока не представляю, — ответила Талли. — Раньше мы ходили на День благодарения к моему отцу — он любил этот праздник больше остальных, но теперь даже не знаю...

В последние четыре года праздничную индейку и тыквенный пирог готовил Хант, но теперь Талли и Макс предстояло самим позаботиться об угощении, что было, в общем-то, не слишком сложно, поскольку встречать праздник они собирались вдвоем. Макс, правда, была не прочь повидаться со своими лос-анджелесскими подружками, но это можно было сделать и в другие дни длинного праздничного уик-энда. Сам праздник она решила провести с матерью, чтобы та не чувствовала себя слишком одиноко.

— Я знаю, тебе сейчас нелегко, — сочувственно сказал Джим. — Слушай, может, соберемся все вместе, пока дети снова не разъехались по своим колледжам? Правда, когда Джош приезжает в Лос-Анджелес, он обычно болтается где-то с приятелями, но я уверен, что мне удастся его уговорить.

— Макс тоже бегает к своим прежним школьным подружкам, — сказала Талли.

Как раз в этот момент в комнату вошла Макс. Она бросила на мать вопросительный взгляд, и та, отстранив трубку, шепнула, что это звонит Джим. Макс сразу воодушевилась и, жестикулируя и гримасничая, принялась сигнализировать матери, что они должны непременно встретиться. Усмехнувшись, Талли кивнула в знак того, что все поняла, и сказала в трубку:

— Как насчет этих выходных? Скажем, в субботу... Что тебе удобнее, обед или ужин?

— Мне-то все равно, но мои парни... Знаешь, давай я спрошу у них и перезвоню, о'кей?

Когда полчаса спустя Джим позвонил снова, голос у него был очень довольный. Его сыновья тоже были рады встретиться; они предложили пойти в боулинг — покатать шары и съесть по пицце. Макс этот план привел в полный восторг, и Талли заподозрила, что между ее дочерью и старшим сыном Джима существуют некие романтические отношения или как минимум взаимный интерес. Она ничего не имела против — ей это даже пришлось по душе, и Джиму, кажется, тоже. Они договорились встретиться в боулинге в семь, и Джим повесил трубку, на прощание еще раз поздравив Талли с праздником.

Когда Талли рассказала обо всем Макс, та была просто на седьмом небе. Бобби, по словам Джима, собирался пригласить приятеля из своего класса, поэтому субботний вечер обещал быть по-настоящему приятным. Сначала, однако, им нужно было пережить сам праздник, который, как и следовало ожидать, прошел для Талли и Макс невесело. Обе слишком хорошо помнили предыдущие Дни благодарения, которые они встречали с Сэмом и с Хантом, и теперь каждая мелочь снова напоминала им о том, чтó они потеряли. Впрочем, мать и дочь постарались насколько возможно сократить тягостные минуты. После короткого праздничного ужина они отправились на поздний сеанс в кино, а вернувшись домой, сразу легли спать.

Пятницу Макс провела со своими школьными подругами, которые либо оставались в Лос-Анджелесе, либо, как и она, приехали домой на праздники из колледжей или университетов. В субботу Талли с самого утра повезла Макс по магазинам, чтобы купить ей кое-что из вещей, а в семь, как и планировалось, они встретились с Кингстонами в боулинге.

Талли сразу заметила, что старший сын Джима проявляет к ее дочери повышенное внимание. Внешне они были мало похожи друг на друга, но вместе смотрелись очень эффектно, к тому же у них были схожие взгляды и интересы. Бобби и его приятель — живые, непосредственные, хорошо воспитанные, но не скованные — тоже производили очень приятное впечатление. Вечер получился веселым и непринужденным; они прекрасно отдохнули и оставались в боулинге почти до половины одиннадцатого. Джошу и Макс настолько явно не хотелось уходить, что Бобби даже начал слегка подтрунивать над старшим братом, а Джим и Талли сделали вид, будто ничего не замечают. В конце концов обе семьи все же покинули боулинг, но расставаться не спешили — еще несколько минут они простояли у ворот парковочной площадки, оживленно беседуя.

— Спасибо, Джим, — сказала наконец Талли.

Джим отметил, что на протяжении всего вечера она чувствовала себя спокойно и непринужденно, да и выглядела гораздо счастливее, чем три месяца назад, когда он видел ее в последний раз. Впрочем, тогда она только что пережила смерть отца, да и все предыдущие неприятности еще были свежи в ее памяти. Сейчас же ему казалось, что Талли более или менее удалось вернуть себе былое спокойствие и уравновешенность, и он был рад этому. Смотреть, как она мучается, было выше его сил.

— Давайте сходим все вместе на каток, когда дети приедут домой на рождественские каникулы, — предложил Джим, и Джош с Бобби дружно его поддержали. — Рядом с нашим домом на Рождество всегда заливают отличный каток, — добавил он. — Я, правда, катаюсь не очень хорошо, но ребятам на катке нравится.

— Я не вставала на коньки уже не помню сколько лет, — призналась Талли с улыбкой.

— Ты, наверное, уже снимаешь что-то новое? — поинтересовался Джим.

— Нет, я пока занимаюсь подготовительной работой, — ответила она. — Но сьемки уже не за горами. Я как раз нашла очень хороший сценарий, который мне бы хотелось воплотить на экране.

— А когда выйдет твой последний фильм?

— «Человек на песке»?.. Он появится в прокате уже через пару недель.

— Надо будет обязательно его посмотреть, — заметил Джим, и Талли кивнула.

Макс уже сказала, что постарается приехать в Лос-Анджелес на премьеру, обешавшую стать важным событием в мире кино, особенно потому, что это был последний фильм Хантера Ллойда. В профессиональной голливудской среде уже появились слухи, согласно которым фильм непременно будет номинироваться на несколько «Оскаров»; те же слухи предрекали «Человеку на песке» шумный успех и заоблачные сборы. Многие называли его шедевром десятилетия, однако когда кто-то заговаривал об этом с Талли, она скромно отмалчивалась или спешила сменить тему. Так она поступила и сейчас, заговорив о планах на рождественские каникулы. Еще какое-то время спустя они попрощались, Кингстоны погрузились в машину и уехали, а Талли и Макс остановили такси.

— Правда, он прелесть, да, мама? — лукаво спросила Макс, как только они сели в машину, и Талли улыбнулась. От нее не укрылось, что дочь не на шутку увлеклась Джошем.

— Да, — сказала она, — он очень вежливый, хорошо воспитанный и привлекательный молодой человек.

Макс заливисто рассмеялась:

— Да не Джош!.. Я имела в виду его папочку!

— Ради бога, Макс!.. — Талли закатила глаза. — Ну ладно, если тебе так хочется, я согласна: он тоже хорошо воспитанный и привлекательный... мужчина. И он — очень хороший друг. Довольна?..

Макс ничего не ответила. Отвернувшись, она стала смотреть в окно, но Талли хорошо видела, как по ее губам пробегает озорная улыбка.

Глава 19

Премьера «Человека на песке» вызвала целую бурю хвалебных отзывов. Средства массовой информации до небес превозносили многочисленные режиссерские находки, убедительную актерскую игру, удачный подбор музыки и профессионализм операторов. Публика буквально валом валила в кинотеатры, выстраивалась в очереди у билетных касс. Успех фильма был не дутым, а настоящим, и Талли чувствовала себя почти счастливой. Прошедший год был едва ли не самым тяжелым в ее жизни, но теперь она снова обрела уверенность в себе и в своих силах. Раз она способна снимать стоящие фильмы, рассуждала Талли, значит, ей тем более по плечу любые житейские неурядицы.

Макс, как и обещала, прилетела в Лос-Анджелес накануне премьеры. Вечером они вместе отправились на премьерный показ, а уже на следующий день особняк Талли заполнился цветами, поздравительными открытками, бутылками с шампанским, подарками и сувенирами. Талли жалела только о том, что ее отец не может все это увидеть. Сэм всегда радовался, когда снятые ею ленты занимали первые места в списках популярности. Кроме того, «Человек на песке» наверняка понравился бы ему сам по себе — отец Талли любил картины, в которых присутствовало и действие, и запутанный сюжет, и тонкая актерская игра.

Джим Кингстон тоже позвонил Талли, чтобы поздравить с успехом. Сам он фильма пока не видел, но сказал, что уже приобрел билеты и что в выходные они с Бобби непременно его посмотрят. Джош пока оставался в Мичигане, но должен был вскоре приехать домой на каникулы.

— Судя по тому, что́ пишут в газетах, фильм просто замечательный, — сказал Джим, а потом поинтересовался, подготовилась ли Талли к Рождеству.

Вопрос не был праздным — Талли немного побаивалась приближающейся рождественской недели, которую ей впервые предстояло провести без отца. Правда, за прошедшие месяцы боль от этой потери немного притупилась, но не исчезла вовсе. То же самое относилось и к Макс, которой в силу возраста было даже труднее смириться со смертью деда. Что́ они обе будут чувствовать, когда в светлый и радостный Рождественский сочельник рядом с ними не окажется близкого и любимого человека? Талли старалась об этом не думать, чтобы не расстраиваться заранее.

— Более или менее, — уклончиво ответила она. — Подарки, во всяком случае, я уже купила.

Талли действительно побывала в «Максфилде» и купила то, что, как ей казалось, дочери хотелось бы получить на Рождество. Раньше покупкой подарков для Макс и Сэма всегда занималась Бриджит, но теперь Талли все сделала сама и с удивлением обнаружила, насколько, оказывается, приятно выбирать вещи для тех, кого любишь. Обращаться за помощью к Меган ей и в голову не пришло: Талли с самого начала строила свои отношения с помощницей таким образом, чтобы как можно меньше от нее зависеть — особенно в семейных делах. Пусть Меган и называлась ее личной помощницей, Талли предпочитала, чтобы их отношения оставались исключительно профессиональными. К сожалению, она на собственном горьком опыте убедилась, что это единственно разумный подход, и надеялась, что Меган поймет ее правильно.

Впрочем, работы у Меган и без того хватало, и она справлялась с ней просто блестяще. Похоже, наняв ее в качестве помощницы, Талли в кои-то веки вытянула выигрышный билет.

— А как ты? Готов? — в свою очередь спросила она.

— Подарки к Рождеству никогда не были моей сильной стороной, — честно ответил Джим. — Эти праздники... После всего, что происходит с нами за год, они каждый раз разные... Впрочем, что́ я тебе рассказываю, ты и сама знаешь это лучше меня. — Джим немного помолчал, потом спросил осторожно: — Ты, наверное, сильно скучаешь по своему отцу?

— Конечно, — призналась Талли. — Очень скучаю. Но ему, по крайней мере, было восемьдесят шесть, поэтому в том, что он... в том, что его не стало, я вижу проявление естественного порядка вещей, и это меня немного утешает. — В случае с женой Джима все было не так, она это знала и сочувствовала ему. Правда, Дженни скончалась уже пять или шесть лет тому назад, но Джим до сих пор глубоко переживал свою потерю.

— Так как насчет того, чтобы всем вместе покататься на коньках? — напомнил Джим. — Надеюсь, вы с Макс не передумали? Правда, Джоша еще нет... Давай я позвоню тебе, как только он приедет, ладно? — предложил он, и Талли согласилась.

Четыре дня спустя Джим позвонил ей снова. Талли как раз сидела за столом, думая о Бриджит и о том, каково ей будет встречать Рождество в тюрьме. Она не могла себе этого даже представить — да и не хотела представлять. Наверняка Талли знала только одно: на месте Бриджит она чувствовала бы себя очень одиноко. Увидев на экране мобильника номер Джима, Талли даже вздохнула с облегчением.

Джим был рад слышать ее голос. Она поняла это сразу, когда он еще раз поздравил ее с замечательным фильмом. Они с Бобби посмотрели «Человека на песке» в прошедшие выходные и были в восторге.

— Это просто великолепно, Талли! — похвалил Джим. Теперь, когда он знал Талли лично, ее мастерство и режиссерский талант восхищали его еще больше. Правда, Джим не считал себя большим знатоком кинематографа, но отличить хороший фильм от плохого умел. Да и Бобби «Человек на песке» понравился так же сильно, как и ему.

— Спасибо, — скромно ответила Талли. Почему-то ей было особенно приятно слышать, что Джиму фильм понравился, хотя она и так знала, что лента бьет все кассовые рекорды и обещает стать хитом сезона. — Я старалась.

— А у меня есть для тебя подарок к Рождеству, — сказал Джим, и Талли немного смутилась. Ей просто не пришло в голову купить что-нибудь для него.

Речь, однако, шла отнюдь не о сувенирах.

— Сегодня адвокат мисс Паркер позвонил районному прокурору, — продолжал Джим. — Она готова признать себя виновной по обоим обвинениям, чтобы не ждать суда, а начать отбывать срок. Это означает, что твой гражданский иск пройдет «на ура». Тебе нужно будет только обговорить с адвокатом мисс Паркер размер компенсации, который она готова выплатить, и дело в шляпе. Ни ходить в суд, ни давать показания тебе не придется. Не будет никакого процесса, не будет бесконечных заседаний... Все почти закончилось, Талли! — мягко добавил он.

Это и был тот главный подарок, который ему хотелось преподнести ей как можно скорее. Джим знал, что, если события будут разворачиваться именно так, как он говорил, все закончится очень быстро и Талли сможет оставить в прошлом эти неприятные события. Для нее было очень важно оставить позади этот этап своей жизни, чтобы *начать забывать*, но, покуда она знала, что ей предстоит участвовать в судебных заседаниях, об этом не могло быть и речи. Присутствовать на процессе, давать показания означало бы снова пережить то, что ей так хотелось вычеркнуть из памяти. Фактически для Талли это было бы огромным шагом назад, к мучительным и горьким переживаниям, которые и без того не отпускали ее слишком долго.

— Как ты думаешь, почему Бриджит так поступила? — спросила Талли после довольно продолжительной паузы, в течение которой она пыталась осмыслить новость. Ничего подобного она не ожидала, но, как ни суди, сюрприз, который преподнес ей Джим, был очень и очень приятным.

— Мне кажется, ее убедил адвокат. Похоже, он вовсе не глуп и прекрасно понимает, что не сможет выиграть ни тот, ни другой процесс. Улики таковы, что мисс Паркер наверняка грозил очень длительный срок. С другой стороны, если она признает себя виновной, окружной и федеральный прокуроры могут пойти на некоторое смягчение приговора. В этих условиях адвокату выгоднее договориться с властями о том, сколько должна отсидеть мисс Паркер, чем доводить дело до суда присяжных, рискуя получить максимальные сроки по обоим обвинениям. Для мисс Паркер это было бы самоубийственным решением — особенно если учитывать качество собранных нами улик. Ее адвокат выбрал единственно правильное в данной ситуации решение, которое существенно облегчит тебе получение компенсации — если, конечно, мисс Паркер намерена руководствоваться здравым смыслом и в этом вопросе. Как все будет на самом деле, сказать пока нельзя, но я надеюсь, что адвокат сумеет повлиять на нее и в этом вопросе. Собственно говоря, это ее единственный шанс на сравнительно мягкий приговор. Другого пути просто не существует.

По его интонации Талли почувствовала, что Джим очень рад за нее, а когда он все подробно ей объяснил, она обрадовалась тоже.

— Это очень хороший рождественский подарок, Джим, — сказала она с чувством. — Просто замечательный! Еще раз спасибо тебе... Спасибо за все.

— Счастливого Рождества, Талли, — тепло ответил он. — Счастливого и... спокойного. — Тут Джим, похоже, немного смутился своей почти по-родственному доверительной интонации и добавил уже другим голосом: — Так как все-таки насчет похода на каток? Надо же отметить наши новости. Я предлагаю пойти туда вместе сразу после праздников.

— Очень хорошо, я согласна, — сердечно ответила Талли. Ей действительно нравилась эта идея — сходить на каток с Кингстонами. В прошлый раз они очень приятно провели время в боулинге, и ей казалось, что еще один совместный вечер еще больше укрепит дружбу между двумя семьями.

Вечером Талли рассказала о неожиданном решении Бриджит дочери. Макс была рада услышать эти новости. На Бриджит ей, правда, было наплевать: она считала, что чем дольше та будет сидеть в тюрьме, тем лучше, однако Макс видела, как тяжело ее матери, и понимала, что́ означает для Талли возможность стряхнуть с себя этот навязчивый кошмар. Больше всего на свете ей хотелось, чтобы мать снова стала прежней — счастливой и беззаботной, и теперь Макс казалось, что тяжелые времена наконец-то останутся позади.

Что касалось Талли, то она сейчас жалела только о том, что не может поделиться приятным известием с отцом. Сэм всегда отлично ее понимал и умел делить с ней не только горе, но и радость, и Талли надеялась, что сейчас он тоже видит ее, знает, какой камень упал с ее души после звонка Джима. Ее настроение сразу изменилось, изменилось к лучшему, и она была почти благодарна своей бывшей подруге за этот рождественский подарок, хотя и не сомневалась, что, принимая решение, Бриджит думала только о себе.

Должно быть, в тюрьме ей было действительно несладко.

* * *

Рождество прошло как-то незаметно, впереди был Новый год. В один из дней между двумя праздниками Талли и Макс вместе завтракали на кухне. Талли просматривала на компьютере электронную почту, Макс листала свежую газету. Внезапно она вскрикнула, и Талли сама не заметила, как оказалась на ногах.

— Господи, Макс! Что случилось?! Плохие новости?

Подсознательно она каждый день продолжала ждать неприятностей, что было вполне объяснимо после всего, что она пережила. Джим успокаивал ее, говорил, что это скоро пройдет, но внутреннее напряжение до сих пор не отпустило Талли полностью.

— А вот послушай!.. — Макс ухмыльнулась, но тут же сделала нарочито серьезное лицо. — Сегодняшняя передовая статья посвящена фильмам, которые вышли в прокат до Рождества, и знаешь, что они тут пишут? Все эксперты в один голос предсказывают, что ты непременно получишь «Оскар» за своего «Человека на песке». Здесь такие фамилии... — Макс перечислила несколько имен. — Я слышала их от тебя много раз — ты говорила, что это настоящие профессионалы и ошибаются крайне редко. Ну, мам, что скажешь?

— Скажу, что мне это, конечно, очень лестно, но на данном этапе все их предсказания — просто гадания на кофейной гуще. Еще рано делать какие-то выводы. Надо подождать по крайней мере месяц. — Фильмы, номинированные на премию «Оскар», объявляли только в феврале, поэтому говорить, что кто-то *получит* золотую статуэтку, да еще непременно, действительно было несколько преждевременно.

— Кроме того, — добавила Талли, — меня уже дважды номинировали на «Оскар», но я еще ни разу ничего не получила.

Впрочем, даже просто номинироваться на эту высшую награду Американской киноакадемии было почетно и престижно, да и для фильма это была дополнительная реклама. Существовала еще и премия «Золотой глобус», получить которую у Талли были хорошие шансы.

— Вот это я и называю «настоящий оптимистичный взгляд на вещи», — неодобрительно покачала головой Макс. — Как ты можешь говорить, что не получишь эту награду, — ведь ты снимаешь просто блестящие фильмы!

— Я снимаю их не ради «Оскаров», а ради зрителей, — возразила Талли. — Наконец, мне это просто нравится. Я же не виновата, что у меня хорошо получается, — пошутила она.

— А можно я пойду с тобой, если тебя номинируют? — быстро спросила Макс. Ей очень хотелось побывать на церемонии вручения наград, и она заранее закидывала удочку, чтобы у Талли, если она вдруг скажет «нет», было время передумать.

Талли ответила не сразу, но не потому, что не хотела брать Макс с собой. Она вспомнила, что в последний раз ходила на церемонию вручения «Оскаров» с отцом. Впрочем, Талли тут же подумала, что Макс это тоже будет интересно, хотя церемония обычно длилась достаточно долго и была на редкость утомительной. С другой стороны, если случится, что ей все-таки присудят золотую статуэтку, для дочери это станет незабываемым воспоминанием, да и самой Талли было бы приятно получить высшую кинематографическую награду. Вот почему она согласно кивнула, и Макс захлопала в ладоши от радости.

После этого разговора Талли подумала о том, что плохие времена действительно остались или вот-вот останутся позади. Если Бриджит признает себя виновной, ей больше не нужно будет беспокоиться о необходимости присутствовать на судебных заседаниях, а значит, можно постараться обо всем забыть и жить дальше. Похоже, судьбе наконец-то надоело наносить Талли удар за ударом, и она могла рассчитывать на достаточно продолжительный спокойный период. А если ей к тому же присудят

«Оскар», все будет вообще замечательно. Талли, правда, не особенно на это рассчитывала: то, что об этом написали в газете, ровным счетом ничего не значило — мало ли какие предположения выскажут так называемые «эксперты». И все же в глубине души она мечтала о том моменте, когда эта престижная награда наконец достанется ей. Для Талли это означало бы бесспорное и окончательное признание киномиром ее таланта.

Ближе к вечеру ей позвонил Джим. Он тоже прочел статью и хотел поздравить Талли с этим «предвестником успеха», как он выразился. Дыма без огня не бывает, сказал он. Джим очень надеялся, что Талли в конце концов получит «Оскар». Кроме того, он сказал, что на каток они могли бы пойти в ближайший четверг, и Талли ответила согласием. Она действительно была в этот день совершенно свободна, да и Макс ждала похода на каток с нетерпением. Сама Талли тоже была не прочь немного покататься, хотя и знала, что потом у нее будут ломить лодыжки и мышцы ног — как-никак в последний раз она вставала на коньки года два назад.

— Как прошли рождественские праздники? — поинтересовался Джим.

— В общем и целом нормально, — ответила она. — Мы, правда, не устраивали ничего особенного, да и папы очень не хватало, — честно призналась Талли. — Но все равно мы обе получили удовольствие. Ну а потом нашлись всякие мелкие дела... — Она вздохнула. Каждый раз, когда Макс была с ней, Талли казалось, что время начинает лететь вскачь, но, когда она сказала об этом Джиму, он признался, что у него появляется точно такое же чувство, когда Джош приезжает на каникулы.

— Так, значит, встречаемся в четверг? — уточнил он, прежде чем попрощаться. В выходные Джим на несколько дней уезжал с сыновьями в Скво-Вэлли, чтобы покататься на лыжах, и откладывать поход на каток ему не хотелось.

В четверг вечером Макс и Талли встретились с Кингстонами на катке. Макс принесла с собой коробку шоколадного печенья с орехами, которое она испекла для всех, и они провели на свежем воздухе больше двух часов, то со смехом гоняясь друг за другом, то отдыхая на удобной скамье. Как и следовало ожидать, Джош катался лучше всех — в этом сезоне он уже много раз бывал на катке у себя в Мичигане и чувствовал себя более чем уверенно. Сегодня, впрочем, он не показывал никаких трюков из своего богатого арсенала; держа Макс под руку, он уверенно скользил с ней по льду, не давая упасть, а Бобби со смехом нарезал круги вокруг них. Потом он встретил своих школьных приятелей и, запасшись печеньем из коробки Макс, отправился к ним.

Джим и Талли катались совсем медленно, восстанавливая забытые навыки; это, впрочем, не мешало им беседовать и по-дружески подшучивать друг над другом. Спустя примерно час они подъехали к скамье, чтобы немного передохнуть. Талли успела даже слегка запыхаться, однако никакая усталость была не в силах испортить ей удовольствие. Она улыбалась, а Джим откровенно любовался ею. Талли раскраснелась, глаза ее ярко блестели, а розовые меховые наушники и митенки делали ее похожей на школьницу. Сам Джим, впрочем, тоже выглядел лишь немногим старше своих сыновей. Многие из тех, кто пришел в этот вечер на каток, поглядывали на них с завистью, принимая за счастливых молодых супругов.

— Это просто какая-то рождественская сказка, — сказала Талли с улыбкой. — Свежий воздух, физическая нагрузка, уйма положительных эмоций... Я уже тысячу лет так не отдыхала!

— Я тоже, — серьезно ответил Джим. — Впрочем, с тобой мне хорошо всегда... — Он на мгновение смутился, но справился с собой и, подняв голову, посмотрел прямо в ее лучистые зеленые глаза. — Надеюсь, ты понимаешь, что обычно я не знакомлю своих детей с... с людьми, с которыми сталкиваюсь по работе. — Джиму не хотелось говорить «с жертвами» или «с потерпевшими», но Талли отлично его поняла. — Ты удивительная женщина, Талли, — продолжал Джим. — Мне было очень приятно с тобой познакомиться. Единственное, о чем я жалею, — это о том, что не смог расследовать твое дело быстрее и из-за этого тебе пришлось слишком долго ждать результатов. Я бы многое отдал, чтобы с тобой вообще ничего не случалось, но это, к сожалению, не от меня зависит. Мне остается только благодарить судьбу за то, что твое дело попало именно ко мне и я сумел узнать тебя достаточно хорошо.

За прошедшие месяцы они действительно стали друзьями и узнали друг о друге многое. И то, что это время было для Талли очень непростым, только помогло им проникнуться взаимным доверием.

— Я... я чувствую то же самое, — призналась Талли. — Я благодарна тебе за все, что ты для меня сделал. И не говори, что это твоя работа, потому что даже свои служебные обязанности можно исполнять по-разному. Если бы не ты, Бриджит еще не скоро удалось бы остановить... К счастью, самое неприятное теперь позади, но тогда... тогда мне было очень плохо, и я сумела это выдержать во многом благодаря тебе.

Это признание заставило Джима почувствовать себя польщенным, хотя он и понимал, что на самом деле его заслуги куда скромнее. Талли пришлось очень нелегко, но она не расклеилась, не впала в отчаяние, не опустила рук. Казалось, выпавшие на ее долю испытания только делают ее сильнее: Джим убеждался в этом каждый раз, когда они встречались. Очевидно, Талли от природы была наделена сильным характером, хотя в ней и не было ничего жесткого или бескомпромиссного. Напротив, она производила впечатление очень мягкого и доброго, тонко чувствующего человека, способного сострадать и сопереживать. Да и внешне она была очень привлекательной, и Джим чувствовал, как с каждым днем его тянет к ней все сильнее. За свою карьеру агента ФБР он никогда не позволял себе встречаться с потерпевшей вне рамок расследования, но Талли — это было нечто совсем особенное. Джим с удовольствием проводил с ней свободное время, и после каждой такой встречи ему еще сильнее хотелось увидеть ее вновь.

— Я не хочу, чтобы ты думала, будто для меня это в порядке вещей. На самом деле... — Джим на мгновение опустил взгляд, но тотчас снова поднял голову. — С тех пор как умерла Дженни, я еще никого не приглашал на свидание.

— Я знаю. — Талли сняла перчатку и доверительным жестом прикоснулась к его руке. Джим бережно накрыл ее пальцы ладонью.

— Ты поужинаешь со мной, Талли? — спросил он негромко, и его взгляд отразил напряжение и мольбу. Он боялся отказа — боялся, что она ответит «нет» и навсегда разорвет тонкую нить, которая протянулась между ними за прошедшие месяцы.

Талли улыбнулась. Улыбнулась и... кивнула.

— Мне бы очень этого хотелось, — ответила она тихо.

Джим просиял, потом вдруг стремительно поднялся, увлекая Талли за собой. Он услышал то, о чем мечтал, и боялся произнести еще хоть слово, все еще не веря, все еще сомневаясь... Впервые за много лет Джим смотрел на другую женщину, не испытывая чувства вины перед Дженни. Он был уверен, что Талли понравилась бы ей, как нравились Талли его сыновья и как ему самому пришлась по сердцу Макс. Они встречались все вместе всего лишь в третий раз, но Джим видел, что им хорошо друг с другом и что отношения между детьми с каждым разом становятся все более доверительными и тесными. В особенности это касалось Джоша и Макс. Он уже предупредил сына, чтобы тот держал себя с дочерью Талли по-джентльменски, и Джош даже обиделся — ничего дурного у него и в мыслях не было. Джим, впрочем, знал это и сам, просто он слишком боялся, что какая-то случайность может все испортить. Всего за несколько месяцев Талли и Макс видели столько горя, несправедливости и лжи, что другим людям этого хватило бы на всю жизнь, поэтому относиться к ним следовало с особой осторожностью. Примерно так Джим и объяснил сыну ситуацию, и Джош его понял.

Дальше дети катались одни, время от времени Джим и Талли присоединялись к ним, но больше сидели на скамье и разговаривали обо всем на свете. У Джима было очень легко и радостно на душе, и тем не менее он так и не осмелился снова заговорить об их свидании напрямую. Он только упомянул, что хотел бы отвести ее в ресторан «Джорджио Бальди», где, по его словам, была лучшая в городе итальянская кухня. Талли, однако, прекрасно поняла, о чем идет речь, и сказала, что очень любит итальянские блюда. А Джим в свою очередь догадался, что она только что еще раз сказала ему «да», и от этого ему захотелось запеть, пройтись на руках или выкинуть еще что-нибудь подобное.

Расходиться никому не хотелось, но на ночь каток закрывался, и им волей-неволей пришлось собираться домой. Несмотря на то что они провели на катке почти четыре часа, никто из них не чувствовал себя усталым. Когда они вышли на автомобильную стоянку, было уже начало двенадцатого. Завтра все трое Кингстонов должны были на три дня уехать в Скво-Вэлли — кататься на лыжах, и сыновья Джима наперебой обещали Макс, что будут ей оттуда звонить. Услышав это, Джим и Талли обменялись долгим взглядом. Потом они стали прощаться, и он в первый раз за все время поцеловал ее в щеку. Уже сидя в такси, Талли все вспоминала этот поцелуй и думала о том, какой замечательный вечер они провели. Почему-то она была уверена, что таких вечеров будет еще много, и ей хотелось, чтобы Джим поскорее вернулся со своей лыжной прогулки. Макс, откинувшись на сиденье рядом, слушала музыку по айпаду, и ничто не мешало Талли с головой погрузиться в мечты.

* * *

После возвращения Джима из Скво-Вэлли прошла неделя. Талли регулярно беседовала с ним по телефону, но встретиться они так пока и не смогли — за время рождественских каникул у Джима на столе скопилось немало дел, требовавших расследования. Несмотря на острую нехватку свободного времени, Джим продолжал следить за делом Талли и сразу позвонил ей, как только Бриджит официально признала себя виновной сначала в присвоении чужих денег, махинациях с кредитными карточками, электронном мошенничестве и уклонении от налогов, а затем (для этого потребовалась отдельная процедура) и в убийстве первой степени. Вынесение приговора и назначение наказания было назначено на начало апреля. К этому времени Испытательная служба должна была подготовить необходимый в таких случаях доклад о личности и обстоятельствах жизни подсудимого и выработать рекомендации для судьи. Джим считал, что Бриджит, по всей вероятности, получит около десяти лет, так как она все же признала себя виновной до суда. В противном случае, сказал он, ей могли бы дать и двадцать лет, и даже пожизненное заключение. Теперь адвокатам оставалось только обсудить гражданский иск Талли и договориться о размерах компенсации, поскольку признание Бриджит содержало в себе пункт об обязательном возмещении убытков в полном размере.

Насчет «полного размера» Джим не обольщался. Он уже много раз предупреждал Талли, что она вряд ли получит назад все, что потеряла, так как Бриджит наверняка много потратила, а что-то, возможно, и припрятала. Для Талли, однако, главная новость заключалась в том, что для нее все закончилось — за исключением вопроса с гражданским иском, но заниматься им все равно должен был Грег Томас. Главное, теперь ей не нужно было присутствовать на суде, что могло стать для нее еще одним кошмаром. В общем, было от чего вздохнуть с облегчением.

— Ты присутствовал, когда Бриджит выступала с признанием? — спросила Талли.

— Да, — коротко ответил Джим.

— Ну и как... твои впечатления?

Джим немного поколебался, но скрывать правду не стал.

— Не очень, — честно сказал он и пояснил: — В суде мисс Паркер вела себя как ни в чем не бывало. Я, во всяком случае, не заметил никаких признаков страха или раскаяния. Свое признание она зачитала громким, уверенным голосом и при этом только что не подмигивала судье. Кстати, на заседание она пришла тщательно причесанная и накрашенная, в коротком сексуальном платьице, за которое, скорее всего, было заплачено твоими деньгами. За все время она ни разу не смутилась, не пролила ни слезинки и держалась очень спокойно. Я многое повидал, Талли, и могу сказать одно: так обычно ведут себя преступники-рецидивисты, но ведь о мисс Паркер ничего такого не скажешь... Остается одно: твоя бывшая помощница — человек насквозь порочный и испорченный, которому наплевать на всех, кроме себя.

Талли ужаснулась. Она пыталась представить себе нарисованную Джимом картину — и не могла.

— Как ей только не стыдно... — пробормотала она после непродолжительной паузы. — Я не понимаю...

— И не поймешь — ведь ты *нормальный* человек. — Джим особо выделил голосом предпоследнее слово. — Такие, как мисс Паркер, все равно что пришельцы из другого мира. Внешне они такие же, как большинство людей, но внутри — совершенно другие. И именно поэтому им так часто удается выйти сухими из воды. Нормальному человеку просто не может прийти в голову, что кто-то может поступить так, как ведут себя они, поэтому их никто не подозревает, и они безнаказанно лгут, обманывают, изменяют и воруют, а порой и убивают. И это действительно страшно... — Он немного помолчал и добавил: — Мне жаль Хантера Ллойда, но я очень рад, что ты не оказалась на его месте.

— Я тоже рада, — ответила Талли, думая о Макс. Что бы было с ее дочерью, если бы она погибла?

— Ты свободна в пятницу вечером? — негромко спросил Джим. — Я приглашаю тебя в ресторан, если ты не передумала.

— Я *не* передумала, — твердо ответила Талли. — И не передумаю. И да, в пятницу вечером я абсолютно свободна.

Талли действительно была ничем не связана. Макс улетела в Нью-Йорк еще утром, а поскольку к работе над новым фильмом Талли еще не приступала — только вела переговоры с инвесторами, — то ничто не мешало ей свободно распоряжаться своим временем.

— Тогда я заеду за тобой в половине восьмого, — пообещал Джим, и Талли улыбнулась. Она была рада, что они наконец увидятся.

Когда в пятницу вечером Джим подъехал к ее особняку, настроение у Талли было приподнятым. Известие о том, что Бриджит признала свою вину, подействовало на нее благотворно, и всю неделю она не ходила, а буквально летала — таким сильным было облегчение, которое она испытывала. Сама Талли сказала бы — даже не облегчение, а освобождение; впервые за много месяцев она не мучилась от тревоги или страха перед будущим, и даже воспоминания о пережитых страданиях наконец отступили. Тяжесть ушла с души, уступив место радости, и Талли чувствовала себя обновленной.

В ресторане они без конца говорили о работе, о детях, о том, что, возможно, ждет их в будущем. Время летело незаметно, к тому же блюда, которые подавали у «Джорджио Бальди», действительно были выше всяких похвал. Талли хорошо знала и любила итальянскую кухню, но ей и в голову не приходило, что обычные спагетти-пенне в белом вине могут быть такими вкусными и нежными. Когда вечер закончился, Джим отвез ее домой. Прощаясь с Талли перед дверью ее особняка, он нежно поцеловал ее в губы, потом посмотрел на нее с какой-то странной озабоченностью.

— Я хочу, чтобы ты знала — я еще никогда не целовал жертву преступления, которое мне довелось расследовать, — сказал он то ли в шутку, то ли всерьез.

— Я *не* жертва, — шепотом ответила Талли. — И больше никогда ею не стану.

Она действительно превращалась в себя прежнюю. Нет, не в прежнюю... Пережитые страдания сделали ее мудрее и сильнее, и в будущее Талли смотрела с уверенностью и надеждой. Она сказала Джиму, что разорвала и выбросила пришедший на днях по почте бланк с присвоенным ей «номером жертвы», и он кивнул.

— Я имел в виду другое, — уточнил Джим. — Раньше я никогда не влюблялся в женщин, с которыми сталкивался во время расследования.

Он уже говорил ей об этом, когда они ходили на каток, но ему было важно, чтобы Талли ему верила.

— Я никогда не подбивал клинья к женщинам-потерпевшим, зная, что они от меня зависят и не смогут мне отказать, — добавил он, и Талли покачала головой. Она и так была уверена, что Джим не способен злоупотребить чужим доверием. В противном случае она просто не смогла бы считать его своим другом... а она считала его другом до тех пор, пока он ее не поцеловал.

— Я знаю, — сказала Талли. — Но... — Она замолчала, но потом решила — раз уж у них пошел такой разговор, значит, нужно быть честной до конца. Не то чтобы ей было трудно говорить с ним откровенно. Напротив, Талли предпочитала полную открытость и определенность. Особенно теперь. — Дело в том, — сказала она после непродолжительного молчания, — что я не уверена, смогу ли я когда-нибудь кому-то доверять.

Джим неожиданно расхохотался, и Талли удивленно вскинула на него глаза:

— Что тут смешного?

— Ничего, просто... Просто если нельзя доверять агенту ФБР, кому тогда можно?!

Талли неуверенно улыбнулась:

— Пожалуй, ты прав.

— Не сочти за самонадеянность, но мне кажется, что в моем лице ты имеешь самого верного, самого надежного, самого... — Он не договорил — Талли поцеловала его в ответ.

И он, и она уже успели забыть, на что это может быть похоже. Простого прикосновения губ оказалось достаточно, чтобы Талли вмиг забыла обо всем, что терзало и мучило ее столько времени. А Джим, который после смерти Дженни долгое время считал, что чувства его тоже умерли, вдруг с удивлением обнаружил, что ошибался. Нечто похожее испытывала и Талли. Она не могла сказать, что́ их ждет, но сейчас, глядя в глаза Джима, она твердо знала, что может ему доверять и что с ним ей не грозят никакие опасности и невзгоды.

Глава 20

Одной из последних формальностей, через которые Талли должна была пройти, стал визит старшей сотрудницы Испытательной службы, которая готовила для судьи подробный доклад о личности и обстоятельствах жизни Бриджит. Как выяснилось, сотрудница была старой знакомой Джима, и он довольно хорошо ее знал. Она позвонила ему, когда он только начинал заниматься делом Талли, и с тех пор Джим регулярно информировал ее о ходе расследования. Умолчал он только о том, что теперь они с Талли встречаются; впрочем, непосредственно к делу это не имело никакого отношения. Звали его знакомую Сандра Циннеман.

— Какая она, эта мисс Джонс? — спросила она у Джима, прежде чем встретиться с Талли лично.

Узнав, кто является потерпевшей по делу, которое он расследует, Сандра не смогла совладать с собственным любопытством. Она была большой поклонницей таланта Талли: Сандра видела все ее фильмы и читала все, что удавалось найти в газетах и профессиональных изданиях. Это, конечно, был не слишком надежный источник, и тем не менее Сандра пришла к выводу, что в отличие от большинства голливудских знаменитостей Талли Джонс — человек на редкость скромный и порядочный. Узнавая от Джима подробности приключившихся с ней несчастий, она чисто по-женски ее жалела и от души возмущалась коварством Бриджит и предательством Ханта. «Эти двое поступили с ней просто по-свински, если не сказать хуже!» — говорила она.

— Какая?.. — переспросил Джим. — Честная, доверчивая, ранимая. И сильная. Ей крепко досталось, но она выстояла. Ты намерена вызвать ее к себе?

Ему хотелось избавить Талли от необходимости разговора с Сандрой — разговора, который непременно воскресил бы в ее памяти события, о которых она предпочла бы забыть, однако рекомендации Испытательной службы являлись обязательной частью официальной процедуры и имели важное значение. На основе подготовленного Сандрой доклада судье предстояло решить, какое наказание назначить и сколько лет Бриджит должна провести в заключении. Иными словами, от того, что напишет Сандра, зависело многое, поэтому, чтобы вынести справедливое и взвешенное заключение, основанное на всех аспектах дела, ей необходимо было побеседовать не только с самой Талли, но и с Бриджит, и со всеми, кто имел отношение к этому делу. Джим, во всяком случае, не сомневался, что Сандра будет действовать именно так, и не только потому, что это предусматривалось правилами. Сандра Циннеман была человеком дотошным и честным и относилась к своей работе с полной ответственностью.

На вопрос Джима Сандра ответила не сразу.

— Честно говоря, я собиралась навестить мисс Джонс у нее дома, — сказала она наконец. — Во-первых, так ей будет удобнее, она будет чувствовать себя увереннее, а во-вторых, мне хотелось своими глазами увидеть, в какой обстановке мисс Джонс и мисс Паркер встречались и работали. Так сказать, почувствовать атмосферу «места преступления»... — Она имела в виду, разумеется, похищение денег, а не убийство. — Должно быть, мисс Джонс привыкла жить на широкую ногу, и это могло спровоцировать обвиняемую... — добавила Сандра задумчиво.

— Вовсе нет, — возразил Джим. — Конечно, у Талли очень неплохой дом, но уверяю тебя — никаких особых излишеств там нет. Я бы даже сказал, что она живет довольно скромно — гораздо скромнее, чем могла бы. Одевается Талли тоже как самые обычные люди, которых мы с тобой каждый день встречаем в универмаге или на улице. Да, она добилась известности, но «звездной болезнью» никогда не страдала и не страдает. Мисс Паркер — вот кто действительно купался в роскоши. Благодаря своей работе у Талли она получила довольно значительные возможности и в конце концов, вероятно, вообразила, что ей все позволено. — Он немного помолчал. Идея Сандры навестить Талли дома ему нравилась. — Ну а сама-то ты что думаешь? — спросил он.

— Думаю, что мисс Паркер заслуживает самого сурового наказания, — ответила Сандра.

Она знала, что адвокаты Бриджит обратились к судье с просьбой назначить наказание с одновременным отбыванием сроков заключения по обоим делам, но ей это казалось неразумным и несправедливым. Обвиняемая, злоупотребив доверием потерпевшей, похитила у нее значительную сумму денег, а потом совершила убийство потенциального свидетеля, поэтому Сандра считала, что Бриджит заслуживает наказания с последовательным отбыванием назначенных за оба преступления сроков. Это, как ей казалось, было бы и логично, и правильно.

— Я постараюсь побывать у мисс Джонс в ближайшее время, — пообещала Сандра. — Но на мне висят еще два крупных дела, с которыми нужно разобраться в первую очередь. — Она имела в виду еще одно убийство, а также организованную группу любителей детской порнографии, «работавших» через Интернет. Как старший сотрудник Испытательной службы с безупречной репутацией и внушительным послужным списком, Сандра пользовалась у судей немалым авторитетом, поэтому ей доставались, как правило, самые сложные и общественно значимые дела.

— Если что-то от меня понадобится, сразу звони, — предложил Джим. — Помогу чем могу.

— В первую очередь мне нужно знать, какое наказание для мисс Паркер сочла бы справедливым и достаточным сама мисс Джонс. Еще я должна уяснить, какие последствия имело это преступление лично для нее. С материальным ущербом все понятно, но я обязана оценить, так сказать, моральный вред...

Джим вздохнул. Он знал, что это не праздное любопытство и что Сандра действует в полном соответствии со своей служебной инструкцией, однако ему не хотелось, чтобы, отвечая на вопросы Сандры, Талли снова пережила то, о чем только-только начала забывать. С другой стороны, этот раз точно должен был стать последним; после него Талли оставалось только дождаться вынесения приговора. Правда, на слушаниях она должна была выступить с формальным заявлением, но Джим надеялся, что сделать это ей будет не слишком тяжело. Да и он будет рядом и сможет ее поддержать — как человек, который возглавлял следствие, Джим все равно должен был присутствовать на оглашении приговора.

Сандра позвонила Талли через два дня. Предупрежденная Джимом, та нисколько не удивилась, и они договорились, что Сандра подъедет на следующей неделе. Встреча с сотрудницей Испытательной службы прошла даже менее болезненно, чем опасалась Талли. Обладая богатым опытом общения со свидетелями и потерпевшими, Сандра старалась не задавать чересчур болезненных вопросов или облекала их в более мягкую форму, к тому же проявляемое ею сочувствие было неподдельным и искренним, и это тоже играло свою роль.

Талли, в свою очередь, тоже произвела на Сандру очень приятное впечатление тем, что не жеманилась, не драматизировала, а рассказывала обо всем просто и спокойно, стараясь по возможности сохранить объективность — редкая черта для тех, кто стал жертвой изощренного мошенничества и обмана. В результате заочное уважение, которое Сандра испытывала к Талли, дополнилось искренней симпатией и глубоким сочувствием к человеку, который сумел перенести столько жестоких ударов, но не озлобился и не сломался. Джим был прав — Талли Джонс обладала на редкость сильным характером, который пережитые беды только закалили.

Что касалось Талли, то встреча с Сандрой ее странным образом успокоила. Она сразу поняла, что эта женщина, повидавшая немало кошмарных преступлений и общавшаяся с десятками преступников, сочувствует ей от всей души. Поговорить с таким человеком было все равно что принять лекарство, которое было не только приятным на вкус, но и действительно помогало. Кроме того, Сандра со всей определенностью сказала, что намерена предложить для Бриджит максимальное наказание вне зависимости от того, какие сделки с правосудием попытаются заключить она или ее адвокаты. В том, что судья, который будет выносить приговор, прислушается к ее мнению, Сандра нисколько не сомневалась. На ее памяти еще не было случая, чтобы суд поступил вопреки рекомендациям Испытательной службы.

Тепло попрощавшись с Сандрой, Талли отправилась в сад, чтобы немного посидеть там. В кои-то веки она чувствовала себя совершенно спокойной и умиротворенной. Вместо того чтобы разбередить начавшие заживать раны, только что состоявшийся разговор странным образом избавил Талли от последних следов беспокойства. Ее дело было в надежных руках, и его исход не вызывал сомнения. Похоже, темная полоса в жизни Талли близилась к концу, а значит, ничто не мешало ей мечтать о других, более счастливых временах, которые непременно наступят.

Ей нужно лишь еще немножко подождать.

Глава 21

Сидя в салоне длинного черного лимузина, Талли недовольно хмурилась. Она была одета в облегающее красное платье без бретелек и стильные красные босоножки на высоком каблуке, и все равно в эти минуты она чем-то неуловимо напоминала обиженного ребенка, которого старшие насильно тащат куда-то, куда ему совершенно не хочется. Макс, глядя на мать, посмеивалась над нею, и Талли сердито ерзала на сиденье. Платье из красного атласа было очень узким и скользким и причиняло ей изрядные неудобства, хотя в нем она выглядела на редкость элегантно и эффектно. Увидев себя в зеркале, Талли не могла этого не признать, однако ее раздражение не стало от этого меньше. Всю дорогу она ворчала и жаловалась на судьбу.

— Не понимаю, почему мы непременно должны ехать в этом глупом автомобиле! — возмущалась Талли. — Можно было взять мой новый внедорожник — я к нему уже почти привыкла. И это платье... Я в нем все равно что голая! Нет, вы как хотите, а я не позволю делать из себя посмешище! — воинственно закончила она, а Макс с Джимом заговорщически переглянулись. Платье и туфли для матери выбирала Макс, она же настояла, чтобы Талли вызвала на дом стилиста, который уложил ее длинные светлые волосы в аккуратную прическу. Талли была против, но Макс поддержал Джим, и она в запальчивости пообещала страшно отомстить обоим, как только представится подходящий случай.

Талли была очень рада, что Джим сейчас с ними. Всю прошедшую неделю она переживала из-за того, что не сможет поехать на церемонию вручения наград Американской киноакадемии с отцом, и Джим утешал ее, как мог. В последние два месяца они много времени проводили вместе и стали еще ближе друг к другу. По выходным Талли часто бывала в гостях у Джима и Бобби, а он дважды летал с ней в Нью-Йорк, чтобы проведать Макс. Переговоры Талли с инвесторами завершились крайне удачно — она подписала несколько соглашений о финансировании будущей картины и даже заключила договор со студией, которая на очень выгодных условиях предоставляла ей напрокат оборудование и реквизит. Начало съемок Талли планировала на будущий сентябрь, пока же они с Меган занимались мелкими организационными и административными вопросами.

А потом она узнала, что ее «Человек на песке» выдвинут на соискание премии «Оскар» сразу в нескольких номинациях. Это был приятный, хотя и ожидаемый сюрприз. Еще через неделю, на специальном судебном заседании, должны были огласить приговор Бриджит, и Талли думала об этом с чувством облегчения. С каждым днем мучительное прошлое все больше отдалялось, а впереди лежала новая жизнь, которая — она надеялась — будет радостной и счастливой.

— Нужно было мне надеть черное, — пробормотала Талли, и Макс снова рассмеялась.

— Ты прекрасно выглядишь, ма. Просто сногсшибательно. Вот Джим не даст соврать.

— В этих туфлях я не только посшибаю всех вокруг, но и сама, не дай бог, растянусь прямо на красной дорожке, — огрызнулась Талли. Она действительно отвыкла от подобной обуви, поэтому, когда Макс принесла эти туфли, ей фактически пришлось учиться ходить в них заново.

Дочь снова рассмеялась:

— Терпи, мама, ведь ты же звезда, а звезды ездят в лимузинах, а не в джипах.

— Почему? Что, мой внедорожник — плохая машина? — Талли наконец сподобилась купить собственную машину, причем по совету Джима выбрала довольно дорогую модель. Сама она хотела приобрести что-нибудь более скромное — лишь бы ездило, но Макс сказала, а Джим подтвердил, что дешевая или подержанная машина быстрее сломается, и Талли уступила.

Услышав ее слова, Джим улыбнулся. Он был счастлив и горд быть сейчас с Талли, в которую влюбился без памяти.

— В следующий раз мы приедем на грузовике. Или на фэбээровском спецавтомобиле с сиреной, — пошутил он. — Это точно привлечет к нам всеобщее внимание.

Если Талли что-то и ненавидела, так это назойливый интерес прессы, направленные на нее объективы и микрофоны, выкрикивающие ее имя голоса. Она знала, что именно ради этого другие звезды наряжаются в пух и прах и покрывают лица тоннами макияжа, но самой Талли подобное поведение претило. Она терпеть не могла фальшь в любых ее проявлениях, поэтому ей и в голову не пришло бы выставлять себя напоказ или притворяться кем-то, кем она на самом деле не являлась. Внешностью

Талли могла бы потягаться с любой знаменитой актрисой, но душа у нее совершенно не лежала к тому, что она всегда называла «мозолить глаза». В этом отношении церемония вручения «Оскаров» отличалась для нее от прочих светских мероприятий только тем, что ее шансы завоевать золотую статуэтку были достаточно высоки; в противном случае она просто осталась бы дома, а церемонию посмотрела бы по телевизору. Впрочем, в глубине души Талли была по-прежнему уверена, что, как бывало уже не раз, награды снова достанутся кому-то другому, и от этого ее раздражение, вызванное необходимостью наряжаться и причесываться, только усиливалось.

Талли знала, что ее «Человек на песке» по-настоящему хороший фильм. Только в прошлом месяце он получил сразу четыре «Золотых глобуса», но завоевать «Оскар» было значительно труднее. До сих пор Талли это не удавалось, хотя она и раньше делала очень неплохие фильмы. Так почему же сегодня что-то должно измениться? — рассуждала она. Тот факт, что ее назвали одним из кандидатов на звание лучшего режиссера, а сам фильм номинировался на «Оскара» еще в пяти категориях, мало что менял — такое с ней случалось уже дважды, но ни разу Талли не удалось победить.

Она, впрочем, нисколько по этому поводу не переживала. Макс она всегда говорила, что работа сама по себе служит ей лучшей наградой, и это были не пустые слова. Без «Оскара» Талли жить могла, а без работы — нет.

Пока она размышляла об этом, длинный лимузин плавно затормозил, пристроившись в конец вереницы таких же автомобилей. Следующие полчаса они двигались очень медленно, но наконец настала и их очередь, и Макс в последний раз окинула мать внимательным взглядом. Сама она в узком белом платье и накинутом на плечи коротком жакете из меха полярной лисы выглядела как подающая надежды голливудская звездочка, но рядом с Талли поблекли бы и признанные звезды экрана. Она была великолепна и держалась по-королевски величественно, ожидая, пока настанет их очередь ступить на красную ковровую дорожку.

— Мы следующие, мам, — шепнула ей Макс. — Повернись-ка ко мне... вот так. — Убедившись, что Талли в полном порядке, она кивнула. — Все отлично, — добавила Макс. — Главное, не волнуйся. И не забудь улыбнуться журналистам, о'кей?

Джим, внимательно прислушивавшийся к разговору матери и дочери, почувствовал себя тронутым. Ему очень нравилось, как Макс и Талли общаются друг с другом, да и сама девочка была ему по душе. Его сыновья в свою очередь удивлялись тому, что Джим встречается с самой настоящей голливудской звездой, хотя оба признавали, что Талли ведет себя совсем не как мировая знаменитость. Собственно говоря, именно это и понравилось Джиму в Талли с самого начала — в ней не было ни высокомерия, ни заносчивости, ни равнодушия к окружающим, да и о своей известности она предпочитала говорить как можно меньше. Вот и сегодня ее пришлось буквально силком тащить на церемонию вручения «Оскаров». Джим, впрочем, находил ее ворчание и отговорки забавными, однако самой Талли так не казалось.

— Я застрелю любого, кто будет тебе надоедать, — пообещал Джим, и она наконец улыбнулась, а у него сердце замерло от внезапно нахлынувшей нежности.

Талли была прекрасна в этом платье и красных босоножках на стройных длинных ногах, с волосами, подобранными наверх, и с крошечными бриллиантовыми сережками в ушах. Никаких других украшений она надевать не стала, но Джим не сомневался, что все женщины, которые увидят ее сегодня в зале или по телевизору, будут завидовать ее красоте и молодости.

Самому Джиму, чтобы ехать с Талли на церемонию, пришлось приобрести настоящий смокинг, который отлично смотрелся на его спортивной, подтянутой фигуре.

Раньше он никогда не носил смокинг — ему просто некуда было в них ходить, но Джим подозревал, что теперь ему придется время от времени «выглядеть прилично». Талли сама попросила его сопровождать их с Макс, и он чувствовал себя польщенным. Для него это было большой честью, к тому же он знал, что и его сыновьям, и свояченице, которая была большой поклонницей таланта Талли, будет приятно увидеть его по телевизору. И даже Джеку Спрэгу тоже, если на то пошло. Когда напарник узнал, что Джим приглашен на церемонию вручения наград Киноакадемии, он зауважал его еще больше. Джек даже сказал, что ему очень лестно работать со старшим агентом, который коротко знаком с самыми блестящими знаменитостями Голливуда.

Наконец настала их очередь, и дверца лимузина распахнулась. Талли выпорхнула из салона легко и грациозно. В свете прожекторов и софитов она выглядела скорее как актриса, а не как режиссер, но улыбка, которой она наградила прессу, делая первые шаги по красной ковровой дорожке, была не заученно-актерской, а очень живой и искренней. Журналисты, едва завидев Талли, сразу пришли в движение и принялись выкрикивать ее имя, а она шла по ковру так спокойно, словно делала это каждый день, и приветливо улыбалась в направленные на нее объективы фото- и телекамер. На адресованные ей вопросы она отвечала охотно, но коротко, а один раз даже рассмеялась в ответ на чью-то шутку. Несколько раз по просьбе фотокорреспондентов Талли останавливалась и позировала сначала с Макс, потом с Джимом, потом с обоими вместе. Кто-то спросил у Джима, как его зовут, и он машинально назвал свое имя. Впереди и позади них шли по ковру знаменитые актеры, чьи лица знала вся страна, и Джим едва не растерялся. Он только удивлялся, как Талли удается держаться так уверенно и спокойно. Джим знал, что все это ей совсем не нравится, однако по ней не было ровным счетом ничего заметно. Она грациозно шагала по дорожке, улыбаясь направо и налево, и только ее рука крепко сжимала локоть Джима, который оказался между ней и Макс.

К счастью, дефиле продолжалось недолго. У входа в здание их встретили распорядители и под прицелом телекамер, обшаривавших толпу в поисках знаменитостей, повели на предназначенные для них места во втором ряду.

— Уф-ф! — выдохнул Джим, усаживаясь в кресло и вытирая платком проступившую на лбу испарину. — Однажды мне пришлось брать преступника, вооруженного автоматом Калашникова, но даже тогда я так не боялся! — шепотом добавил он, наклонившись к Талли. При этом Джим почти не шутил. Про себя он думал, что Талли была совершенно права, когда не хотела ехать на эту церемонию, и что никогда в жизни ему не приходилось тратить столько сил, чтобы держаться естественно и непринужденно. Впрочем, у Талли, скорее всего, были и другие причины недолюбливать пышные церемонии вроде этой.

— Поверь, я тоже не получаю от этого никакого удовольствия, — шепнула в ответ Талли, не переставая при этом лучезарно улыбаться. — Но иногда нужно делать и то, что не нравится, правда?

Джим кивнул. Он понял, что́ она имеет в виду. Нравилось ей это или нет, но это был мир, к которому она принадлежала и в котором занимала довольно заметное положение, поэтому время от времени Талли приходилось играть по общепринятым правилам. В особенности в такой вечер, как сегодня. Талли любила свою работу — ей не нравились только показуха и пустое бахвальство, с которыми она неизменно сталкивалась на подобных мероприятиях, но такова была плата за возможность заниматься любимым делом, и ей приходилось с этим мириться.

Что касается Макс, то она, судя по ее виду, получала от всего происходящего изрядное удовольствие.

— Ты потрясающе выглядишь, мама, — сказала она, в очередной раз окидывая мать внимательным взглядом, чтобы убедиться, что из прически не выбилась непокорная прядь, а на зубах нет следов губной помады. Но все было в порядке: Талли выглядела безукоризненно, и Джим почувствовал прилив гордости. Он никогда не думал, что окажется в самой гуще элитной кинотусовки: до сих пор Джим не совсем хорошо понимал, каким ветром его сюда занесло, и только присутствие Талли помогало ему держаться естественно и с достоинством. В противном случае он бы уже давно удрал.

Тем временем к Талли подходили какие-то люди (некоторых Джим узнал, это были известные актеры, снимавшиеся в ее фильмах, но остальные были ему незнакомы) и желали ей успеха. Потом Талли обьяснила, что это были ее коллеги-режиссеры, продюсеры и ее агент. Она, разумеется, представляла им Джима, но сам он запомнил далеко не всех. Впрочем, главным для него было то очевидное уважение, с которым все эти известные люди к ней обращались. Про себя он подумал, что Талли это должно быть очень приятно, даже если сегодня она не получит золотую статуэтку. Сам Джим, однако, надеялся, что Талли удостоится «Оскара», и, когда свет в зале начал гаснуть, наклонился к ней и шепотом пожелал везения.

Ни он, ни она не заметили, что как раз в этот момент одна из камер сняла их крупным планом, но свояченица Джима, которая следила за церемонией по телевизору в своем доме в Пасадене, в восторге захлопала в ладоши. Для друзей и близких Джима он в этот вечер тоже стал звездой. Сам он, разумеется, никогда не стремился «оказаться в телевизоре»; о подобном Джим даже не задумывался, как, впрочем, и Талли. Приемы, торжества и награды были для нее всего лишь побочным — и не особенно важным — результатом работы, которую она любила всем сердцем и которой отдавала все силы и время.

— Мне *уже* повезло, — негромко ответила Талли на его пожелание и сильнее сжала руку Джима, которую все еще держала в своей.

Как и всегда, церемония тянулась и тянулась без конца. Ведущие называли номинации вразбивку, перескакивая от «Лучших спецэффектов» к «Лучшей женской роли второго плана», от «Лучшего анимационного фильма» к «Лучшей песне», потом с шутками и прибаутками вскрывали конверт и только после этого приглашали на сцену счастливого лауреата. Благодаря такому порядку, вернее — отсутствию такового, зрители были вынуждены смотреть всю церемонию, так как в противном случае они включили бы свои телевизоры ближе к концу, когда оглашались победители в самых важных и престижных номинациях.

Первую награду «Человек на песке» получил за лучшее музыкальное сопровождение. Зал разразился радостным гулом, когда композитор взошел на сцену и, приняв из рук ведущего золотую статуэтку, принялся многословно благодарить техников, звукооператоров, звукорежиссеров, свою счастливую судьбу и всех, кого он знал и о ком сумел вспомнить в этот волнующий момент. Именно тогда Джим понял, что вечер обещает быть на редкость долгим и весьма утомительным. Впрочем, ради Талли он был готов и на куда бóльшие жертвы; она же по-прежнему сидела совершенно спокойно и, безмятежно улыбаясь, продолжала держать его за руку. Время от времени она наклонялась к Макс и что-то ей говорила, и Джим подумал, что сейчас Талли держится еще увереннее и свободнее, чем в самом начале, когда они только выбрались из лимузина и шли по красной дорожке. Должно быть, подумалось ему, ей нужно было попасть на эту церемонию, чтобы в знакомой обстановке окончательно избавиться от того, что мучило ее столько времени.

Когда обьявили номинацию «Лучшая женская роль», на сцену поднялась известная звезда в узком серебристом платье, делавшем ее похожей на сказочную русалку. Она была ослепительно красивой женщиной не только на экране, но и в жизни, и Джим невольно затаил дыхание, когда актриса прошла совсем рядом с ними. Ему даже показалось — он почувствовал аромат ее духов, и Талли, уголком глаза наблюдавшая за выражением его лица, не сдержала улыбки. Она хорошо знала, что у непривычного человека присутствие множества знаменитостей способно вызвать самое настоящее головокружение. Сама она вращалась в подобной атмосфере довольно давно, но Джиму это было внове.

Когда актриса-русалка наконец спустилась в зал, ведущие неожиданно объявили номинацию «Лучший режиссер». Сначала они зачитывали список претендентов и демонстрировали на огромных мониторах отрывки из фильмов, а публика затаив дыхание ждала, когда же обьявят победителя. Пожалуй, из всех присутствующих только Талли не поддалась всеобщему волнению. Она все так же спокойно улыбалась Джиму и Макс, словно это они должны были получать высшую награду Киноакадемии. Талли уже убедила себя, что ничего не выиграет и на этот раз, и нисколько по этому поводу не расстраивалась. Совсем недавно ей было очень тяжело, но она сумела выстоять, и ее нынешняя жизнь Талли более чем устраивала. Ничего сверх того, что́ у нее уже было, она не требовала. Осенью она начнет снимать новый фильм и будет полностью счастлива, и никакой «Оскар» не заменит ей Джима, Макс, любимую работу.

Тем временем представление номинантов закончилось, и известная актриса-ведушая достала белый конверт с именем победителя. Она была в белых перчатках по локоть, поэтому ей не удалось вскрыть конверт сразу. По этому поводу актриса довольно удачно пошутила, и Талли улыбнулась. Сама она ничуть не волновалась, хотя напряжение в зале сгустилось до предела.

— Талли... Джонс!!! — громко выкрикнула ведущая.

Оркестр заиграл основную музыкальную тему из «Человека на песке», но Талли продолжала сидеть на своем месте, словно ничего не слыша. До нее просто не дошло, *что* только что обьявили на всю страну.

Джим опомнился первым. Макс плакала от радости и хлопала в ладоши, а он слегка подтолкнул Талли, заставляя ее подняться. Только тогда она осознала, что́ произошло, и сделала шаг к ведущим на сцену ступеням.

Она победила.

Победила!!!

Талли поднималась по лестнице, но лицо ее все еще хранило растерянное выражение. Один раз она обернулась и посмотрела на Джима, который и сам едва не прослезился от радости и гордости за нее. Еще несколько шагов, и вот она уже легко поднялась на сцену и приняла от ведущих золотую статуэтку. Держа ее перед собой, Талли на мгновение закрыла глаза и от души поблагодарила Бога за все его милости. В эти мгновения она чувствовала и любовь Джима, и восторг Макс, и даже отец, казалось, был совсем рядом и тоже радовался за нее и гордился ею.

Когда Талли наконец открыла глаза и заговорила, ее севший от волнения голос прозвучал низким, сексуальным контральто, но его все равно было отлично слышно в самом дальнем уголке просторного зала, а благодаря телевидению — и во всех уголках страны и даже всего континента, где принимали трансляцию из Лос-Анджелеса.

— Эта награда, — начала Талли, — не только моя. Своим сегодняшним успехом я обязана моей дочери Макс и моему отцу Сэмюелю Джонсу, которые всегда верили в меня и поддерживали даже в самые тяжелые минуты моей жизни. Еще я хотела бы поблагодарить Хантера Ллойда, вместе с которым мы работали над фильмом. Если бы не он, «Человека на песке», возможно, никогда бы не было. Спасибо тебе, Хант!.. Спасибо всем, кто мне помогал!

С этими словами Талли подняла «Оскар» высоко над головой, словно отсалютовав всей своей съемочной бригаде. Мгновение спустя она повернулась и исчезла за кулисами, а еще через несколько секунд появилась в зале, возвращаясь к своему месту под аплодисменты зрителей, которые стоя хлопали ей и ее короткой речи. Больше всего тронуло собравшихся в зале упоминание о Ханте — в киномире он был заметной фигурой, и сейчас его отсутствие ощущалось многими. От него остались только фильмы, о которых еще долго будут вспоминать не только специалисты, но и простые зрители.

Тем временем Талли вернулась на свое место и расцеловала сначала Макс, потом Джима, которые были в восторге. Особенно радовался Джим. Ему было очень приятно оказаться рядом с Талли в момент торжества, разделить с ней долгожданный триумф. Он догадывался, что «Оскар» означает для Талли нечто большее, чем профессиональная награда, пусть и высшего достоинства. Для нее это была поворотная веха, знаменующая собой начало нового, светлого и счастливого этапа в ее непростой жизни.

«Человек на песке» завоевал еще несколько «Оскаров», в том числе в номинациях «Лучший фильм», «Лучшая операторская работа», «Лучший монтаж», «Лучшая женская роль второго плана» и «Лучший продюсер». Киноакадемия отметила почти всех, кто принимал участие в создании фильма, не забыв и Ханта. Когда объявили имя обладателя этой последней номинации, на больших экранах появился его портрет, а известный киноактер произнес прочувствованную речь, в которой отметил заслуги Хантера Ллойда перед кинематографом, назвав его одним из лучших продюсеров Голливуда. Потом вынесли золотую статуэтку, и Талли еще раз поднялась на сцену, чтобы принять награду вместо него. И снова зал долго аплодировал стоя, причем многие, не стесняясь, не скрывали слез.

Талли тоже сочла необходимым сказать несколько слов о том, каким замечательным Хант был продюсером и какой честью для нее было работать вместе с ним.

— Память о нем никогда не изгладится из наших сердец, — громко произнесла она. — И мы никогда не забудем его замечательных фильмов. Мы тебя помним,

Хант, помним и любим. Нам будет тебя очень не хватать, но у нас остались твои работы. Спи спокойно, милый друг.

Ее речь была красивой и трогательной, а в руках она сжимала золотую статуэтку, которую собиралась переслать Анджеле Мориссии, чтобы та впоследствии отдала ее сыну Ханта. Когда Талли наконец сошла со сцены, в зале не было ни одного человека, кто остался бы равнодушным. Она нашла в себе силы достойно попрощаться с бывшим любовником, хотя он и причинил ей много боли, а это заслуживало как минимум уважения.

Когда Талли вернулась на свое место, Макс плакала, глядя на мать с восхищением, а Джим обнял ее за плечи и прижал к себе. Талли была удивительной женщиной, и он чувствовал себя самым счастливым человеком на свете.

Это был незабываемый вечер. Когда они уже покидали зал, Талли осадили журналисты, и она, сжимая в руках две золотые статуэтки, еще раз поблагодарила всех, кто работал вместе с ней над фильмом. После церемонии они побывали еще на двух традиционных полуофициальных вечеринках, но время было уже позднее, а Талли очень устала, поэтому с последней из них они с Джимом уехали, оставив Макс развлекаться в компании знакомых молодых людей и обаятельного молодого актера, который флиртовал с ней напропалую. Возможно, это было не совсем правильно, но Макс явно чувствовала себя звездой вечера, и Талли не хотела портить ей удовольствие. Талли только пообещала, что, когда лимузин отвезет их с Джимом, она отправит машину назад, чтобы дочери не пришлось думать о том, как добираться домой. Да и самой Талли так было спокойнее.

После этого они направились к дверям: Талли попрежнему прижимала к себе обе статуэтки, а Джим бережно поддерживал ее под локоть. Дежурившие у выхода репортеры сфотографировали их в последний раз, затем они сели в машину, и лимузин плавно тронулся с места.

Как только дверцы закрылись, Талли со вздохом облегчения откинулась на спинку сиденья и устало улыбнулась Джиму:

— Ну что, едем домой?

Он кивнул.

— Вот это был вечер! — проговорил он с восхищением. — Я еще никогда не видел столько знаменитостей сразу, но ты была лучше всех! — Джим наклонился к ней и нежно поцеловал. — Я очень горжусь тобой, Талли! — добавил он, и Талли на мгновение задумалась о своем отце. Он бы тоже ею гордился, но сейчас это не имело для нее особого значения, ведь у нее был Джим. Он стал ее спасением — нежданным даром небес, который она получила после всех потерь и страданий. А еще она получила «Оскар», который должен был еще больше укрепить ее режиссерский авторитет, но сейчас Талли меньше всего думала о своей карьере.

— Я тоже гордилась тобой, — сказала она, глядя на него своими лучистыми, как звезды, глазами. — Спасибо, что ты был со мной сегодня.

И Джим не нашелся что́ на это ответить. Да и что он мог сказать? Он просто любил Талли, любил за скромность и силу духа, любил за прямоту и порядочность, любил просто как женщину, равной которой нет в целом свете. Вот почему он не произнес ни слова — только поцеловал ее снова, и этот поцелуй сказал ей куда больше, чем любые слова.

— Спасибо, — повторила Талли, целуя его в ответ.

Когда они добрались до дома, Талли отослала лимузин за Макс, а сама посмотрела на Джима и неожиданно рассмеялась.

— Ну вот, — сказала она, — карета превратилась в тыкву, кучер обернулся крысой, и должна сказать — меня это вполне устраивает.

— Я знаю. — Джим с улыбкой кивнул. — Я люблю тебя, моя Золушка!

— И я тоже тебя люблю, — ответила она, и оба вошли в дом, тихо затворив за собой дверь.

Поднимаясь наверх, они вспоминали прошедший вечер, который стал для Талли незабываемым, и не только потому, что она получила награду, которую давно заслуживала. Главным было то, что именно сегодня Талли окончательно поверила: все плохое осталось позади, лжецы и предатели исчезли из ее жизни раз и навсегда, а она... она наконец нашла хорошего человека, с которым ей совершенно не страшно разделить жизнь и судьбу.

Эпилог

Через неделю после вручения наград Киноакадемии судья приговорил Бриджит Паркер к восемнадцати годам тюремного заключения. Основываясь на рекомендациях, подготовленных службой исполнения наказаний, он отказался назначить ей наказание с одновременным отбыванием сроков по обоим обвинениям. Теперь Бриджит предстояло отсидеть шесть лет за присвоение денег мошенническим путем, а потом еще двенадцать — за убийство.

Компенсация, которую Талли получила после продажи имущества Бриджит, составила меньше одной трети от того, чтó она потеряла. Основная часть средств от продажи роскошного особняка на Малхолланд-драйв была перечислена в казначейство в качестве пени за многолетнее уклонение от уплаты налогов.

Год спустя Талли Джонс и Джим Кингстон отправились вместе с детьми в отпуск на Гавайи и там официально зарегистрировали свой брак.

А еще через год Виктор Карсон женился в Лас-Вегасе на двадцатитрехлетней русской модели, рекламировавшей нижнее белье для известного торгового дома.

Литературно-художественное издание

ДАНИЭЛА СТИЛ. МИРОВОЙ МЕГА-БЕСТСЕЛЛЕР

Даниэла Стил

ПРОСТИ МЕНЯ ЗА ЛЮБОВЬ

Ответственный редактор *М. Носкова*
Младший редактор *В. Стрюкова*
Художественный редактор *В. Щербаков*
Технический редактор *О. Куликова*
Компьютерная верстка *А. Пучкова*
Корректор *Н. Сгибнева*

В оформлении обложки использованы фотографии
@ Mike Kemp^ Manfred Weis/Agefotostock/
FOTOLINK

ООО «Издательство «Эксмо»
127299, Москва, ул. Клары Цеткин, д. 18/5. Тел. 411-68-86, 956-39-21.
Home page: **www.eksmo.ru** E-mail: **info@eksmo.ru**

Өндіруші: «ЭКСМО» АҚБ Баспасы, 127299, Мәскеу, Клара Цеткин көшесі, 18/5 үй.
Тел. 8 (495) 411-68-86, 8 (495) 956-39-21.
Home page: www.eksmo.ru . E-mail: info@eksmo.ru.
Қазақстан Республикасындағы Өкілдігі: «РДЦ-Алматы» ЖШС, Алматы қаласы,
Домбровский көшесі, 3«а», Б литері, 1 кеңсе. Тел.: 8(727) 2 51 59 89,90,91,92,
факс: 8 (727) 251 58 12 ішкі 107; E-mail: RDC-Almaty@eksmo.kz
Қазақстан Республикасының аумағында өнімдер бойынша шағымды Қазақстан
Республикасындағы Өкілдігі қабылдайды: «РДЦ-Алматы» ЖШС,
Алматы қаласы, Домбровский көшесі, 3«а», Б литері, 1 кеңсе.
Өнімдердің жарамдылық мерзімі шектелмеген.

Сведения о подтверждении соответствия издания согласно законодательству РФ
о техническом регулировании можно получить по адресу:
http://eksmo.ru/certification/

Подписано в печать 21.01.2013.
Формат 60x90 $^{1}/_{16}$. Гарнитура «Опус».
Печать офсетная. Усл. печ. л. 28,0.
Тираж 18 000 экз. Заказ 469

Отпечатано с готовых файлов заказчика
в ОАО «Первая Образцовая типография»,
филиал «УЛЬЯНОВСКИЙ ДОМ ПЕЧАТИ»
432980, г. Ульяновск, ул. Гончарова, 14

ISBN 978-5-699-62330-3

9 785699 623303 >

Оптовая торговля книгами «Эксмо»:
ООО «ТД «Эксмо». 142700, Московская обл., Ленинский р-н, г. Видное,
Белокаменное ш., д. 1, многоканальный тел. 411-50-74.
E-mail: **reception@eksmo-sale.ru**

По вопросам приобретения книг «Эксмо» зарубежными оптовыми покупателями *обращаться в отдел зарубежных продаж ТД «Эксмо»*
E-mail: **international@eksmo-sale.ru**

International Sales: *International wholesale customers should contact Foreign Sales Department of Trading House «Eksmo» for their orders.*
international@eksmo-sale.ru

По вопросам заказа книг корпоративным клиентам, в том числе в специальном оформлении,
обращаться по тел. 411-68-59, доб. 2299, 2205, 2239, 1251.
E-mail: **vipzakaz@eksmo.ru**

Оптовая торговля бумажно-беловыми и канцелярскими товарами для школы и офиса «Канц-Эксмо»:
Компания «Канц-Эксмо»: 142702, Московская обл., Ленинский р-н, г. Видное-2,
Белокаменное ш., д. 1, а/я 5. Тел./факс +7 (495) 745-28-87 (многоканальный).
e-mail: **kanc@eksmo-sale.ru**, сайт: **www.kanc-eksmo.ru**

Полный ассортимент книг издательства «Эксмо» для оптовых покупателей:
В Санкт-Петербурге: ООО СЗКО, пр-т Обуховской Обороны, д. 84Е.
Тел. (812) 365-46-03/04.
В Нижнем Новгороде: Филиал ООО «Торговый Дом «Эксмо» в Нижнем Новгороде,
ул. Маршала Воронова, д. 3. Тел. (8312) 72-36-70.
В Ростове-на-Дону: Филиал ООО «Издательство «Эксмо» в г. Ростове-на-Дону,
пр-т Стачки, 243 «А». Тел. +7 (863) 305-09-12/13/14.
В Самаре: ООО «РДЦ-Самара», пр-т Кирова, д. 75/1, литера «Е».
Тел. (846) 269-66-70.
В Екатеринбурге: ООО «РДЦ-Екатеринбург», ул. Прибалтийская, д. 24а.
Тел. +7 (343) 272-72-01/02/03/04/05/06/07/08.
В Новосибирске: ООО «РДЦ-Новосибирск», Комбинатский пер., д. 3.
Тел. +7 (383) 289-91-42. E-mail: **eksmo-nsk@yandex.ru**
В Киеве: ООО «РДЦ Эксмо-Украина», Московский пр-т, д. 6.
Тел./факс: (044) 498-15-70/71.
В Донецке: ул. Артема, д. 160. Тел. +38 (062) 381-81-05.
В Харькове: ул. Гвардейцев Железнодорожников, д. 8. Тел. +38 (057) 724-11-56.
Во Львове: ул. Бузкова, д. 2. Тел. +38 (032) 245-01-71.
Интернет-магазин: www.knigka.ua. Тел. +38 (044) 228-78-24.
В Казахстане: ТОО «РДЦ-Алматы», ул. Домбровского, д. 3а.
Тел./факс (727) 251-59-90/91. RDC-Almaty@eksmo.kz

Полный ассортимент продукции издательства «Эксмо»
можно приобрести в магазинах «Новый книжный» и «Читай-город».
Телефон единой справочной: 8 (800) 444-8-444.
Звонок по России бесплатный.

В Санкт-Петербурге в сети магазинов «Буквоед»:
«Парк культуры и чтения», Невский пр-т, д. 46. Тел. (812) 601-0-601
www.bookvoed.ru

По вопросам размещения рекламы в книгах издательства «Эксмо» обращаться в рекламный отдел. Тел. 411-68-74.

Интернет-магазин ООО «Издательство «Эксмо»
www.fiction.eksmo.ru
Розничная продажа книг с доставкой по всему миру.
Тел.: +7 (495) 745-89-14 . E-mail: **imarket@eksmo-sale.ru**